Djila Thado
lu a Cancun
2 fev 0$

# MAYA

Jostein Gaarder nous convie dans cet ouvrage à une profonde réflexion écologique en nous rappelant – de manière ludique – les origines de la vie sur la Terre.

Ce roman est une construction savante et pédagogique à la fois, où se mêlent science et jeu, questions métaphysiques et histoire individuelle. Mais avec des clés qui reviennent à intervalles réguliers : l'Espagne, les îles Fidji, premières terres habitées à entrer quelques heures avant le reste de la planète dans le troisième millénaire, le jeu de 52 cartes et surtout la figure de Maya, qui est tout autant celle de l'héroïne, Ana, la danseuse de flamenco, que celle du célèbre tableau de Goya ou encore celle de l'Illusion chez les Hindous.

Un inoubliable voyage à travers les acquis et les hypothèses scientifiques.

*Jostein Gaarder est né en 1952 à Oslo. Après avoir enseigné la philosophie et l'histoire des idées à Bergen en Norvège, il se consacre aujourd'hui à sa carrière littéraire et a créé une fondation de défense de l'environnement. Il connaît, dans son pays, un succès unanime pour une œuvre d'une profonde originalité. C'est* Le Monde de Sophie *qui l'a définitivement consacré auprès de la critique et du grand public, en Norvège et à l'étranger (Allemagne, Suède, Italie, USA, France, etc.).*

DU MÊME AUTEUR

*Aux mêmes éditions*

Le Monde de Sophie
*1995*
*et « Points », n° P1000*

Le Mystère de la patience
*1996*
*et « Points », n° P634*

Dans un miroir obscur
*1997*
*et « Points » n° P549*

Le Petit Frère tombé du ciel
*illustrations de Gabriella Giandelli*
*Seuil, 1997*

Vita Brevis
*1998*
*et « Points », n° P1055*

La Fille du directeur de cirque
*2002*

# Jostein Gaarder

# MAYA

ROMAN

*Traduit du norvégien*
*par Hélène Hervieu*

*Éditions du Seuil*

TEXTE INTÉGRAL

TITRE ORIGINAL
*Maya*
ÉDITEUR ORIGINAL
H. Aschehoug & Co (W. Nygaard), Oslo, 1999

ISBN original : 82-03-18163-5

ISBN 2-02-051060-X
(ISBN 2-02-040803-1, 1ʳᵉ publication)

© Éditions du Seuil, octobre 2000, pour l'édition française

www.seuil.com

*Pour Siri*

# Sommaire

*Prologue*

Frank atterrit, je m'en souviens – comment l'oublierais-je ?– un matin de janvier 1998 humide et venteux. C'était à Taveuni, une petite île de l'archipel des Fidji. L'orage avait tonné toute la nuit et, avant même le petit déjeuner, le personnel du Maravu Plantation était à pied d'œuvre pour réparer le système électrique. L'opération était délicate – la chambre froide était menacée –, et je me proposai d'aller à Matei chercher les nouveaux clients qui devaient arriver à l'île du changement de date par l'avion du matin. Angela et Jochen Kiess me remercièrent chaleureusement de mon offre, Jochen se lançant même dans une grande tirade d'où il ressortait qu'en situation de crise on pouvait toujours compter sur un Britannique.

J'avais repéré ce Norvégien au visage sérieux dès qu'il était monté dans la Land Rover en compagnie de quelques Américains ; de taille moyenne, il devait avoir la quarantaine, ses cheveux étaient blonds comme la plupart des Scandinaves, mais il avait les yeux marron et la mine un peu défaite. Il se présenta sous le nom de Frank Andersen, et je me souviens de m'être dit – un peu comme un jeu – qu'il devait appartenir à cette rare catégorie d'individus qui, leur vie durant, sentent peser sur leurs épaules le poids d'une existence selon eux dépourvue de permanence et de spiritualité. Mes suppositions se trouvèrent confirmées lorsque j'appris le soir même qu'il était biologiste de l'évolution.

13

Si l'on a une prédisposition pour la mélancolie, la biologie de l'évolution est, à mon sens, une science qui a peu de chances de vous redonner le moral.

*

Je suis dans ma maison à Croydon. Devant moi, sur mon bureau, il y a une carte postale froissée datée du 26 mai 1992, Barcelone. La carte représente une photo de la cathédrale de Gaudí, la Sagrada Familia – véritable château de sable inachevé –, avec au dos ces quelques lignes :

*Très cher Frank,*
*Je rentre mardi à Oslo. Mais je ne rentre pas seule. Désormais, tout va changer. Il va falloir t'y faire. Ne m'appelle pas ! Je veux sentir ton corps avant qu'il y ait la moindre parole entre nous. Tu te rappelles la boisson magique ? Bientôt je vais te la faire goûter. Il m'arrive d'avoir si peur. Est-ce qu'il y a quelque chose qui pourrait nous aider, tous les deux, à accepter l'idée que la vie est si courte ?*

*Ta Véra.*

Cette carte, Frank me l'avait montrée un après-midi alors que nous étions au bar de Maravu attablés devant une bière. Je venais de lui raconter comment, quelques années plus tôt, j'avais perdu Sheila ; Frank était resté silencieux. Puis, d'un geste brusque, il avait sorti de son portefeuille une carte postale pliée en quatre qu'il avait mise à plat sur la table entre nous. Le texte manuscrit était en espagnol, mais le Norvégien m'en avait fait une traduction mot à mot. On aurait dit qu'il avait besoin de mon aide pour comprendre ce qu'il venait de traduire.

14

– Qui est Véra ? demandai-je. Vous avez été mariés ?

Il fit oui de la tête.

– Nous nous sommes rencontrés en Espagne vers la fin des années 80. Quelques mois plus tard, nous avons emménagé ensemble à Oslo.

– C'est là que tout a foiré ?

Il secoua la tête, avant d'ajouter :

– Ça a duré dix ans, puis elle est rentrée à Barcelone. C'était l'automne dernier.

– Véra, ça ne sonne pas très espagnol comme prénom, remarquai-je. Pas très catalan non plus, d'ailleurs.

– C'est le nom d'une petite ville d'Andalousie. D'après sa famille, c'est là qu'elle aurait été conçue.

Je regardai la carte postale.

– Et en 1992, elle était allée à Barcelone voir sa famille ?

Il secoua à nouveau la tête :

– Elle y allait pour défendre sa thèse, juste quelques semaines.

– Sa thèse ?

– Sur les mouvements d'émigration africaine. Véra est paléontologue.

Intrigué, je continuai :

– Qui l'accompagnait à son retour en Norvège ?

Il baissa les yeux et regarda son verre.

– Sonja, dit-il simplement.

– Sonja ?

– Notre fille, Sonja.

– Vous avez une fille alors ?

Il montra la carte du doigt.

– C'est ainsi que j'ai appris qu'elle attendait un enfant.

– Le tien.

Il tressaillit.

– Le mien, oui.

A un certain moment, il avait dû se passer quelque chose. J'essayais de m'imaginer ce que ça pouvait bien être, mais je n'avais pas la moindre piste pour l'instant.

– Et la « potion magique » qu'elle voulait te faire goûter ? Ça avait l'air important.

Il hésita. Puis il sourit, un peu gêné, avant de faire un geste évasif de la main.

– Non, ce genre d'idioties… C'est du Véra tout craché, ça.

Je fis signe au barman et commandai une autre bière. Frank venait de vider son verre. Je l'encourageai.

– Raconte.

Il reprit :

– Nous partagions tous les deux la même soif de vivre, le même désir d'une vie sans compromis. On pourrait aussi appeler ça « le désir d'éternité ». Je ne suis pas sûr de me faire bien comprendre…

Oh que si ! Je sentais mon cœur battre à tout rompre. Il fallait que je me calme. Je me contentai de lever la main pour lui faire entendre que je n'avais nul besoin qu'il s'expliquât davantage. Il nota mon geste. Ce n'était visiblement pas la première fois que Frank essayait d'expliquer ce qu'il entendait par « désir d'éternité ». Il poursuivit :

– Je n'ai jamais rencontré ce même besoin irrépressible chez une femme. Véra était une femme chaleureuse, très simple. Mais elle vivait aussi beaucoup dans son propre univers ou, disons, dans celui de la paléontologie.

– C'est-à-dire ?

– Elle ne s'est jamais intéressée à ce qui se passait dans le monde extérieur. Même pas à l'image que lui renvoyait son miroir. Elle était belle, oui, vraiment belle. Pourtant je ne l'ai jamais vue feuilleter un magazine féminin.

Il s'interrompit un moment, trempant un doigt dans sa bière, avant d'ajouter :

– Elle m'a raconté un jour qu'elle s'amusait à rêver, quand elle était encore adolescente, d'une boisson magique qui lui donnerait la vie éternelle aussitôt qu'elle en aurait bu la moitié. Elle aurait ainsi disposé d'un temps illimité pour chercher l'homme à qui proposer le reste de la potion.

Comme ça, elle était sûre de trouver un jour l'homme qu'il lui fallait : la semaine prochaine ou dans mille ans, ça n'avait plus d'importance.

Je montrai à nouveau la carte postale :

– Et elle avait enfin trouvé cet élixir de vie ?

Il eut un sourire résigné :

– Quand elle est revenue de Barcelone au début de l'été 1992, elle m'a solennellement déclaré qu'il fallait que nous buvions quelques gorgées de cette potion magique dont elle avait rêvé petite. Elle pensait à l'enfant que nous allions avoir. Quelque chose de nous deux avait commencé à vivre sa propre vie, disait-elle, cela finirait peut-être par porter ses fruits dans plusieurs milliers d'années.

– Elle parlait de votre descendance ?

– Oui, c'est à ça qu'elle pensait. Tous les hommes sur terre sont issus, comme tu le sais, d'une seule femme qui a vécu en Afrique, il y a quelques centaines de milliers d'années.

Il but une gorgée de bière. Il ne semblait pas prêt à poursuivre, et je dus le remettre sur les rails :

– Continue, je t'en prie.

Il me regarda droit dans les yeux. On aurait dit qu'il se demandait si l'on pouvait vraiment me faire confiance.

– Quand elle est venue me rejoindre à Oslo, elle m'a assuré qu'elle n'aurait pas hésité à partager la potion magique avec moi, si elle l'avait eue en sa possession ; bien entendu, je n'ai pas pu goûter à une quelconque « potion magique », mais cela a été un moment très intense. J'ai ressenti cela comme un immense privilège, puisqu'elle osait faire un choix sur lequel elle ne pourrait jamais revenir.

J'acquiesçai pour lui signifier mon accord.

– Ce n'est plus si fréquent de se promettre fidélité éternelle. On reste ensemble dans les bons jours. Et dès que les mauvais jours pointent leur nez, on fout le camp.

Il commençait à s'échauffer :

– Je crois que ie me souviens mot pour mot de ce qu'elle a

dit : « Pour moi, il n'y a qu'une seule terre et un seul homme, et si je ressens ça aussi fortement, c'est parce que je ne vis qu'une fois. »

– Voilà une belle déclaration d'amour. Mais que s'est-il passé ensuite ?

Il fut très bref. Il commença par vider son verre d'un trait, puis il me raconta qu'ils avaient perdu Sonja alors que celle-ci n'avait que quatre ans et demi, et qu'à partir de ce moment-là, ils n'avaient plus réussi à vivre ensemble. Cela faisait trop de chagrin sous le même toit, m'expliqua-t-il. Il se tut, les yeux fixés sur les palmiers du jardin.

On en resta là, malgré mes timides tentatives pour l'amener à reprendre le fil de la conversation.

L'arrivée inopinée d'un crapaud sur le sol carrelé où nous nous trouvions fit diversion. Il y eut un « hop » et l'énorme batracien disparut sous la table.

– Un crapaud aga, m'expliqua Frank.

– Un crapaud aga ?

– Un *Bufo marinus*, si tu préfères. On l'a introduit d'Hawaï en 1936 pour lutter contre les insectes qui s'attaquaient aux plantations. C'est la belle vie ici, pour eux.

Il me montra du doigt le jardin et nous en observâmes quatre ou cinq autres. En l'espace de quelques minutes, je comptai une douzaine de crapauds dans l'herbe humide. Cela faisait plusieurs jours que j'habitais sur l'île, mais je n'en avais encore jamais vu autant à la fois. On aurait dit que Frank les attirait, j'en comptais à présent une vingtaine. Je commençais à me sentir mal à l'aise.

J'allumai une cigarette.

– Je repense à cette histoire de potion magique, dis-je. Je ne crois pas que tous les hommes auraient le courage d'y toucher. Je crois plutôt que la plupart la laisseraient gentiment de côté.

Je posai le briquet sur la table et, le montrant du doigt, je chuchotai :

– C'est un briquet magique. Si tu l'allumes, tu vivras éternellement.

Il me regarda fixement, cela ne le faisait pas rire du tout. On aurait dit que ses yeux lançaient des éclairs.

– Mais il faut bien réfléchir avant, précisai-je, car tu n'as droit qu'à un seul essai et ta décision, quelle qu'elle soit, est irrévocable.

– Cela n'a aucune importance, fit-il avec un geste de la main.

Je ne voyais toujours pas quelle aurait été sa décision.

– Tu préfères vivre ton temps normal, demandai-je sur un ton solennel, ou tu préfères l'éternité ?

Lentement, mais d'un geste décidé, Frank prit le briquet et l'alluma.

J'étais impressionné. Cela faisait presque une semaine que j'étais sur l'île de Taveuni et pour la première fois je me sentis moins seul.

– On n'est pas si nombreux que ça à faire ce choix, remarquai-je.

J'eus droit, enfin, à un large sourire. Je crois qu'il était tout aussi surpris que moi par notre rencontre.

– C'est vrai, on n'est pas si nombreux que ça, reconnut-il.

Sur ces mots, il se leva à moitié pour me tendre la main au-dessus des verres de bière.

C'était comme si nous avions admis tous les deux faire partie de la même confrérie secrète, une confrérie dont les membres ne craignaient pas de vivre éternellement. C'était plutôt le contraire qui nous faisait peur, à Frank et à moi.

Le dîner allait bientôt être servi et je proposai à mon nouvel ami de fêter notre rencontre avec une bonne rasade d'alcool. Que dirait-il d'un petit gin ? Il approuva de la tête.

Les crapauds avaient continué à se rassembler dans le jardin et je me sentais de plus en plus envahi par le dégoût. J'avouai à Frank que je n'avais toujours pas réussi à m'habituer aux geckos dans ma chambre.

On nous apporta les verres de gin et, tandis que le personnel préparait les tables pour le repas, nous restâmes assis à trinquer à la santé des anges. Nous trinquâmes aussi à la santé de tous ces pauvres hères qui ne peuvent s'empêcher d'envier aux anges leur immortalité. Frank désigna les crapauds dans le jardin. Il estimait que nous devions aussi leur porter un toast.

– Ils sont malgré tout nos frères de sang, souligna-t-il. Nous avons plus de parenté avec eux qu'avec les chérubins célestes.

Tel était Frank. La tête complètement dans les nuages, mais les pieds sur terre malgré tout. Il me confia qu'il n'avait pas du tout apprécié son vol de la veille, qui l'avait amené à Matei. L'avion était un vieux coucou, le vent avait rendu le trajet difficile, m'expliqua-t-il, et il trouvait que même pour une si courte distance, il y aurait dû y avoir un copilote.

Nos verres étaient presque vides quand le biologiste norvégien me raconta qu'à la fin du mois d'avril il devait participer à une conférence dans la vieille ville universitaire de Salamanque ; il avait appelé le centre de conférence et avait eu la confirmation que Véra aussi était invitée. Mais il ne savait pas si elle était d'accord pour qu'ils se revoient.

– Mais toi, tu espères la revoir, non ? hasardai-je.

Il ne répondit pas à ma question. Et je ne saurais dire s'il fit le moindre signe de tête.

Ce soir-là, on rassembla toutes les tables du restaurant pour faire une seule longue tablée. C'est moi qui avais eu cette idée, en constatant le grand nombre de clients solitaires. Ana et José furent les premiers à descendre dîner, et je jetai un dernier coup d'œil à la carte postale avec ses huit tours avant de la rendre à Frank.

– Oh, tu peux la garder ! s'écria-t-il. De toute façon, je me souviens de chaque mot.

Le ton amer avec lequel il avait prononcé cette phrase ne m'avait pas échappé, aussi tentai-je de le faire changer d'avis. Mais il ne voulut pas en démordre. On aurait dit que sa décision était de la plus grande importance :

– Si je la prends, je pourrais en arriver un jour à la déchirer, déclara-t-il. Alors autant que tu la gardes pour moi. Et qui sait, peut-être qu'on se reverra un jour ?

J'étais résolu, malgré tout, à lui rendre la carte avant qu'il ne quitte l'île du changement de date. Mais, le matin du départ de Frank, il se produisit un événement sur Maravu qui me fit oublier tout le reste.

\*

Près d'un an plus tard, je rencontrerais de nouveau, tout à fait par hasard, le biologiste norvégien. Cela fait partie de ces merveilleuses coïncidences qui pimentent notre existence et nous font, de temps à autre, nourrir l'espoir que des forces cachées suivent en parallèle notre vie et parfois nous capturent dans les rets du destin.

J'ai désormais devant moi une longue lettre que Frank a écrite à Véra après l'avoir revue à Salamanque. Je considère comme une victoire personnelle que ce document soit enfin sous ma protection et cela ne serait jamais arrivé si, par une chance inouïe, je n'étais tombé sur Frank à Madrid. C'était à l'hôtel Palace, en novembre 1998. Il est vrai que c'est dans ce même hôtel que, quelques mois plus tôt, il avait rédigé pendant des journées entières sa lettre à Véra.

Dans sa lettre, Frank évoque plusieurs épisodes que nous avons vécus ensemble sur Taveuni. Il parle surtout d'Ana et de José, ce qui est compréhensible, mais il fait aussi référence à un certain nombre de conversations que nous avons eues en tête à tête, lui et moi.

Quand j'ai décidé de présenter ce long document dans son intégralité, j'ai été tenté d'émailler le récit de Frank de quelques commentaires personnels. Mais j'ai finalement choisi de présenter telle quelle la lettre à Véra et d'ajouter une postface assez conséquente.

Bien sûr, je suis heureux de me retrouver devant cette longue missive, d'autant qu'elle m'a permis d'étudier les cinquante-deux paragraphes du Manifeste. Laissez-moi juste préciser qu'il serait tout à fait déplacé de penser que je me serais permis de confisquer une lettre personnelle. Ce n'est pas du tout ainsi que les choses se sont passées, pas du tout. Mais je reviendrai aussi là-dessus dans ma postface.

*

Dans quelques mois à peine, nous entrerons dans le XXIe siècle. Je trouve que le temps passe vite. Je trouve que le temps passe de plus en plus vite.

J'étais encore petit garçon – il n'y a pas si longtemps de cela – quand j'ai compris qu'il me faudrait atteindre l'âge de 67 ans si je voulais connaître le changement de siècle. Cela a toujours été une pensée à la fois fascinante et effrayante. J'ai dû dire adieu à Sheila dans ce siècle. Elle avait 59 ans.

Peut-être que je retournerai sur la ligne du changement de date pour le vrai passage à l'an 2000. J'avais pensé enfermer la lettre à Véra dans une capsule hermétique et la sceller pendant mille ans. Est-il vraiment nécessaire de la publier avant ? La même question se pose d'ailleurs pour le Manifeste. Mille ans, ce n'est rien, en tout cas pas grand-chose comparé à l'immensité des notions temporelles qu'évoque le Manifeste. Mais mille ans, c'est assez pour que la plupart des traces que nous laissons, nous qui sommes en vie aujourd'hui, soient effacées à tout jamais, et que l'histoire d'Ana María Maya soit reléguée au rang de légende fort ancienne.

A mon âge, on peut révéler au grand jour ce qu'on a sur le cœur, cela n'a plus grande importance. Ce qui compte, c'est que cela se sache un jour ou l'autre, et l'histoire n'a pas forcément besoin d'être racontée par moi en personne. Peut-être est-ce la raison pour laquelle je lorgne vers cette capsule hermétique. Dans mille ans, on peut toujours espérer que le monde sera moins troublé.

*

Après avoir relu encore une fois la lettre à Véra, je me suis senti enfin prêt à trier les affaires de Sheila. Le moment est venu. Demain matin, les gens de l'Armée du salut doivent passer ; ils ont dit qu'ils emporteraient tout. Ils prendront même les vieilles robes dont je ne vois pas très bien ce qu'ils pourront faire. J'ai l'impression de me débarrasser d'un vieux nid d'hirondelles qui aurait été déserté par ses habitants depuis plusieurs années.

Je me serai bientôt installé dans ma nouvelle vie de célibataire. Cela aussi est une forme d'existence. Je ne sursaute plus autant quand mes yeux se posent sur le grand portrait en couleurs de Sheila.

Cela peut sembler paradoxal, mais malgré les longues heures passées à regarder mon passé, je sais que je n'hésiterais toujours pas à goûter la boisson magique de Véra. Je le ferais sans ciller, même si je ne suis pas sûr de trouver quelqu'un à qui la faire partager. Pour Sheila, bien sûr, c'est trop tard. La seule potion qu'elle aura jamais goûtée, c'est ce poison qu'on lui a fait boire, la dernière année, pour tuer certaines de ses cellules.

Aujourd'hui j'ai un rendez-vous. J'ai invité Chris Batt à déjeuner. Chris est le bibliothécaire en chef de la nouvelle bibliothèque, ici, à Croydon. Je suis redevenu un vrai rat de bibliothèque. Je trouve que c'est un honneur pour notre quartier de jouir d'un établissement aussi moderne, équipé d'escaliers roulants entre les étages. Chris est un type qui n'a pas peur d'aller de l'avant. Je crois qu'il aurait allumé le briquet dans le bar de Maravu. Et il n'aurait sans doute ressenti aucun malaise à la vue des crapauds.

Je me suis décidé à demander à Chris si, en général, on rédigeait une préface avant ou après avoir fini d'écrire le livre. Ma théorie est que la préface d'un ouvrage est presque toujours la dernière chose qu'on écrit. La lettre à Véra m'a d'ailleurs conforté dans cette opinion.

Il aura fallu attendre quelques centaines de millions d'années après que les premiers amphibiens ont gagné la terre ferme pour que des êtres vivants sur cette planète soient capables de proposer une description de ce qui s'est passé en ces temps-là. Ce n'est qu'aujourd'hui que nous pouvons écrire la préface de l'histoire de l'humanité – c'est-à-dire longtemps, bien longtemps après que les événements ont eu lieu. L'essence des choses semble se mordre elle-même la queue. Peut-être en va-t-il ainsi de tous les processus de création. De toutes les compositions musicales aussi. Je m'imagine que la dernière chose qu'on compose dans une symphonie, ce doit être l'ouverture, je vais demander à Chris ce qu'il en pense. Il n'arrête pas de blaguer, mais je sais que c'est un homme intelligent. Je doute que Chris Batt puisse me citer une opérette où l'ouverture aurait été manifestement composée avant que le reste de l'ouvrage soit achevé. On n'a une vision globale de la manière dont se sont déroulés des événements qu'une fois que cela ne sert plus à rien. Ainsi le grondement du tonnerre ne peut jamais annoncer l'éclair. Celui qui veut décrypter le destin doit y survivre.

Je ne sais pas si Chris Batt s'y connaît en astronomie, mais je vais lui demander ce qu'il pense de ce résumé de l'histoire de l'univers :

Les applaudissements provoqués par le big bang se sont produits seulement quinze milliards d'années après la déflagration.

Voici la lettre à Véra dans son intégralité.

Croydon, juin 1999
John Spooke

*Lettre à Véra*

Chère Véra,

Quelques semaines déjà se sont écoulées depuis que nous nous sommes revus et, compte tenu de ce qui s'est passé le dernier soir, tu dois avoir hâte que je te donne de mes nouvelles. Mais c'est que, vois-tu, j'ai mis du temps à démêler tous les fils.

Je suis donc resté à Salamanque après la conférence, car j'étais sûr, absolument sûr, que c'étaient bien eux que j'avais aperçus sous le pont de Tormes, en contrebas de la ville. Tu as cru que je plaisantais, que je te racontais des histoires simplement pour te faire rire avant que nous ne rentrions à l'hôtel. Mais c'était bien Ana et José que j'avais vus et je ne pouvais pas quitter la ville sans consacrer un ou deux jours à essayer de les retrouver. Dès le lendemain matin, je tombai sur eux plaza Mayor, mais n'anticipons pas, je veux tout te présenter dans l'ordre. Laisse-moi juste te faire comprendre pourquoi, aujourd'hui, je me suis assis pour t'écrire.

J'ai donc revu José une semaine et demie plus tard, au musée du Prado. On aurait dit qu'il avait écumé toutes les salles à ma recherche, et Dieu sait s'il y en a. Nous nous sommes de nouveau rencontrés le lendemain, en fin de matinée. J'étais assis sur un banc dans le parc du

Retiro et je pensais à tout ce qu'il m'avait raconté. Mais il manquait toujours des pièces au puzzle. Soudain, il a surgi devant moi, comme si quelqu'un l'avait renseigné sur mes promenades quotidiennes. Il s'est assis et nous sommes restés ensemble quelques heures avant que je le raccompagne à travers le parc jusqu'à la gare. Il s'est dépêché pour prendre son train et, au moment de grimper, il s'est retourné et m'a donné une grosse enveloppe avec des photographies à l'intérieur. De retour dans ma chambre d'hôtel, j'ai découvert qu'il y avait quelque chose d'écrit au dos de chaque photo. Le Manifeste, Véra ! Ce fameux jeu de patience, je l'avais enfin entre les mains !

Tout cela, ce que m'a raconté José au Retiro, ce qu'il m'a remis avant de disparaître, explique que je ne peux pas m'éloigner de cette ville avant de t'avoir envoyé l'histoire dans sa totalité.

Il est deux heures de l'après-midi et je ne vais pas pouvoir beaucoup me reposer avant ce soir. Je vais me faire servir du café et quelque chose à grignoter dans ma chambre. Mon unique but est de te faire parvenir cette lettre avant de boucler mes bagages et de partir pour Séville vendredi matin.

J'avais pensé te donner mon récit par petits bouts, mais j'ai eu peur que tu ne te branches pas tout de suite sur le Net. Et puis non, il faut que tu aies l'histoire dans sa totalité : tout ou rien. J'aurais pu aussi t'envoyer un e-mail pour te prévenir que tu allais recevoir un long message demain matin, mais je ne suis même pas sûr que tu veuilles encore avoir de mes nouvelles. Je dois tout mettre en œuvre pour que tu croies en cette histoire que d'ailleurs je n'ai pas encore écrite.

C'est donc sur les îles Fidji que je me suis retrouvé pris dans cette toile d'araignée, mais je ne sais plus exactement ce que je t'ai déjà raconté. Nous ne nous sommes vus que peu de jours et par respect, sans doute, nous avons gardé entre nous une certaine distance.

En revoyant le couple étrange des Fidji, tout s'est déclenché comme dans une avalanche, simplement je ne me souviens pas de ce que je t'ai dit ou non, car tu n'arrêtais pas de m'interrompre avec tes fous rires. Tu pensais que j'inventais tout au fur et à mesure, comme si je te donnais une sorte de spectacle de fin de soirée, dans le seul but de te faire rester.

Tu vas sûrement te demander ce qu'Ana et José ont à voir avec toi, avec nous. Je te rappelle une phrase que tu m'as écrite, un jour, de Barcelone : « Est-ce qu'il y a quelque chose qui pourrait nous aider, tous les deux, à accepter l'idée que la vie est si courte ? » C'est à mon tour maintenant de poser cette question, mais pour y répondre, il faut d'abord que je te parle d'Ana et de José, et pour cela il te faudra remonter avec moi très loin dans le temps, jusqu'au dévonien en fait, lorsque les premiers amphibiens firent leur apparition, car c'est là que commence cette histoire.

Quoi qu'il arrive, je te demande une dernière chose : installe-toi confortablement et lis, s'il te plaît, lis !

# Verra bien qui verra le dernier

Mon expédition de deux mois dans le Pacifique prit fin à Taveuni, sur l'une des îles Fidji. J'avais pour mission d'étudier le rôle des espèces végétales et animales dans l'équilibre écologique. Cela comprenait les passagers clandestins comme les rats, les souris, les insectes, les lézards, mais aussi ces espèces que l'on a introduites pour en éradiquer d'autres – les insectes nuisibles liés aux nouvelles formes d'agriculture notamment – et qui ont proliféré de façon tout à fait incontrôlée, comme l'opossum et la mangouste. Le troisième groupe est formé par les animaux domestiques retournés à l'état sauvage, tels les chats, les chèvres et les cochons, le gibier, et par toutes ces bêtes qui constituent une réserve de viande : lapins, chevreuils et autres herbivores.

En ce qui concerne les plantes, fleurs d'agrément ou plantes utiles, la liste qui recense les espèces introduites est si longue et diffère tellement d'une île à l'autre que citer quelques noms n'a aucun intérêt.

La partie méridionale du Pacifique est un eldorado pour des études de ce genre, puisque ces îles à l'écart de tout avaient encore récemment chacune son propre équilibre écologique originel présentant une très riche palette d'espèces végétales et animales endémiques. Aujourd'hui, l'Océanie possède le plus grand nombre d'espèces en voie de disparition au monde – aussi bien en termes de superficie que de quantité. Cela n'est pas uniquement dû à l'introduction de nouvelles espèces, mais aussi à la déforestation et à l'exploitation irraisonnée des plantations qui ont provoqué en maints endroits une érosion du sol catastrophique, qui, elle-même, a abouti à la destruction de l'habitat traditionnel.

Plusieurs des îles que j'ai visitées n'avaient pratiquement eu aucun contact avec la culture occidentale avant ce dernier siècle, je veux dire avant la dernière grande vague colonisatrice européenne. Chaque île, chaque nouveau comptoir, chaque escale de bateau a bien sûr sa propre histoire, mais les conséquences écologiques de la colonisation sont malheureusement partout les mêmes : la présence, à bord des premiers bateaux, d'une ménagerie de rats, de souris et d'insectes a marqué le début d'une sorte de cancer écologique. En effet, pour remédier aux conséquences néfastes de leur introduction, on a aussitôt fait venir de nouvelles espèces, la tortue par exemple, pour éradiquer certains insectes qui s'attaquaient aux plantations de canne à sucre, ou bien le chat pour chasser le rat. Et ces animaux sont devenus un fléau pire encore que les rats ou les insectes. Alors on a introduit un nouveau prédateur chargé de combattre et les tortues et les serpents et les rats. Mais lui-même est devenu une menace aussi bien pour certaines espèces d'oiseaux que pour de nombreux reptiles sédentaires. Il a donc, bien sûr, fallu faire appel à des prédateurs encore plus gros. Et ainsi de suite et ainsi de suite, Véra. De nos jours, on préfère les poisons, les virus, la stérilisation, c'est davantage devenu une guerre chimique et biologique. Créer une nouvelle chaîne alimentaire, cela ne se fait pas en deux coups de cuillère à pot. Est-ce que c'est faisable, d'ailleurs ? En revanche, ce qu'on sait faire, c'est détruire avec une facilité étonnante un équilibre biologique que la nature a mis des millions d'années à construire. C'est effrayant. La folie du monde n'a plus de bornes et ne s'arrête à la frontière d'aucun pays. Folie engendrée par l'orgueil de l'intelligence – cette sorte d'inventivité générée par une étroitesse d'esprit et qui était remarquablement sous-développée chez les Aborigènes d'Australie, les Maoris et les Mélanésiens avant qu'ils n'aillent à l'école de l'homme blanc –, folie du profit et de la cupidité. Globalisation, accords commerciaux ? Ce ne sont que dès euphémismes pour dire que la nourriture n'est plus un moyen de s'alimenter : elle n'est désormais qu'une marchandise.

Autrefois les hommes ne tiraient de la terre que le strict nécessaire. Mais aujourd'hui il faut produire, produire du superflu que seuls les plus riches peuvent s'offrir. Nous ne vivons plus au jour le jour. Le paradis, c'est terminé.

Tu ne connais que trop ma prédilection pour les reptiles. C'est parce que, enfant, j'étais fasciné par la vie sur cette planète il y a cent ou deux cents millions d'années que je suis devenu biologiste ; c'était bien avant que les dinosaures ne reviennent, ces quinze dernières années, à la mode. Je voulais comprendre pourquoi tous ces reptiles hautement évolués avaient disparu. De plus, une question m'obsédait : que se serait-il passé si les dinosaures avaient survécu ? Que serait-il advenu de ces petits mammifères semblables à des musaraignes dont nous sommes issus, toi et moi ? Ah, le mystère de l'extinction des dinosaures…

En Océanie, j'ai pu étudier à loisir plusieurs anciennes espèces de reptiles. L'observation de l'archaïque touatara sur les îles isolées de la Nouvelle-Zélande a été un grand moment. Tu vas rire, mais j'ai éprouvé un sentiment indescriptible, presque mystique, quand j'ai pu voir un survivant de ces vertébrés les plus vieux du monde se déplacer librement dans ce qui restait des forêts du continent de Gondwana. Ces reptiles d'un autre temps habitent dans des galeries souterraines qu'ils partagent souvent avec un fulmar. Ils mesurent jusqu'à soixante-dix centimètres de long, ont une température maximale de neuf degrés, ce qui n'est vraiment pas beaucoup, et peuvent vivre plus d'une centaine d'années. Quand tu les aperçois la nuit, tu te croirais revenu au temps du jurassique lorsque la Laurasie s'est détachée du Gondwana et que le règne des premiers dinosaures a commencé. C'est à cette époque que la famille des rynchocéphales s'est différenciée des autres dinosaures et a donné naissance à une sorte de reptile petit, très résistant. Le touatara est son dernier représentant sur terre : il n'a pas changé depuis deux cents millions d'années !

J'ai dû reprendre mon souffle, Véra. Le touatara, c'est aussi extraordinaire que si l'on venait de découvrir un animal préhistorique encore en vie sur l'une de ces îles ; c'est d'ailleurs ce qui s'est produit le 22 décembre 1938 à l'est de l'Afrique du Sud, quand un bateau de pêche a pris un cœlacanthe dans ses filets, celui qu'on a surnommé le poisson bleu. Ce groupe des cœlacanthes qui a été si important dans la chaîne de l'évolution, pour la simple et bonne raison que toi et moi ainsi que tous les autres vertébrés nous découlons de lui, on ne le connaissait jusqu'à ce Noël 1938 que par des fossiles ; et on le croyait définitivement disparu depuis presque cent millions d'années. Le cœlacanthe et le touatara peuvent être qualifiés de « fossiles vivants », enfin pour l'instant devrais-je peut-être ajouter. Car s'il y a encore quelques années on pouvait trouver le touatara sur l'ensemble du territoire de la Nouvelle-Zélande, ce n'est déjà plus le cas.

Je n'ai jamais pu me contenter de la description d'une espèce animale faite par un collègue, or, dans mes domaines de prédilection – la formation de l'espèce, l'évolution, la taxinomie –, on n'a que des fossiles à étudier. Tu comprendras que je considère la récente découverte de fossiles de dinosaures à plumes comme la nouvelle la plus sensationnelle du siècle. Un scoop ! La preuve tangible que les oiseaux descendent bien des dinosaures, voire que les oiseaux *sont* des dinosaures !

Il serait donc faux de prétendre que je ne m'intéresse pas aux squelettes et aux fossiles. Mais dès qu'il s'agit d'espèces vivantes, j'aime mieux faire mes propres recherches sur le terrain et n'utiliser les monographies de mes confrères que par la suite pour développer une analyse plus systématique. En ce qui concerne le touatara – comme toute une série d'autres espèces endémiques –, ce sont justement les biotopes qui se sont conservés de manière intacte à travers plusieurs millions d'années. Bon, je dois reconnaître que je me fais parfois l'effet d'un Darwin moderne lorsque je vole d'île en île au-dessus des massifs de coraux verts, bleu ciel, turquoise.

Un iguane à crête dorsale que l'on ne trouve qu'ici, sur quelques îles, et que l'on n'avait pas décrit avant 1979, quand John Gibbons s'y est intéressé, me fascine particulièrement. Les îles Fidji comptent deux sortes d'iguanes, fait déjà étonnant en lui-même, mais cet iguane-là n'existe qu'ici et sur l'île de Tonga. On a longtemps cru qu'il avait réussi à quitter l'Amérique du Sud en se laissant porter par des végétaux flottant à la surface des mers ! Pourquoi pas ? Pourquoi les primates seraient-ils les seuls à pouvoir se déplacer d'un continent à l'autre sur des troncs de balsa ou quelque chose du même genre ? Le professeur Peter Newell de l'université de South Pacific a entre-temps montré que les iguanes des îles Fidji sont bien plus anciens que ce que l'on pensait : « Les récentes découvertes des fossiles marins de crocodiles – qui peuvent nager des milliers de kilomètres – tendraient à prouver que les iguanes sont beaucoup plus anciens que nous ne le pensions au départ. Ils seraient des vestiges de Gondwana alors que les îles Fidji ainsi que d'autres pays, telles la Nouvelle-Zélande, l'Australie et l'Inde, faisaient partie d'une vaste plaque continentale qui plus tard s'est scindée en plusieurs fragments. On trouve d'ailleurs des iguanes à Madagascar qui faisait également partie, il y a cent cinquante millions d'années, de Gondwana. »

Mais je ne veux pas t'embêter avec mes recherches. Tu auras largement le temps de les découvrir, mon rapport devrait sortir pour le changement de millénaire. Si ça t'intéresse, et uniquement dans ce cas-là, promets-moi d'y jeter un coup d'œil.

Je rentrais d'Auckland ; deux fois par semaine Air New Zealand a un vol assez pratique pour Los Angeles via Nadi et Honolulu, avec une correspondance pour Francfort, et comme personne, non vraiment personne, ne m'attendait à la maison, j'ai décidé de m'arrêter un moment aux îles Fidji, le temps de digérer mes impressions de voyage et de me reposer. Quoi de plus agréable, pensai-je, que de passer quelques jours dans cet archipel tropical à étirer mes membres engourdis avant de continuer mon périple ? J'y étais déjà venu une semaine au début du mois de novembre, mais je n'avais pas eu le temps de visiter le joyau de l'archipel : Taveuni, surnommée « l'île-jardin des Fidji » parce qu'elle jouit d'une nature d'une exceptionnelle luxuriance et demeure préservée du reste du monde.

Le vol Sunflower Airlines de Nadi à Taveuni était surbooké ce matin-là ; résultat, mes bagages sont partis avec l'avion régulier tandis que l'on nous a entassés, moi et quatre autres passagers, dans ce qu'on appelle ici *the match-box plane*[1]. Je peux t'assurer que ce nom n'était pas usurpé. Nous nous sommes glissés à l'inté

1. L'avion-boîte d'allumettes, c'est-à-dire un tout petit avion *(NdT)*.

rieur d'un vieux coucou à six places où un pilote aux cheveux blancs nous a souhaité la bienvenue, comme cela se fait : il n'y aurait cependant pas de service à bord de ce vol et nous étions priés d'éviter tout mouvement intempestif dans l'allée centrale. Son humour noir nous a tous fait rire jaune. Pour couronner le tout, il manquait deux demi-doigts à la main avec laquelle il nous a salués. Il faut dire que l'« allée centrale » faisait quinze centimètres de large et que personne à bord n'avait envie de manger quoi que ce soit, car au décollage, tandis que le pilote mettait les turbos pour essayer de gagner de l'altitude et passer tout juste au-dessus de la haute montagne de Tomaniivi, sur l'île de Viti Levu, l'avion avait été ballotté de gauche à droite par de violentes rafales de vent.

L'homme à la chevelure blanche devait être un pilote à la retraite qui avait décidé de s'installer aux îles Fidji pour pouvoir continuer à manier le manche à balai et l'altimètre. Il avait dû se contenter de ce vieux coucou à la vitre avant fêlée et aux instruments de navigation défaillants – certains semblaient momentanément hors d'usage. S'il l'avait acheté, cet avion, cela n'avait pas dû lui coûter très cher. L'homme était au demeurant sympathique. Je me suis retrouvé coincé derrière lui, les genoux pressés contre le dossier de son siège. Lui n'arrêtait pas de se retourner avec un large sourire et, tout en nous demandant d'où nous venions, nous indiquait à tout instant où nous étions sur la carte et nous montrait du doigt avec enthousiasme les récifs de corail, les dauphins, les poissons volants : un vrai moulin à paroles !

J'avais la gorge nouée, tu t'en doutes. J'avais beau avoir l'habitude des petits avions (qu'avais-je fait d'autre, ces dernières semaines, sinon aller d'île en île par ce moyen de transport ?), l'idée de me trouver à bord d'un avion piloté par un seul et unique individu ne m'enchantait pas particulièrement. Tu vas me dire que c'est tout à fait irrationnel et tu vas parler d'idiosyncrasie, je me trompe ? Et puis tu vas ajouter qu'une voiture aussi n'est conduite que par un seul chauffeur, et qu'il y a davantage de morts dans les accidents de la route qu'en avion. Certes. Mais mon pilote aurait très bien pu se trouver mal, là, brusquement, à cinq mille pieds d'altitude. S'évanouir dans la chaleur tropicale, ça peut arriver à n'importe qui, surtout à un homme qui va sur ses soixante-dix ans.

Avec toutes les heures de vol que j'avais derrière moi, ce que je redoutais, ce n'était pas une défaillance technique, c'était vraiment une défaillance humaine. J'étais là, assis, avec la dangereuse sensation de n'être qu'un vertébré bien charnu, attaché pour l'instant à un siège d'avion, tout comme cet individu assis devant moi qui semblait prendre tant de plaisir aux commandes de son appareil. Seul petit détail, il avait trente ans de plus que moi. Tu imagines mon malaise. La preuve, mon pouls était celui d'un homme qui vient de courir un marathon ; mais si j'avais deux cents pulsations/minute, qu'est-ce que cela devait être pour le pilote ! Et je ne te parle pas de son cholestérol et de ses artères coronaires ! Je ne le connaissais pas ce type assez sympathique au fond, je ne connaissais pas son état de santé, je ne savais pas ce qu'il avait ingurgité dans la journée, je ne savais pas s'il n'avait pas passé la moitié de la nuit dans un bar, sûrement d'ailleurs. Je me demandais quelles pouvaient être les pensées existentielles d'un homme plus tout jeune. Peut-être croyait-il à la vie éternelle – une éventualité plus qu'hasardeuse qui aurait dû être interdite précisément à ce corps de métier, enfin à ces pilotes qui volent sans copilote et embarquent des passagers payants à bord –, mais il faut bien reconnaître qu'il n'en reste pas beaucoup. Et s'il venait de se faire plaquer par une femme ? Ou qui me dit qu'il ne venait pas d'opérer un important détournement de fonds et qu'il n'essayait pas de se soustraire à la justice ? Survoler la montagne de Tomaniivi, les dauphins ou les récifs de corail me laissait de marbre. J'étais loin de tout, coincé là, sans aucune possibilité de sortir ou de m'enfuir. Je regrettais ma bouteille de gin, ah ça ! je ne me serais pas gêné pour boire quelques bonnes rasades si je l'avais eue à portée de la main. Oui, c'était vraiment rageant de penser que ce qui me tenait lieu de calmants était dans ma valise sur le vol régulier.

Il ne s'agit pas d'une simple « peur en avion », Véra, mon récit, jusqu'ici, ne prétend pas être une description fidèle de mon voyage. J'avais vraiment le sentiment d'être en vie, c'est ce que j'essaie de te faire partager. Habituellement, je ne le ressens qu'en deux occasions : le matin au réveil et les rares fois où je suis ivre. *In vino veritas*, c'est bien connu. Alors que notre conscience flotte habituellement dans une sorte de brouillard, je suis prêt, pour ma part, à témoigner que l'ivresse permet d'accéder à un niveau de conscience supérieur où l'être se trouve plus exposé, plus mis à nu et porte sur lui-même un regard plus lucide. L'ivresse nous permet d'aborder les vraies questions, celles dont je te parle ici.

Voilà comment, pour avoir remis mon être (ou mon non-être) entre les mains d'un pilote-à-la-retraite-aux-commandes-d'un-vieux-coucou-avec-la-vitre-avant-brisée-et-des-instruments-hors-service, j'ai accédé à cet état psychique de façon bien plus abrupte et radicale. La seule différence était que mes sens étaient beaucoup plus aiguisés que dans les autres situations mentionnées plus haut, car je ne me trouvais pas dans un demi-sommeil et les synapses de mon cerveau n'étaient pas non plus anesthésiées par l'alcool.

Il faut dire que c'était la première fois que je vivais une telle expérience aérienne… C'est pourquoi j'éprouve le besoin de m'appesantir un peu sur ce que j'ai pensé et ressenti là-haut, entre les nuages, pendant ces cinq quarts d'heure, entre Nadi et Taveuni. D'ailleurs, cela ne m'éloigne pas trop de mon propos, qui est de zoomer progressivement sur ma rencontre avec Ana et José. Ah ! j'allais oublier Gordon : je ne t'ai peut-être pas encore parlé de lui, mais les conversations que j'ai eues avec lui ont profondément marqué mon séjour sur l'île.

Il y a un point que j'ai toujours hésité à aborder avec toi franchement, bien que je croie avoir effleuré le sujet à diverses reprises : je veux parler de ce vieux souvenir d'enfance là-bas dans le Vestfold. Je devais avoir six, sept ans, pas huit en tout cas, c'était avant que nous partions nous installer à Madrid pour quatre ans. Je me revois encore traverser en courant la forêt, les poches pleines des noisettes que j'avais ramassées et que je voulais le plus vite possible montrer à maman. J'ai soudain aperçu un jeune faon couché sur la terre humide à peine recouverte de feuilles d'automne. Ce détail du feuillage s'est à tout jamais inscrit dans ma mémoire, car je me rappelle qu'il y avait aussi quelques feuilles sur le bébé faon. J'ai cru qu'il dormait, je ne me souviens plus très bien, mais je crois que je me suis approché à pas de loup, pour le caresser sans doute ou le débarrasser de ces feuilles jaunes et rouges. Mais le faon ne dormait pas. Il était mort.

De voir ce faon mort et que ce soit moi qui l'aie trouvé ainsi, ça m'a semblé être une insulte à la vie, le genre de chose dont on porte la honte en soi et dont on n'osera jamais parler ni à sa mère ni à son père, ni même à grand-mère ou grand-père. Ce pauvre faon couché mort dans la forêt, cela aurait tout aussi bien pu être moi, et cette prise de conscience, en soi assez évidente mais contre laquelle la plupart des enfants sont par nature protégés, ne m'a plus jamais quitté : mon corps en a gardé une impression pour ainsi dire physique. Je n'ai jamais eu l'occasion de me pencher sur des domaines tels que la souffrance des âmes et la psychiatrie des états limites, mais je me suis immédiatement imposé à moi-même le silence, transformant cet épisode en traumatisme. Si j'étais rentré en larmes chez ma mère, j'aurais sans doute reçu l'aide nécessaire pour surmonter cette douloureuse expérience, mais je ne pouvais pas en parler. A personne. C'était trop humiliant et destructeur. Cela aurait révélé trop clairement que moi aussi j'étais un être de chair et de sang, donc un animal, que mon temps était compté sur terre et qu'un jour je ne serais plus là.

Il est indéniable que la découverte du faon mort a été à l'origine de ma vocation de biologiste. La perspective qui s'est ouverte à moi dans la forêt a, en tout cas, joué un rôle déterminant dans mon orientation professionnelle. J'ai toujours été attiré par les grandes périodes de la création du monde. Dès l'âge de douze ans, avide d'apprendre, je connaissais le big bang et les distances vertigineuses qui existent dans l'univers. En grandissant, j'ai de mieux en mieux compris ce que signifie vivre sur une planète qui a cinq milliards d'années, au sein d'un univers trois ou quatre fois plus âgé.

J'ai toujours trouvé révoltant le fait de pouvoir mourir à n'importe quel moment, de n'avoir droit qu'à une seule vie sans aucun espoir de retour sur terre. Aussi ai-je essayé de trouver un moyen d'accepter cet état de choses en relativisant ma présence dans l'univers. Il a fallu que je m'habitue à l'idée que je ne suis qu'un minuscule maillon dans la grande aventure de la vie, une infime partie de ce quelque chose qui est à la fois plus grand et plus puissant que moi-même. J'ai alors cherché à développer ma propre identité, ma propre personnalité, en privilégiant ce que je pensais être mon véritable « moi » au détriment de ce noyau originel, ce petit « moi », celui qui à tout moment aurait pu connaître le même sort que le faon, cet animal mort, toujours enfoui quelque part dans les profondeurs de mon subconscient, qui ne se relève pas, ne bouge pas. Malgré tous mes efforts pour me délivrer de cette image, je dois avouer que les résultats ne sont pas très concluants. Chaque matin, je continue à avoir cette conscience aiguë qu'il n'y a au monde qu'une seule personne à pouvoir s'appeler « moi » et qu'elle ne vit qu'ici et maintenant. Comme toi et moi qui ne portons en nous qu'ici et maintenant cette conscience de l'univers.

Envisager sa propre vie sous l'angle de l'éternité peut sembler une performance moralement ou intellectuellement respectable, mais cela n'apporte pas pour autant la paix à l'âme. S'il fallait que j'accepte mon destin, cela ne m'aiderait pas beaucoup de savoir que je suis capable – moi, ce primate monstrueusement conscient de sa propre personne – de porter dans ma mémoire tout le passé de cet univers, du big bang jusqu'à Bill Clinton et Monica Lewinsky, deux des primates les plus célèbres du moment. Cela n'apporte nul réconfort d'embrasser des périodes de temps de plus en plus vastes, au contraire ai-je envie de dire, le mal ne fait qu'empirer ; j'aurais peut-être dû, après tout, aller consulter un chirurgien de l'âme pour qu'il m'opère et enlève cet animal mort de mon subconscient enflammé. A présent, je crois que c'est trop tard.

J'en ai assez dit là-dessus, revenons à ma cabine d'avion si exiguë. Il ne s'agissait donc pas seulement d'un de ces états de conscience fugitifs où, avec la clarté du matin, mes cellules nerveuses me picotent pour me rappeler que je ne suis qu'un vertébré beaucoup trop raisonnable (et donc condamné à affronter périodiquement l'idée qu'il lui reste seulement quelques misérables années à vivre), mais bien *cinq* mauvais quarts d'heure à ressasser ces mêmes histoires. Qui sait en effet si ma dernière heure n'était pas venue ?

Le primate derrière son manche à balai s'est retourné d'un mouvement désinvolte et, de ses doigts amputés, a déplié une grande carte sur les genoux d'une primate australe assise à ma droite qui s'était présentée sous le nom de Laura. Je n'appréciais guère cette aggravation de la situation qui nous faisait à présent voyager le dos plaqué contre le siège dans une position quasi licencieuse, non pas que je me sois senti en mauvaise compagnie avec les autres passagers – loin de moi cette idée. Au contraire, je les aimais tous passionnément, j'aurais pu poser ma tête sur les genoux de chacun d'entre eux, rien que pour trouver un peu de réconfort et de protection. Je me faisais l'effet d'un pauvre lézard, un animal terrestre tremblant comme une feuille, qui n'aurait jamais dû quitter le sol : une conviction qui trouvait un écho dans le fait que les commandes de l'avion étaient, j'en étais sûr, entre les mains d'un vieux descendant de lézard blasé, aussi sympathique fût-il. Si tu lis ces lignes, c'est que nous nous sommes revus à Salamanque quelques mois après mon voyage, et tu auras donc compris que l'avion a bien fini par atterrir… Ce que j'essaye de te faire comprendre, c'est que ce voyage a provoqué en moi le sentiment irrévocable que je n'étais qu'un faible vertébré au zénith de sa vie et, ce sentiment, je n'ai pas réussi à l'effacer les jours suivants.

Matei, l'aéroport de Taveuni, semble avoir été conçu sur mesure pour ces avions minuscules. La piste d'atterrissage n'est qu'une étroite bande de gazon au milieu d'une allée bordée de cocotiers battus par le vent ; l'aéroport lui-même ressemble plutôt à une gare routière, avec quelques bancs peints en bleu sous un auvent et un snack-bar de maison de poupée, tenu par une certaine Margaret Peterson tout à fait charmante. Ce jour-là, une autre femme, Audrey Brown, lui tenait compagnie, proposant ses pâtisseries dans une corbeille tressée en feuilles de palmier. Je n'avais pas eu le temps de prendre mon petit déjeuner ce matin-là et il fallait que j'attende encore une heure avant de récupérer mes bagages, l'avion de la ligne régulière ayant fait escale dans une autre île. Je me suis donc laissé servir avec plaisir par ces deux femmes. En même temps arrivèrent l'avion, les bagages et la voiture du Maravu Plantation Resort où je devais passer trois jours.

J'ai pris le parti de tout te raconter dans l'ordre et je dois m'y tenir. Si je tiens à esquisser en quelques traits un portrait de l'« île-jardin », ce n'est donc pas une digression mais simplement que je souhaite replacer Ana et José dans un contexte auquel ils resteront, dans mon souvenir, à jamais indissociablement liés.

Concernant le nom d'« île-jardin », celui de « dernier paradis » aurait tout aussi bien fait l'affaire. Il eût même été préférable pour des raisons pratiques, puisque « dernier » aurait pu facilement être remplacé par « perdu[2] » dans, disons, une dizaine d'années. Je peux t'assurer que beaucoup de visiteurs ne remarqueraient pas la nuance.

C'est drôle comme les primates que nous sommes ressentent une étrange attirance pour ce qui est « dernier » ou « perdu ». Bien sûr, c'est bien de profiter d'une chose que les générations suivantes pourront, elles aussi, apprécier, cela a de la valeur ; mais rien de comparable à la jouissance de se savoir le dernier à contempler ce qui va disparaître. *Verra bien qui verra le dernier*… C'est comme être celui qui recueille les dernières paroles d'un mort.

---

2. « Last paradise » et « lost paradise » en anglais *(NdT)*.

Au fur et à mesure que le globe se rétrécit et que l'industrie du tourisme déniche des endroits de plus en plus bizarres, je prédis au tourisme nécrologique un avenir radieux : « Sur les traces du lac Baïkal ! », « Venez vite découvrir les Maldives avant qu'elles ne sombrent à jamais dans la mer ! » ou « Vous serez peut-être le dernier à avoir vu un tigre vivant ! ». Les exemples seront légion, car les paradis deviendront de plus en plus rares ; ils vont se laisser salir et vont rapetisser, mais rien n'arrêtera le tourisme, au contraire.

Plusieurs raisons expliquent que Taveuni s'en est jusqu'ici mieux sortie de sa rencontre avec le monde occidental que de nombreuses îles que j'ai visitées. Avant tout, le terrain accidenté de cette île volcanique impose des limites autant au tourisme qu'aux plantations. Les plages de lave noire, par exemple, en rebutent certains, bien qu'il y ait au nord-est de l'île plusieurs plages de sable fin blanc tout à fait préservées ; mais le vrai problème ici, ce sont les pluies torrentielles. Cette combinaison de terre volcanique fertile et de précipitations abondantes avait incité, au milieu du siècle précédent, certains Européens à s'installer ici et à se lancer dans les plantations. Au début, on produisit surtout du coton de qualité, mais quand les prix commencèrent à chuter, les plantations de canne à sucre dans la partie méridionale de l'île prirent le relais. Aujourd'hui, la noix de coco est la principale ressource économique, concurrencée, de plus en plus, par le tourisme. Par tourisme, j'entends le soi-disant tourisme écologique, car on vient ici dans le seul but de profiter d'une nature luxuriante : il n'y a ni centres commerciaux, ni vie nocturne, ni complexes hôteliers modernes à quatre étages. L'île n'a pas la télévision et il faut économiser l'électricité.

Ces deux derniers facteurs ont sans doute beaucoup contribué au fait que l'île a gardé une forte tradition de conteurs populaires. Quand, sur le coup de six heures, l'île se retrouve brusquement plongée dans l'obscurité, la parole vivante prend la relève. L'un a été à la pêche, un autre s'est enfoncé dans de profondes forêts où il lui est arrivé quelque chose d'extraordinaire, un troisième est tombé sur un Américain égaré le long des rives du fleuve, bref, tous ont une histoire à raconter. Mythes et légendes restent vivants, car à Taveuni la seule distraction est celle qu'on se crée. Ici viennent des plongeurs du monde entier – avec ou sans matériel de plongée – pour découvrir les coraux et la faune aquatique dans un éblouissement de couleurs. L'île a encore d'autres charmes : ses oiseaux qui sont parmi les plus exotiques du monde, des espèces rares de chauves-souris, des sentiers de randonnées, des plages et des torrents où il fait bon se baigner.

Concernant la grande variété d'oiseaux (on compte plus de cent espèces, dont certaines n'existent qu'ici, tel le célèbre pigeon à gorge orangée), il faut se réjouir que la mangouste indienne n'ait jamais été introduite dans l'île. Pour contrôler la population des insectes sur les plantations de cocotiers, on a quand même introduit des pies et des tortues. Les pies ont naturellement occupé leur niche écologique et les tortues ont fait reculer les crapauds dans les forêts ; cela dit, l'extraordinaire vie des oiseaux reste encore étrangement préservée. Il en va de même pour les chauves-souris, y compris la grande chauve-souris frugivore, dont les ailes peuvent avoir une envergure d'un mètre cinquante, et que l'on appelle aussi chien volant ou beka. Chez les personnes âgées, la beka cuite est considérée comme un mets des plus raffinés.

Taveuni possède plus de mille espèces de végétaux identifiés, dont une bonne partie est endémique. Le long des côtes, ce ne sont que marais de mangroves et cocotiers, tandis qu'une forêt luxuriante avec des fougères et d'innombrables essences de bois recouvre l'intérieur. Il existe aussi actuellement une grande variété de plantes tropicales telles que les orchidées et les hibiscus. La fleur nationale des îles Fidji est la tagimaucia, une espèce endémique qui ne se trouve qu'ici et sur l'île voisine de Vanua Levu.

Mais le trait commun à cette partie du monde, c'est la variété de la faune aquatique. Nul besoin de bouteilles de plongée pour découvrir une multitude de poissons, d'échinodermes, de mollusques, d'éponges et de coraux. Quand on parle des couleurs de la faune sous-marine du Pacifique sud, il est bien difficile d'éviter des clichés du genre « toute la palette d'un peintre » ou « toutes les couleurs de l'arc-en-ciel »… Autour de Taveuni, il faut bien reconnaître que pour un grand nombre de ces créatures les coups de pinceaux ont été particulièrement réussis.

Si l'on s'en tient aux premiers vertébrés terrestres, toutes les classes sont représentées sur l'île mais, à l'exception des oiseaux, il y a peu d'espèces différentes. Avant que les tortues soient importées d'Hawaï en 1936 pour lutter contre les insectes dans les plantations de sucre, les amphibiens étaient surtout représentés par les crapauds. Parmi les reptiles, on trouvait aussi, outre l'iguane, quelques espèces de geckos et de serpents. Le reptile que l'on rencontre le plus souvent de nos jours, bien qu'il ne soit pas apparu sur les îles Fidji avant les années 70, est un drôle de gecko domestiqué, le *Hemidactylus frenatus*. Comme mammifères, à l'origine, on ne trouvait que des chauves-souris qui ont su remarquablement bien s'adapter pour trouver toutes sortes de niches. Avec les premiers campements humains, il y a trois mille cinq cents ans, est aussi apparu le rat polynésien que l'on a peut-être introduit comme nourriture.

Les vertébrés d'origine, à Taveuni, sont donc représentés par les poissons, les crapauds, les geckos, les oiseaux, les chauves-souris et... les Fidjiens dont le nombre de nos jours s'élève à douze mille. L'île offre de ce point de vue un tableau stylisé, voire transparent de l'évolution des vertébrés. Quelques notions de biologie suffisent pour retracer assez facilement, en quelques traits, leur évolution sur cette planète : des poissons aux amphibiens, des amphibiens aux reptiles, et enfin des reptiles aux oiseaux, aux chauves-souris et aux Fidjiens.

As-tu jamais songé à quel point l'anatomie de l'homme participe de l'évolution générale ? A quel point nous sommes restés, en tant que vertébrés, archaïques par bien des aspects ? Si l'on considère la pure construction anatomique, la ressemblance entre un homme et une salamandre ou un dinosaure ne t'aura pas échappé. Les éléphants et les chameaux se sont, par comparaison, beaucoup plus éloignés du modèle de départ – à savoir la matrice originelle avec une colonne vertébrale, des clavicules et quatre membres terminés par cinq doigts ou orteils. L'autoroute qui mène du dévonien (où tout fermentait et bouillonnait) à la conquête de la Lune par l'homme a été empruntée par des amphibiens aux allures de salamandres, des reptiles aux allures de mammifères et, dans sa dernière phase, par des primates. Il faut reconnaître qu'il y a aussi eu un fascinant réseau de déviations et d'itinéraires bis.

Je crois déjà t'entendre te récrier que je fais de l'anthropomorphisme, alors que l'évolution est tout sauf linéaire, elle ne poursuit aucun but précis, elle est davantage à l'image des bosquets et des choux-fleurs que des lignes et des troncs. De quel droit puis-je déclarer que telle ou telle espèce à l'intérieur d'une classe d'animaux est plus typique ou plus représentative que d'autres ? Mais ce n'est pas ce que je veux dire, je dis seulement que je me sens plus proche d'un lézard que d'un mammifère comme la chauve-souris ou la baleine bleue. Certes je ne descends ni d'une chauve-souris ni d'une baleine bleue, pas plus d'ailleurs que d'une girafe ou d'un orang-outang, mais je suis le descendant direct d'un cœlacanthe, d'un amphibien, et pour finir d'un reptile aux allures de mammifère.

A cause de ce choix restreint de vertébrés sur l'île, j'ai eu l'impression de me retrouver en face d'une seule grande carte murale retraçant l'évolution de la vie sur Terre. Je me suis senti dans un show-room du darwinisme et, en disant cela, je ne pense pas seulement aux crapauds, aux geckos, aux chauves-souris, mais aussi aux Fidjiens qui possèdent tous quatre membres avec une structure fondamentale pentadactyle – les longs pieds et longs orteils des Fidjiens sont à cet égard tout à fait remarquables, et ont provoqué chez moi des associations d'idées très darwiniennes, puisqu'ils sont, proportionnellement, tout aussi voyants que les extrémités des sauriens.

A propos des Fidjiens, on pourrait ajouter qu'à part les rats et les chauves-souris, il n'y avait sur leurs îles d'autre viande bonne à manger qu'eux-mêmes. Le cannibalisme a été autrefois très répandu et a perduré jusqu'à la fin du XIXe siècle, à la notable exception de ce soldat japonais dévoré par un dénommé Viliame Lamasalato à la fin de la Seconde Guerre mondiale. Cela explique sans doute aussi pourquoi l'île est restée si préservée, tant la forêt tropicale que les autres écosystèmes. Je ne veux pas dire par là que la population n'a pas augmenté parce qu'ils se mangeaient les uns les autres, non, l'important ici, c'est que le cannibalisme a joué le rôle de prophylaxie écologique à l'encontre des raids côtiers des Blancs. Abel Tasman en 1643 et James Cook en 1774 sont passés au large des Fidji, mais les rumeurs au sujet de tous les dangers qui guettaient les voyageurs sur ces « îles de cannibales » les ont retenus d'accoster. Après la mutinerie du *Bounty* en 1789, le capitaine Bligh et ses officiers, bien qu'affamés et à bout de forces, navi-guèrent dans une simple barque le long de plusieurs îles sans oser aller piquer une seule noix de coco. Il fallut attendre le XIXᵉ siècle pour voir les premiers Européens débarquer sur cet archipel. On raconte que les mission-naires furent bien accueillis et qu'on leur servit un repas de roi – je pèse mes mots –, car une fois la nourriture avalée on leur annonça solennellement que l'entrée avait été des seins de femme, le plat principal des cuisses d'homme et le dessert de la cervelle, laquelle se dégus-tait avec une fourchette à quatre dents inventée par les indigènes uniquement pour cet usage. L'un des mission-naires – l'ironie veut qu'il s'appelât le pasteur Baker[3] – finit lui-même en plat de résistance en 1867. Puis vinrent les canons, les balles et la poudre… Le reste appartient à l'histoire coloniale.

La première chose que firent les Européens sur les îles Fidji fut de détruire la précieuse forêt de santal. Puis ils importèrent des Indes soixante mille ouvriers pour travailler dans les plantations, ce qui explique pourquoi aujourd'hui encore plus de la moitié de la population de l'archipel est composée d'Indiens. Ces immigrants apportèrent leur lot d'épidémies et de maladies, le choléra d'abord qui décima plusieurs îles, puis, en 1890, la rougeole qui emporta un tiers des habitants.

Je vois dans cette histoire un paradoxe qui mérite, me semble-t-il, réflexion : si l'équilibre écologique a été relativement préservé sur certaines îles des Fidji, c'est parce que l'homme blanc n'a pas osé débarquer par

---

3. *Baker* voulant dire boulanger en norvégien et en anglais *(NdT)*.

crainte du cannibalisme. Même si je trouve presque sympathique le fait qu'une espèce animale puisse, dans des situations extrêmes, trouver ses propres ressources en elle-même plutôt que de décimer une autre espèce, cela reste un paradoxe à part entière. J'accepte que le cannibalisme doive être considéré comme une entorse à ce que nous appelons les « droits naturels », mais l'inconscience du monde occidental quant à la protection de la planète n'est-elle pas, tout autant, une entorse aux devoirs de l'homme ? Certes, le concept de « droits naturels » peut se prévaloir d'une histoire qui remonte à plus de deux mille ans, aussi poserai-je juste la question : quand serons-nous assez mûrs pour le concept de « devoirs naturels » ?

Autre particularité qui mérite que l'on s'y attarde un peu : l'« île-jardin » si préservée se trouve sur la ligne de changement de date, puisque le destin a voulu qu'elle soit située exactement à 180 degrés de l'Observatoire royal de Greenwich. Concrètement, cela veut dire que la moitié de l'île appartient au jour d'aujourd'hui et l'autre moitié au jour d'hier. Ou le contraire, bien sûr : la moitié de l'île appartient encore au jour d'aujourd'hui, l'autre moitié vit déjà le jour suivant. Si j'y vois là un signe du destin, c'est parce que Taveuni sera le premier lieu habité de la planète qui entrera dans le troisième millénaire. Cela ne devrait pas passer inaperçu.

Je n'ai pas été le seul à monter dans la Land Rover à l'aéroport, il y avait deux autres passagers qui allaient au même endroit que moi. Nous avions échangé deux ou trois phrases en attendant nos bagages partis sur le vol régulier. Il y avait Laura, dont je t'ai déjà parlé, et qui, comme prise d'une soudaine passion pour l'aviation, avait flirté avec le pilote qui n'était pourtant plus de la première jeunesse, tandis que je feuilletais – tableau après tableau – l'album de famille de la planète,

partant des premières divisions cellulaires dans le pré-
cambrien archaïque pour arriver à ma propre espérance
de vie sur Terre.

Laura venait d'Adelaïde, en Australie, c'était une
jeune femme simple et directe qui n'avait pas la tren-
taine. Avec sa peau dorée et ses longues tresses noires,
elle ressemblait à une Indienne. Elle avait comme particularité d'avoir les yeux vairons, un vert et un marron.
Peut-être y avait-il une pointe de marron dans le vert et
une coquetterie de vert dans le marron, mais en tout cas
elle avait bel et bien un œil vert et un œil marron, rareté
génétique que je n'avais encore jamais rencontrée.
Je remarquai en outre un badge World Wildlife Fund sur
son petit sac à dos en toile. Laura était une jeune femme
charmante, juste assez excentrique pour me donner
envie de la connaître un peu mieux, mais les « ren-
contres d'aéroport » ne l'intéressaient visiblement pas.
Elle était plongée tout entière dans la lecture du chapitre
de son guide de voyage Lonely Planet.

L'autre passager s'appelait Bill, je crois qu'il a aussi
dit son nom de famille, mais je n'ai pas cherché à le
retenir. Originaire de Monterey en Californie, il approchait de la soixantaine et faisait apparemment partie de
ces jeunes retraités fortunés, avides de faire toutes sortes
d'expériences. Il incarnait ce trait de caractère typique
de l'Américain du Nord : le désir de découvrir goulû-
ment et d'une façon exhaustive le monde entier, mais
en solitaire, et sans s'encombrer surtout de ces écrans
sociaux que sont le conjoint, l'enfant ou l'ami proche.
Bill était un de ces hommes à qui la vie avait toujours
souri. Je me rappelle m'être dit que certaines personnes
ne deviennent jamais vraiment adultes, elles deviennent
juste très riches – et souvent très âgées.

L'homme qui vint nous chercher était britannique et
s'appelait John. C'était un type grand et costaud, un

bon mètre quatre-vingt-dix en chaussettes et, à soixante ans bien sonnés, il avait les cheveux gris et la barbe presque blanche. Je mis un peu de temps à comprendre qu'il ne faisait pas partie des résidents permanents de Maravu, mais qu'il était là au même titre que nous ; il s'était juste proposé de faire la navette pour couvrir les deux kilomètres entre l'hôtel et l'aéroport. Il semblait brûler d'envie de faire connaissance avec les nouveaux invités afin de se forger rapidement une opinion sur chacun d'entre eux.

A peine la voiture avait-elle quitté la route pour remonter vers le Maravu Plantation Resort que je fus frappé par la beauté de l'endroit. Construit sur une ancienne cocoteraie, l'ensemble regroupait dix bungalows autour d'un bâtiment central. Les bungalows – ou *bures* comme on les appelle ici – avaient été construits sur un promontoire qui dominait la mer entre des buissons touffus et des palmiers qui se balançaient doucement. On ne pouvait donc pas se voir d'un bungalow à l'autre, et en tout cas pas d'une porte à l'autre. Le bâtiment central était construit sur le modèle des salles de réunion traditionnelles dans ces îles, avec des murs ouverts et de hautes fourches en cannes de palmier pour soutenir le toit de chaume. Sur le vaste plancher, on distinguait mal les frontières entre la réception, le bar, le restaurant – qui portait le nom musical de Wananavu – et la grande piste de danse.

On nous a accueillis dans le bar et servi à chacun une noix de coco joliment décorée d'une fleur d'hibiscus et d'une paille tandis que les formalités se faisaient à la réception. Nous sommes restés quelques minutes à échanger des banalités pendant que tous ceux qui travaillaient à Maravu ce matin-là passaient nous dire bonjour les uns après les autres. « *Bula !* entendait-on, *bula !* » Cette exclamation purement locale était si souvent répétée qu'elle finissait par prendre le caractère d'un mantra. Elle donne lieu à diverses traductions, car sa signification est des plus élastiques : cela va de « salut ! », « bonjour », « comment ça va ? » à « passe une bonne journée » et « à bientôt ».

Tous surent que j'étais Frank, que Bill était Bill et qui était Laura. On aurait dit que pendant des semaines ils n'avaient fait que préparer notre arrivée. Il fallait que nous nous sentions traités comme des invités de marque ; après tout n'étions-nous pas venus à Maravu justement pour nous purifier et renaître en tant qu'individus ? Bill se fit expliquer que le mot fidjien de Maravu signifiait « calme et tranquille » et Laura demanda où et quand on pouvait observer les célèbres oiseaux de l'île.

On me fit longer la piscine et traverser la palmeraie jusqu'à la *bure* n° 3. Ma valise à peine posée, j'allai m'asseoir sur la terrasse couverte, face à l'océan, pour jouir, dans un respect méditatif, d'une qualité naturelle oubliée du monde occidental : le silence, ce fameux silence que les hommes ont presque réussi à éradiquer de la planète.

J'étais à nouveau sur la terre ferme, même si je n'étais pas sûr d'avoir vraiment atterri ni d'avoir réussi à tourner la page après un tel vol ; la promesse expresse d'avoir ma place retenue dans l'avion de la ligne régulière pour le trajet du retour à Nadi n'y changeait rien. J'étais inquiet, en proie à une sorte de panique, et je voyais mal comment me défaire de cet état d'esprit. C'était comme si je savourais la lucidité procurée par l'ivresse extrême, tout en étant conscient que cette fois-ci j'avais bu un vin qui ne quitterait plus jamais mon corps.

J'avais entendu parler de médecins devenus hypocondriaques, d'alpinistes pris de vertige et de prêtres perdant leur foi d'enfant. Je n'étais pas mieux loti qu'eux. J'étais un paléontologue saisi d'épouvante devant des os. J'étais un zoologue qui rechignait à l'idée d'être un animal. J'étais le biologiste de l'évolution qui avait du mal à accepter que, pour lui aussi, le temps sur Terre était compté. J'avais passé la moitié de ma vie à étudier les restes de squelette des vertébrés. Dans ma soif d'apprendre, je m'étais jeté à corps perdu dans l'analyse des dépouilles d'animaux, et voilà que j'étais pris de panique à l'idée que, moi aussi, je m'inscrivais dans ce tableau de l'évolution et qu'à ce titre je devrais apporter mon obole d'ossements. J'étais fini, il ne fallait pas y voir une quelconque obsession, seulement un don de vision irréfutable. Bouddha avait vu un malade, un vieillard et un cadavre. Pour ma part, j'avais vu en forêt un faon mort et maintenant, après le vol hasardeux de Nadi à Matei, mon ancienne blessure s'était rouverte.

De nouveau j'ai déroulé tout le film depuis l'apparition de la vie sur Terre il y a quatre milliards d'années. Il s'agit de ma propre histoire, de mes propres ancêtres. Non seulement, je descends en ligne directe de ces petits vertébrés aux allures de mammifères qui vivaient il y a quelques centaines de millions d'années – mais également d'un reptile primitif, d'un amphibien, d'un cœlacanthe, d'un invertébré, et *in fine* de la première cellule vivante sur cette planète. Je ne descends pas seulement de formes de vie primitives remontant à plus de quatre milliards d'années ; chaque cellule de mon corps a des gènes qui remontent en réalité aussi loin. Je suis le dernier maillon d'une seule chaîne ininterrompue de divisions cellulaires, de processus biochimiques plus ou moins bien établis et, au bout du compte, de biologie moléculaire. Je suis frappé par le fait que je ne suis pas, au fond, si différent que cela de ces organismes simples unicellulaires dont je suis issu en tout dernier lieu. Au sens strict, je ne suis rien d'autre qu'une colonie de cellules – avec cette seule différence notable que mes cellules vivent dans un réseau infiniment plus dense et intégré que celles d'une culture bactériologique; elles sont aussi plus différenciées et ont ainsi la capacité d'une division cellulaire plus radicale. Cela dit, je suis, moi aussi, construit à partir de cellules simples et chacune de ces cellules simples est construite autour d'un multiple commun minimum, à savoir le code génétique, le plan général lui-même qui est inscrit dans la moindre cellule de notre corps. Le code ADN représente à lui seul une accumulation microscopique d'amusements nucléiques s'étalant sur plusieurs centaines de millions d'années. Et pourtant : d'un point de vue purement génétique, je ne suis toujours rien d'autre qu'un simple entassement monstrueux de cellules jumelles avec un seul noyau. Comment ces super clones ont-ils été en mesure de communiquer entre eux et en plus de brancher ou débrancher leurs gènes selon ce que réclamait la loi générale ? Cela reste un des plus grands mystères de la biosphère.

La force motrice sous-tendant l'évolution réside dans ce simple fait que seule une infime partie de chaque portée ou nichée a été capable de croître et de se reproduire, sans quoi il n'y aurait pas eu ce qu'on appelle la sélection naturelle. Sans cela, il n'y aurait pas eu de progrès. L'évolution est fondée sur le fait qu'en permanence mouraient des petits et que d'autres se battaient pour survivre. Et moi, j'étais là. J'étais, dans cette petite île d'Océanie, la preuve vivante qu'il existe une exception à la règle selon laquelle on ne peut pas gagner le gros lot au Loto mille fois de suite. Moi – ou, si tu préfères, ma famille, mon arbre généalogique, ma propre chaîne ininterrompue de zygotes et de divisions cellulaires –, j'avais survécu pendant plusieurs millions de générations. A absolument chaque maillon de la chaîne, j'avais réussi, d'abord à me diviser en tant que cellule, puis à me reproduire, à féconder ou pondre mes œufs et, pour finir, à mettre au monde des petits vivants. Si un seul de mes nombreux millions d'ancêtres, par exemple un amphibien menant sa vie humide au dévonien ou encore un reptile bien précis profitant d'une « perm » pour aller ramper parmi les cryptogames, si un seul de mes ancêtres donc avait trouvé la mort avant d'arriver à maturation sexuelle – comme le pauvre faon près de chez moi dans le Vestfold –, alors je n'aurais pas été assis là sur cette terrasse. Ne dis pas que je vais chercher midi à quatorze heures, car je pourrais chercher encore plus loin dans le temps : s'il s'était produit une seule mutation fatale lors d'une certaine division cellulaire de bactérie il y a deux ou trois milliards d'années, je n'aurais jamais vu la lumière du jour. Car je descends bien de cette bactérie particulière-là, exclusivement de cette cellule hautement déterminée – disons la cellule ZYG 31.514.718.120.211.212.091.514 dans la colonie de cellules KAR 251.521.118.512.391.414.518 sur le méridien 180 à quelques degrés au nord du tropique du Capricorne. Cela avait été ma seule chance, on ne m'en aurait pas donné d'autres, en tout cas pas à *moi*. Ainsi j'avais déjà survécu aux dangers les plus graves plusieurs milliards de fois, mais enfin, mes ancêtres s'en étaient toujours tirés – eh oui ! – et ils avaient toujours réussi à passer le témoin du code génétique, intact, Véra, toujours aussi intact, bien qu'il y ait eu quelques infimes et nécessaires réajustements du bagage héréditaire. Tout cela étape par étape, car il y avait encore eu des millions de seuils à franchir pour que, contre toute probabilité, cela soit enfin mon tour. Une étape avait été franchie, puis une autre et ainsi de suite. Peut-être que la prochaine génération verra aussi le jour et nous en serons les premiers étonnés, mais c'est ainsi que les choses se sont passées et continueront à se passer pour des siècles et des siècles… Personne ne s'est fait avoir, chacun a fait bien attention, permettant ainsi au témoin du code génétique de passer de génération en génération, des centaines de millions de fois. Puisque moi, j'étais là.

Voilà ce à quoi je pensais, et, en un sens c'était grâce à Sunflower Airlines, car cette compagnie aérienne s'était amusée à jouer avec mon bagage génétique vieux de plusieurs millions d'années. Je pensais avoir plus ou moins fait le tour de la question sur mes lointains ancêtres, ces poissons cuirassés, l'arrière-grand-mère de l'arrière-grand-mère de mon arrière-grand-mère à la puissance x et l'arrière-grand-père de l'arrière-grand-père de mon arrière-grand-père lui aussi à la puissance x qui, par hasard, étaient voisins et faisaient du crawl entre les flaques, au dévonien, pour ne pas étouffer par manque d'oxygène. Mais – c'est ici qu'est le point douloureux – ce témoin extraordinairement long, et pourtant d'une transparence et d'une clarté presque gênante, arrivait presque à son terme. L'infini jeu de dominos qui s'était déroulé pièce après pièce sans même connaître une seconde d'interruption pendant plus de trois milliards d'années se heurtait maintenant à un mur. J'avais déjà commencé à rassembler les dominos.

Je sentais que j'avais réussi à remplir jusqu'ici toutes les conditions. Combien de maillons de la chaîne pouvais-je compter depuis le premier amphibien ? Combien de divisions cellulaires pouvais-je mettre sur mon compte personnel depuis le tout premier zygote ? J'étais si riche de mon passé que c'en était oppressant. Mais je n'avais pas d'avenir. Après, je n'étais rien.

Telles étaient mes pensées, et je dois peut-être ajouter que je pensais aussi à nous deux. Je pensais naturellement au fait que je n'avais plus d'enfant. Au bout d'une seule longue chaîne qui comptait des centaines de millions de générations avant moi, j'étais le premier à ne pas avoir de descendance. On le sait, ne pas avoir d'enfants n'est pas héréditaire ; c'est aussi une des lois de la biologie de l'évolution : le fait de ne pas avoir de descendance est une propriété si défavorable qu'elle est immédiatement éliminée. Seuls ceux qui ont leurs propres enfants peuvent rêver d'avoir des petits-enfants, et accéder au statut de grand-père ou de grand-mère.

Et dire que j'étais si bien parti… J'étais là, admiratif, comme si je contemplais une argenterie de valeur reçue en héritage. D'une certaine façon, j'étais riche comme Crésus, j'avais un sacré trésor : des millions de vieux joyaux légués par mon innombrable famille, mais c'était le chant du cygne. J'avais presque quarante ans et je ne voyais même pas l'esquisse d'une quelconque descendance. J'étais tout seul au monde, complètement laissé à moi-même.

# Le manque d'étonnement d'Adam

Alors que je tentais de jeter un coup d'œil sur les notes que j'avais prises à Auckland pendant un congrès des hauts responsables de l'environnement, je remarquai un bruit sourd et répétitif. Je crus que c'était l'orage qui grondait au loin, mais je finis par comprendre que cela devait être le bruit des noix de coco qui tombaient sur le sol.

Puis j'entendis des voix qui se rapprochaient. Un homme et une femme passaient devant le mur de mon bungalow et empruntaient l'étroit sentier de la palmeraie qui conduisait à la mer et à la route. Il avait passé le bras droit autour des épaules de sa compagne si tendrement que je me sentais un peu mal à l'aise. La scène m'évoqua Dieu au paradis terrestre, suivant du regard ses créatures. Sauf que c'était moi qui tenais le rôle suprême et que cela devait se passer après le péché originel, puisque les deux créatures étaient très intimement enlacées et n'étaient plus toutes nues. Dieu avait vêtu la femme d'une robe rouge coquelicot et l'homme d'un costume de lin noir. Je crus les entendre parler espagnol – et je tendis l'oreille.

L'homme s'arrêta brusquement sur le sentier. Il dégagea son bras droit des épaules d'Ève et, montrant du doigt la mer que l'on apercevait à travers le jardin, il déclama d'une voix forte et claire :

*– Ce qui est étonnant, ce n'est pas que le Créateur, comme chacun sait, a fait deux ou trois pas en arrière immédiatement après avoir modelé l'homme avec la glaise du sol et insufflé dans ses narines une haleine de vie ; dans cet événement, le plus surprenant, c'est le manque d'étonnement d'Adam.*

Il faisait chaud. Après quelques violentes averses, le ciel s'était enfin éclairci. Pourtant, je sentis un frisson me parcourir le corps. On aurait dit qu'il avait lu dans mes pensées.

La femme rit. Elle regarda son compagnon et lui répondit très distinctement :

*– C'est un travail tout à fait remarquable de créer tout un monde, cela dit, nous éprouverions encore plus de respect si ce monde avait été capable de se créer lui-même. Et vice versa : la simple expérience d'être créé n'est rien, comparée au bouleversement profond que l'on doit ressentir quand on s'est créé tout seul à partir de rien et qu'on tient debout sur ses deux jambes.*

L'homme rit à son tour. Il hocha la tête d'un air pensif et reposa son bras sur l'épaule de la jeune femme. Ils reprirent leur promenade, mais j'eus encore le temps de saisir quelques phrases avant qu'ils disparaissent parmi les cocotiers :

*– Les perspectives sont si imbriquées les unes dans les autres qu'il faut laisser plusieurs portes ouvertes. S'il existe un Créateur, qui est-il donc ? Et s'il n'existe pas de Créateur, que signifie donc ce monde ?*

Sans parler de ces deux oracles-là : que signifiait cette conversation ? Qui étaient-ils ? J'étais comme paralysé.

Venais-je d'assister à un rituel matinal bien rodé ? Ou avais-je seulement capté par hasard quelques répliques d'un plus long échange ? Dans ce cas, j'aurais été curieux d'entendre la conversation dans son intégralité.

Je pris le cahier où je notais mon journal intime et commençai à retranscrire leurs propos.

Plus tard, je sortis faire un petit tour de reconnaissance, et tombai à nouveau sur eux, nez à nez cette fois. J'avais décidé de suivre la route qui faisait le tour de la côte, en évitant toutefois les coins les plus escarpés au sud-est. Au bout d'un kilomètre, j'étais arrivé à ce qui devait être, d'après ma carte, la Prince Charles Beach. Un nom bien pompeux pour une petite crique qui n'avait même pas l'air très fréquentée… Mais peut-être les habitants de l'île avaient-ils voulu faire découvrir à l'héritier du trône la plage la plus idyllique de Taveuni ? Ils n'auraient pas pu faire un meilleur choix.

A travers la mangrove, j'aperçus Adam et Ève qui marchaient pieds nus au bord de l'eau. Ils avaient l'air de ramasser des coquillages. Irrésistiblement attiré par ces deux êtres, je décidai de faire semblant de les rencontrer par hasard sur la plage. Alors que je me frayais un chemin parmi les arbres, j'eus comme une inspiration : pourquoi leur avouer que je connaissais l'espagnol ? C'était un atout à garder dans la manche, au cas où.

Ils m'entendirent arriver et me saluèrent d'un regard attentif. Je crois que la femme murmura à l'homme quelque chose du genre : « Maintenant, nous ne sommes plus seuls. »

Elle était aussi belle que dans un mythe ancien – ses longs cheveux noirs retombaient en boucles épaisses sur sa robe rouge, ses dents d'une blancheur irréprochable et ses yeux d'un noir profond tranchaient sur sa peau dorée. Elle était grande, élégante et altière, et tous ses mouvements étaient d'une grâce rare. Il était moins grand qu'elle et paraissait plus réservé, presque sur ses gardes, pensai-je, même si un sourire malicieux se dessina sur son visage fin quand il me vit approcher. Pâle de complexion, il avait les cheveux blonds et les yeux bleus. Peut-être avait-il mon âge, en tout cas il faisait bien dix ans de plus qu'elle.

Dès cette première rencontre, j'eus l'impression d'avoir déjà vu cette jeune femme. C'était comme si je l'avais rencontrée dans une vie antérieure, dans une tout autre existence, et pourtant tu sais que je ne crois pas à ce genre de choses. Mais j'avais beau visionner en accéléré mon existence jusqu'à ce jour et me remémorer les personnes que j'avais fréquentées ces dernières années, impossible de la situer. Pourtant, je la connaissais, et vu son jeune âge cela avait dû se passer plutôt récemment.

Je les saluai en anglais, me félicitai du beau temps et expliquai que je venais d'arriver sur l'île. Nous fîmes les présentations : j'étais Frank, ils étaient Ana et José. Nous découvrîmes rapidement, sans surprise, que nous habitions tous à Maravu – il n'y avait pas d'autre hébergement dans un rayon de plusieurs kilomètres. Ils parlaient bien l'anglais.

– En vacances ? me demanda José.

Je pris une grande inspiration. Cette conversation n'allait sans doute pas durer très longtemps, mais je racontai que je revenais de plusieurs semaines d'études dans le Pacifique sud. Quand j'abordai la question des menaces qui pèsent sur les plantes et les animaux les plus anciens dans cette partie du monde, ils tendirent l'oreille et échangèrent des regards de connivence. Ils avaient l'air tellement soudés ensemble qu'à nouveau je me sentis mal à l'aise. Encore une fois, j'avais devant moi la preuve vivante que, dans une telle situation, être deux est un avantage certain.

– Et vous ? demandai-je. En voyage de noces ?

Ana secoua la tête.

– Nous sommes dans le cinéma.

– Le cinéma ? répétai-je.

C'était peut-être une piste. Je fouillai ma mémoire

pour trouver où j'avais bien pu croiser cette femme élégante. S'agissait-il d'une actrice connue, en vacances dans le Pacifique avec son mari, le célèbre réalisateur ou cameraman José Untel ? Après tout, je ne l'avais peut-être pas rencontrée dans la vie réelle, mais sur un écran. Cependant quelque chose clochait, je n'avais jamais tellement fréquenté les salles obscures, en tout cas pas après qu'Ana était devenue adulte.

Elle jeta un coup d'œil à son mari et hésita un instant avant de poser à nouveau son regard sur moi. Puis, hochant la tête de manière provocante, elle précisa :

– Nous travaillons pour une chaîne câblée espagnole.

Comme pour souligner ses paroles, elle s'empara d'un petit appareil photo compact et se mit à prendre des photos de la plage, de José et de moi-même. Elle eut un sourire malicieux et je la soupçonnai fort de se moquer de moi. Mais quelle importance ? J'étais comme ébloui, et ni le sable blanc ni le soleil alors au zénith n'étaient la cause de mon étourdissement.

L'homme demanda l'heure à sa compagne et je me souviens d'avoir trouvé cela plutôt curieux, puisque aucun d'eux, je l'avais remarqué, n'avait de montre. Je leur donnai l'heure – midi et quart – avant de m'éloigner en les saluant d'un signe de la main. Il était temps que je poursuive mon exploration de l'île. Au moment où je rejoignais la route, j'entendis la femme chuchoter sur un ton liturgique :

– *Quand nous mourons – comme lorsque les scènes sont fixées sur la pellicule et que l'on peut arracher et brûler les décors –, nous devenons des fantômes qui hantent les souvenirs de nos descendants. Oui, très cher, nous devenons des fantômes, des mythes. Mais nous vivons encore l'un auprès de l'autre, nous vivons encore ensemble dans le passé, nous sommes un passé lointain. Sous l'horloge d'un passé mythique, j'entends encore ta voix.*

Je ne m'arrêtai pas, feignant de n'avoir rien entendu ou du moins de n'avoir rien compris. Dès que je fus hors de leur vue, après le premier virage, je sortis mon carnet et essayai de noter ses paroles. *Sous l'horloge d'un passé mythique, j'entends encore ta voix...*

Je caressai l'idée qu'Ana m'avait donné un indice. Peut-être était-ce dans un passé mythique que je trouverais la solution à mon impression de familiarité ?

J'étais sûr de l'avoir déjà rencontrée quelque part. Pourtant il y avait quelque chose qui ne collait pas. J'avais la désagréable sensation qu'à un moment donné il lui était arrivé quelque chose.

Ma rencontre avec les deux Espagnols m'avait mis dans un tel état d'excitation que je résolus de faire à pied les cinq kilomètres le long de la côte jusqu'au méridien 180, où se trouvait un monument érigé sur la ligne de démarcation entre les deux journées. La balade était longue, mais elle m'offrit l'occasion de découvrir un peu la vie des habitants de l'île. Je traversai quelques hameaux animés et fus salué par des villageois souriants vêtus de vêtements colorés. Dès que la rivière faisait un coude, l'eau grouillait d'enfants en train de se baigner ; il y avait aussi quelques adultes parmi eux. Je remarquai que c'étaient souvent les hommes qui se promenaient avec des petits enfants dans les bras, les femmes avaient du travail à faire.

J'étais trop excité pour être vraiment attentif à ce qui se passait autour de moi, mais je ne vis aucune expression soucieuse sur les nombreux visages que je croisai ce jour-là. L'endroit regorgeait de fleurs, de noix de coco, de poissons et de légumes ; à part cela, selon les critères occidentaux, on manquait de presque tout. Voilà à quoi avait dû ressembler le jardin d'Éden avant qu'Adam et Ève goûtent à l'arbre de la connaissance et en soient chassés, condamnés à gagner leur pain à la sueur de leur front. J'avais du mal à imaginer les femmes de cette île paradisiaque en train d'enfanter dans la douleur… La vie est un jeu, pensai-je, tout est friandise.

J'avais les pieds en feu quand je parvins enfin au village de Waiyevo, à un kilomètre de la ligne de changement de date. J'engageai la conversation avec Kibby Lesuma, une sympathique Australienne qui avait épousé un Fidjien et tenait au village une épicerie et une petite boutique de souvenirs. Elle était entourée d'enfants et lorsque l'un d'eux alla chercher une noix de coco sous un cocotier, je lui demandai si elle ne craignait pas qu'un de ses enfants ne reçoive un jour un de ces gros fruits sur la tête. Cela la fit rire. Elle n'y avait jamais pensé, dit-elle, elle avait plus peur des requins. Elle ne pouvait quand même pas leur interdire de se baigner, mais à la moindre égratignure, ils restaient sur la plage. Les requins peuvent sentir de très loin l'odeur du sang, précisa-t-elle. J'approuvai d'un signe de tête. Quand je lui racontai que j'avais fait toute la route à pied depuis Maravu, elle me demanda si j'avais faim. Je mourais de faim, mais je lui dis que je ne m'étais nullement attendu à trouver des buvettes le long de la route. Elle me fit un large sourire maternel et, telle la bonne fée d'un conte, m'indiqua une petite taverne dissimulée derrière deux boutiques tout au bord de la mer. J'étais l'unique client, je commandai un repas simple en essayant de me motiver pour faire le dernier kilomètre jusqu'au méridien 180. La taverne s'appelait *Cannibal Cafe* et, sur une grande enseigne bien visible, il était écrit en grosses lettres rouges : « Nous serions très heureux de vous avoir pour dîner. »

Décidément, ces arrière-petits-enfants de cannibales traitaient leur passé gastronomique avec beaucoup de légèreté. J'imaginai très bien ces individus, souriants et pleins d'attention pour leur client, en train de me faire bouillir dans une marmite. Enfin, à quelques générations près. Il y avait quelque chose dans les gestes des serveurs, dans leur empressement, qui m'y faisait penser. Certes, les Fidjiens regardent avec bienveillance les étrangers, mais j'avais parfois l'impression qu'ils aimaient les touristes de la même façon que moi, par exemple, j'aime l'odeur des côtelettes d'agneau. Quand ils vous saluent avec leur inévitable « Bula », on est tenté de se demander s'ils ne vont pas, la seconde d'après, se lécher les babines. Je ne sais pas si le goût de la chair humaine peut finir par s'inscrire dans les gènes. Toute la question est de savoir si ceux qui avaient un penchant naturel pour la chair fraîche sont ceux qui ont survécu. Peut-être les insulaires qui répugnaient à manger leur prochain furent-ils plus souvent sous-alimentés et moururent-ils finalement par manque de protéines ? Sans parler, bien sûr, de ceux qui furent mangés avant d'avoir eux-mêmes une descendance, perdant ainsi leur droit de vote génétique.

Le monument de la ligne de changement de date est surfait : derrière une pierre commémorative rouge se dresse une planche à la verticale avec une carte tridimensionnelle de Taveuni. Cela donne simplement une idée de l'aspect de l'« île-jardin » vue du ciel – ce qui n'était pas complètement inutile dans mon cas, étant donné que j'avais soigneusement évité de regarder par le hublot de mon avion « boîte d'alumettes ». Taveuni, qui ressemblait à un modèle réduit de maquette avec ses routes bien dessinées, ses lacs et ses cours d'eau, était traversée en son milieu, du nord au sud, par un trait ou, plus exactement, par l'arc d'un cercle, qui, situé à la périphérie du globe terrestre, continuait ensuite vers les pôles où convergeaient tous les méridiens, y compris celui de Greenwich. A droite de ce trait – donc sur la moitié du globe d'où je venais –, on était aujourd'hui. A gauche, on était le jour suivant. Sous la sculpture était écrit : « Ligne de changement de date qui marque le début de chaque nouvelle journée. »

Je dois avouer que cela ne me fit ni chaud ni froid de me tenir avec une jambe dans aujourd'hui et l'autre dans demain. Mais c'est sur cette plage, me suis-je dit, que le troisième millénaire allait commencer, il ne restait plus que deux ans. Ici, dans l'un des endroits les moins peuplés de la planète, où l'on ne pouvait même pas recevoir la télévision, les paraboles allaient pousser comme des champignons. Et, à cause de tous ces reportages envoyés du dernier eldorado vers le monde extérieur en perdition, l'île allait perdre son innocence paradisiaque. Comment décrire un rêve, pensai-je, sans le dénaturer ?

Il me revint en mémoire quelque chose que j'avais lu concernant les préparatifs du passage à l'an 2000 sur les îles Fidji. Une phrase m'avait profondément marqué, j'ai toujours été très bon pour repérer ce qui est important. Le président du Fiji National Millennium Committee, un certain M. Sitiveni Yaqona, avait déclaré : « Parce que les îles Fidji sont très exactement situées sur le $180^e$ degré de longitude, ce sont elles qui fêteront les premiers moments sur terre de l'an 2000, et nous cherchons comment célébrer le nouveau millénaire ici, aux Fidji. » Et les Fidji, c'était en l'occurrence Taveuni, qui se trouvait « très exactement située sur le $180^e$ degré de longitude ». J'étais inquiet à la pensée de tout ce monde qui allait venir valser sur l'île si fragile, martelant frénétiquement le sol à l'endroit exact où l'avenir commençait. C'est ici que la bataille allait avoir lieu, littéralement à la jonction entre le deuxième et le troisième millénaire, « les premiers moments sur terre de l'an 2000 ».

En plus de leur goût pour tout ce qui est « dernier » et « perdu », les humains ont un besoin maladif d'être les « premiers », pensai-je, ce qui, au fond, revient au même. Quand Roald Amundsen atteignit le premier le pôle Sud, il fut aussi le dernier. Il fut en effet le dernier homme sur terre à avoir la possibilité de conquérir ce territoire encore vierge. Robert Scott en fit, quelques mois plus tard, la douloureuse expérience. Les premiers sont les derniers. Il en fut de même pour la conquête de la Lune. Le dernier à avoir, le premier, marché sur la Lune fut Neil Armstrong. Son célèbre « un petit pas pour l'homme, mais un grand bond pour l'humanité » était donc un geste généreux envers ses congénères cloués au sol.

A l'endroit où je me tenais, on risquait d'être serrés comme des sardines dans la nuit du 31 décembre 1999. Il fallait d'abord préparer les festivités. Cela avait déjà commencé, j'avais entendu parler de divers reportages pour la télévision et de plusieurs formes d'avant-premières. Puis débarqueraient les « touristes de l'an 2000 », le dernier cri en matière de voyage pour blasés. Partout les affiches avaient fleuri : « Venez célébrer l'an 2000 sur trois continents différents ! » Tous les billets s'étaient arrachés en un temps record et les enchères allaient monter. Il y avait tant de personnes qui étaient prêtes à payer quelques milliers de dollars pour échapper à l'humiliation sociale de fêter ce changement de millénaire une seule et unique fois, sur un seul continent !

Je m'apprêtai à prendre le chemin du retour, mais alors que j'étais en train de calculer la distance et le temps qu'il me faudrait pour arriver jusqu'à Maravu, une Jeep s'arrêta devant le monument et, à ma grande surprise, en sortirent Ana et José. Je sentis mon cœur s'emballer dans ma poitrine.

Ana m'adressa un salut trop appuyé. Elle balançait son appareil photo.

– Libby nous a dit que tu serais peut-être ici.

Je ne comprenais pas. Puis je me souvins de ma bonne fée à Waiyevo.

Elle poursuivit :

– Nous avions à faire au village. Quand nous avons appris que tu étais passé par là, nous avons pensé que tu aimerais peut-être profiter de la voiture pour le retour.

Je dus avoir l'air drôlement soulagé. J'avais nettement surestimé mes forces. Mes pieds n'en pouvaient plus et il ne restait plus que deux heures avant le dîner. Je les remerciai chaleureusement pour leur proposition.

Ana prit à nouveau quelques photos, du monument, de la Jeep, de José et de moi.

José expliqua qu'ils étaient à Taveuni pour faire des repérages et conclure divers arrangements. Ils reviendraient, plus tard dans l'année, tourner un grand sujet sur le changement de millénaire. Le reportage s'inscrirait dans une série de programmes sur les défis lancés par l'humanité à l'occasion du passage à l'an 2000.

Ana montra du doigt la carte de l'île :

– Nous sommes ici, maintenant, dit-elle. C'est ici que va commencer le troisième millénaire, « Le seul endroit au monde où vous pouvez passer d'aujourd'hui à demain sans après-skis ».

J'avais déjà entendu ce slogan. Si l'on exceptait ces quelques îles des Fidji, le méridien 180 passait uniquement par l'Antarctique et le nord de la Sibérie. Je demandai :

– Les gens s'intéressent à ce genre de reportages ?

José eut une expression lasse :

– Oh, que oui ! Même trop.

Il ajouta :

– Nous allons tous les mettre en garde.

Sa réponse avait piqué ma curiosité, mais je ne comprenais pas ce qu'il entendait au juste par là.

– Les mettre en garde contre quoi ?

– Le changement de millénaire, dit-il, concerne d'une certaine façon la terre entière et tout un chacun estime avoir le droit d'y participer ; mais avoir tous les yeux du monde rivés sur lui n'est pas sans conséquence pour un fragile îlot du Pacifique. Cela aurait été différent si la ligne de changement de date était passée par Londres ou Paris. Mais à l'époque coloniale, c'était plus pratique de faire passer cette ligne de changement loin, très loin, quelque part chez les « sauvages », si tu vois ce que je veux dire…

Et comment ! Ce n'est jamais difficile de comprendre son *alter ego*. Je ne suis pas du genre à croire à la télépathie et à ce genre de trucs, mais on aurait vraiment dit qu'il lisait dans mes pensées. Je me suis senti libéré, car si nous pouvions lire dans les pensées de l'autre comme dans un livre ouvert, alors autant jouer cartes sur table.

– Et ça ne risque pas de s'améliorer, dis-je, si toutes les chaînes de télévision non seulement couvrent l'événement proprement dit, mais choisissent de diffuser de spectaculaires reportages sur la destruction de la culture et de l'environnement dans ces îles. De tels programmes risquent de se transformer en simples émissions de divertissement, tu ne penses pas ?

Croyant avoir été trop loin, je crus bon d'ajouter :

– Mais y a-t-il encore aujourd'hui quelque chose qui ne soit pas un simple divertissement ?

Je dis cela avec un sourire triste. Ana rit, José sourit lui aussi. Je crois que nous étions sur la même longueur d'onde, une onde à haute fréquence.

Ana se précipita vers la Jeep et revint avec une caméra de poing, un genre de petite caméra familiale. Elle la dirigea vers moi en disant :

– Le biologiste norvégien Frank Andersen a récemment étudié la faune et la flore de plusieurs îles d'Océanie.

Qu'avez-vous envie de dire aux téléspectateurs espagnols ?

Je me sentis tellement pris au dépourvu que je ne sus pas quoi répondre. Comment savait-elle que j'étais norvégien ? Et comment connaissait-elle mon nom de famille ? Avait-elle jeté un coup d'œil sur le registre de l'hôtel ? Ou bien se rappelait-elle qu'on s'était déjà rencontrés ?

Elle avait un côté si enfantin et si spontané que je ne songeai pas une seconde à ne pas jouer le jeu. Je parlai pendant six, sept minutes, bref, beaucoup trop longtemps, dressant un tableau général de toutes les destructions de l'environnement en Océanie, et abordant les thèmes de la biodiversité, des droits, mais aussi des devoirs de l'homme.

Quand j'eus fini de parler, Ana posa sa caméra par terre et applaudit.

– Bravo, s'exclama-t-elle. C'était magnifique !

En arrière-fond, j'entendis le commentaire de José :

– C'est ce que je voulais dire quand je parlais de mise en garde.

De nouveau je me laissai séduire par les yeux noirs.

– Tu as filmé ? demandai-je.

Elle hocha la tête d'un air mystérieux. Il ne me vint pas à l'esprit que cette modeste caméra pouvait avoir un quelconque rapport avec le reportage qu'ils préparaient. Pour je ne sais quelle raison, je ne pris pas cet enregistrement au sérieux. Sur la plage, je leur avais dit que j'étais ici pour faire des recherches, et ils essayaient sans doute, à leur tour, de se faire mousser. Ou alors ils ne m'avaient pas cru, oui, c'était plus vraisemblable, ils s'étaient imaginés que je bluffais, histoire de donner le change et ne pas passer pour un homme seul passant en célibataire ses vacances dans le Pacifique.

Et puis, il y avait autre chose. Le couple espagnol était-il vraiment passé par hasard devant mon bungalow en déclamant ces profondes considérations sur l'existence de Dieu et le manque d'étonnement d'Adam ? Était-ce un hasard encore s'ils apparaissaient soudain à la ligne de changement de date ? Ne cherchaient-ils pas plutôt à me faire marcher ?

En tout cas, ils aimaient s'amuser. Ana avait joué le reporter en mission dans le Pacifique et je faisais partie du décor. Je n'arrivais pas à m'ôter de l'esprit que ces deux-là étaient en voyage de noces. « Nous sommes encore l'un auprès de l'autre... » S'ils avaient su que je comprenais ce qu'ils disaient, je n'en aurais pas mené large, et eux non plus, sans doute.

José était descendu au bord de l'eau. Alors qu'il nous tournait le dos, il prononça quelques mots en espagnol. Au ton de sa voix, on aurait dit qu'il faisait une sorte de bilan, et de nouveau j'eus l'impression qu'il débitait quelque chose qu'il avait répété maintes fois par le passé ou qu'il avait appris par cœur.

– *Il existe un monde. Du point de vue de la vraisemblance, cela confine à l'impossible. Cela aurait été beaucoup plus simple si on avait pu faire en sorte qu'il n'existât rien du tout. Personne alors ne se serait posé la question de savoir pourquoi il n'y avait rien.*

J'essayai de ne pas en perdre une miette, mais ce n'était pas facile, avec Ana qui, pendant ce temps, me regardait droit dans les yeux, comme pour y lire une réaction. José s'était éloigné pour proférer des paroles dans une langue que je n'étais pas censé connaître, comment allais-je réagir ? Je l'avais entendu, aucun doute là-dessus, mais avais-je compris ? Et sinon, allais-je demander des explications ?

La vérité est que ce n'était pas une mince affaire de soutenir le regard d'Ana sans me trahir, d'autant que je devais tendre l'oreille pour saisir ce que disait José. Je crois que je sortis victorieux de cette confrontation, car

Ana ramassa sa caméra vidéo et alla la reposer sur la banquette avant de la voiture. Elle resta un instant appuyée contre la voiture comme si elle était prise de vertige. N'avait-elle pas légèrement pâli ? Cela dura à peine quelques secondes, puis elle se redressa et, sans plus s'occuper de moi, courut les huit pas qui la séparaient de José pour prendre sa main droite dans sa main gauche à elle. Ils restèrent ainsi quelques secondes baignés dans la lumière tropicale de cette fin d'après-midi telle une sculpture vivante d'Amour et Psyché. Psyché prit la parole et répondit, toujours en espagnol, à la tirade d'Amour :

– *Nous portons une âme que nous ne connaissons pas et sommes portés par elle. Quand l'énigme se tient sur deux jambes sans être résolue, c'est à notre tour. Quand les images de rêves se pincent elles-mêmes le bras sans se réveiller, c'est nous. Car nous sommes l'énigme que nul ne devine. Nous sommes l'aventure enfermée dans sa propre image. Nous sommes ce qui marche sans jamais arriver à la clarté.*

Ils me tournaient encore le dos, j'en profitai pour sortir mon carnet et essayer de noter ce qu'ils venaient de dire. Ils le déclamaient comme une sorte de jeu, en des termes à la fois tristes et impérieux, comme s'il s'agissait d'une émission de télévision. *Nous sommes ce qui marche sans jamais arriver à la clarté…*

Avaient-ils appris par cœur quelques vers en espagnol et s'entraînaient-ils à se les réciter à haute voix ? Pourtant, quelque chose dans le cérémonieux de ces étranges méditations me confortait dans l'idée qu'ils en étaient à la fois les expéditeurs et les destinataires.

Sur le trajet du retour à Maravu, nous parlâmes à bâtons rompus, de mes recherches notamment. Le soleil était bas à l'horizon, attiré vers l'océan par l'inéluctable gravitation. Dans un peu plus d'une heure il ferait nuit

noire. Dans la lumière intensément dorée, nous aper-
çûmes des femmes en train de décrocher leur linge, des
enfants qui se rafraîchissaient encore dans les rivières,
des jeunes garçons qui finissaient un match de rugby.

*Nous sommes l'énigme que nul ne devine…*

Je pris brusquement conscience que, toutes ces
années, j'avais été emprisonné dans une perspective
réductionniste à la fois du monde dans son ensemble et
de ma courte vie sur Terre. Ana et José me révélaient à
nouveau, pleinement, l'incroyable aventure qu'est la
vie. Pas seulement ici dans ce coin paradisiaque du
Pacifique sud, mais partout, même dans les grandes
métropoles, bien que là il soit bien difficile de se rendre
compte à quel point le monde des hommes est magique :
nous nous noyons dans nos faits et gestes quotidiens,
nous nous éparpillons au gré de nos distractions et de
nos désirs matériels.

En traversant le village de Somosomo, José se tourna
vers Ana et lui montra du doigt un groupe de personnes
rassemblées devant l'église baptiste. Il lui parla à nouveau en espagnol, cette fois presque en contrepoint aux
réflexions que je me faisais à l'arrière, au rythme des
cahots qui me projetaient contre le toit de la voiture.

*– Les elfes ont de tout temps été plus intuitifs que rai-
sonneurs, plus merveilleux que dignes de confiance,
plus mystérieux que capables de comprendre quoi que
ce soit avec leur cervelle d'oiseau. Tels des bourdons
ivres par un bel après-midi somnolent d'août, ils vont
d'une fleur à l'autre, ils agglutinent les elfes en sucre de
la saison dans leurs cités de l'espace. Seul le Joker a
réussi à se libérer.*

« Les elfes en sucre de la saison… » Quelle expression étrange ! Je crois me souvenir avoir mis la main
devant la bouche pour ne pas la répéter à haute voix.
Peut-être te demandes-tu, Véra, ce qui me retenait.

Qu'est-ce qui m'empêchait de confronter Ana et José avec leurs étranges hoquets poétiques ? Si je leur avais demandé ce qu'ils disaient, ils me les auraient traduits en anglais en me gratifiant sans doute au passage d'une explication, histoire d'éclairer un peu ma lanterne. Tu avoueras que l'expression « les elfes en sucre de la saison » supporterait très bien quelques précisions.

Je me suis plusieurs fois posé cette même question. Je ne sais pas si la réponse que j'ai trouvée est satisfaisante, mais voilà à peu près ce que j'ai pensé : cette communication insolite entre Ana et José, c'était avant tout quelque chose sur quoi tous deux étaient tombés d'accord. Ils étaient deux, Véra, c'est peut-être là où je veux en venir, toujours, ils étaient tellement deux, si inextricablement mêlés l'un à l'autre dans leur symbiose mentale ! J'avais d'abord interprété cette surprenante forme de contact verbal comme la manifestation d'un lien personnel entre deux amoureux, et l'on hésite toujours à lire les lettres d'amour des autres, surtout en leur présence. Et puis, en avouant que je comprenais ce qu'ils disaient, je risquais de me priver de la possibilité d'en entendre davantage.

Tu me rétorqueras peut-être que je n'étais pas obligé de leur avouer que je parlais espagnol. J'aurais pu demander comme ça, incidemment, ce qu'ils racontaient. Mon absence de réaction devant une conduite si étrange pouvait paraître un peu bizarre à la longue... Mais leur comportement était-il si étonnant que cela ? Qu'y a-t-il d'étrange à ce que deux amoureux qui, la plupart du temps, parlent en anglais en présence d'un étranger aient envie, de temps à autre, d'échanger quelques phrases dans leur langue maternelle ? Cela s'appelle la vie privée, la sphère intime. Il faut dire que pour l'instant, pour autant que je comprenne, ils étaient en train de discuter de choses et d'autres, l'un avait mal au ventre, l'autre avait faim et soif et attendait avec impatience le dîner. Ces simples paroles me donnaient envie d'en savoir plus, j'étais fermement décidé à en écouter le plus possible. C'est comme quand celui qui dort à tes côtés se met soudain à parler dans son sommeil… Tu sais que tu devrais le réveiller, mais tu ne le fais pas. Non, au contraire, tu essaies de faire le moins de bruit possible, tu évites de faire crisser la couette pour mieux saisir les paroles de l'orateur endormi qui te parviennent, pour une fois, dans une version relativement démaquillée.

Ana s'appuya contre José qui passa son bras gauche autour des épaules de sa compagne, tout en affermissant sa prise sur le volant avec la main droite. Elle lui lança un regard enflammé, et dit :

– *Les elfes sont dans le conte à présent, mais ils sont ce pour quoi il n'existe pas de mot. Le conte serait-il encore un conte s'il pouvait se voir lui-même ? Le quotidien serait-il un scoop s'il passait son temps à rendre compte de lui-même ?*

Solidement calé dans mon siège, cette fois, je pensai à tous ces crapauds écrasés sur la route, j'en avais vu plus d'une centaine lors de ma balade. Ils devenaient plats comme des crêpes quand on leur avait pressé toute l'eau du corps. Mais, au-delà de ces crapauds, je me demandai en fait si je ne m'étais pas finalement fourvoyé dans ma propre science et si je n'avais pas perdu ce don de percevoir l'aventure magique contenue dans chaque seconde sur cette terre. Les sciences de la nature ont toujours eu comme programme de tout, absolument tout, expliquer, cela me frappa brusquement. Et naturellement le danger est alors de rester aveugle à ce qui échappe à toute explication.

Des femmes et des enfants vinrent à notre rencontre dans le dernier village, nous dûmes ralentir et presque nous arrêter. Ils marchaient en plein milieu de la route et nous faisaient de grands signes en souriant. A notre tour, nous avons souri en agitant la main. « *Bula !*, entendait-on à travers la vitre, *bula !* » Une des femmes était enceinte de huit ou neuf mois.

Ana se redressa et José reposa les deux mains sur le volant. En se tournant pour suivre les femmes du regard, elle psalmodia :

– *Dans l'obscurité des ventres arrondis nagent à tout instant des millions de cocons contenant une conscience du monde radicalement nouvelle. Des elfes en sucre un peu gauches sont les uns après les autres poussés vers l'extérieur quand ils arrivent à maturité et savent respirer. Au début ils ont pour seule nourriture le lait sucré d'elfe qui coule d'une paire de doux tétons d'elfe.*

« Tétons d'elfe », Véra. J'avais supposé que les elfes dans l'univers de José et Ana nous représentaient nous, les êtres humains sur cette planète. Mais, connaissant le passé gastronomique des Fidjiens, je trouvais ça un peu cru de sa part de parler ainsi des tétons des insulaires. Ces faux-filets célestes n'étaient-ils pas une nourriture trop noble pour être mangée ?

Nous bifurquâmes pour monter jusqu'à Maravu et, une fois revenu à mon bungalow, je restai quelques minutes sur la terrasse à admirer le coucher de soleil. Je me devais d'honorer ainsi cette journée : j'étais arrivé à bon port malgré une longue traversée quelque peu hasardeuse qui avait commencé aux premières lueurs de l'aube. A présent, je suivais du regard le demi-cercle rouge pâle et je ne le quittai des yeux que lorsqu'il se renversa sur le dos pour faire une roulade et disparaître de l'autre côté de l'horizon. Le soleil n'était qu'une étoile parmi des centaines de milliards d'autres dans cette galaxie. Elle n'était même pas parmi les plus grandes. Mais c'était mon étoile.

Combien de rotations me restait-il encore à effectuer en tant que passager de cette terre dans son voyage au sein de la Voie lactée ? Derrière moi, j'avais presque quarante passages, quarante révolutions autour du soleil. En tout cas, j'étais déjà à mi-parcours de la traversée.

Je défis ma valise, pris une douche et enfilai une chemise blanche que j'avais achetée à Auckland. Avant de sortir pour dîner, je bus une gorgée de gin et reposai la bouteille sur la table de nuit. C'était un rituel immuable quand j'étais en voyage. Je savais que j'en reprendrais une bonne rasade avant de me coucher. Je n'avais pas d'autre calmant.

Ah ça, elle m'avait bien manqué, cette bouteille, quand je m'étais senti si perdu dans l'avion de Nadi ! Pendant quelques dramatiques quarts d'heure, nous avions été séparés, elle et moi, et Sunflower Airlines s'était nettement mieux occupé de la bouteille que de son propriétaire.

Au moment où je refermais la porte derrière moi, j'entendis quelque chose glisser au-dessus d'une des poutres du toit. Je me doutais de ce que cela pouvait être, mais je ne retournai pas sur mes pas pour vérifier.

# Des amphibiens d'avant-garde

Dehors, la nuit était noire. Les seules sources de lumière dans la palmeraie étaient quelques discrets réverbères allumés, mais, au-dessus des cimes des cocotiers, scintillaient les vastes guirlandes stellaires et leurs milliers de minuscules ampoules. Il suffit de s'éloigner des métropoles, pensai-je, pour se retrouver projeté dans l'espace dès la tombée de la nuit. Mais une partie toujours plus importante de l'humanité s'est laissé envelopper dans une sorte d'effet de serre optique qui lui fait oublier qui nous sommes et d'où nous venons. De même que la nature se résume pour beaucoup à des reportages télévisés, des plantes en pot et des oiseaux en cage, l'univers est désormais un spectacle que l'on observe uniquement en planétarium.

J'eus quelques soucis pour rejoindre le restaurant – seule une vague lueur au loin signalait le bâtiment de la réception –, mais je me frayai un chemin à travers les buissons épais et les palmiers, et finis par tomber sur la piscine qui était éclairée. Trois ou quatre crapauds faisait des longueurs. Sans doute s'agissait-il d'une course car, manifestement, l'un d'entre eux était resté sur le bord du bassin pour surveiller ce qui se passait. Tout a sa raison d'être, me dis-je. Les primates ont la piscine pour eux pendant la journée, la nuit, c'est au tour des amphibiens d'en profiter.

J'entrai dans le restaurant où des bougies étaient allumées sur chaque table. Il y avait dix *bures* à Maravu et, je le découvrais, le même nombre de tables au restaurant.

Ana et José étaient déjà là. Ana portait toujours sa robe rouge, mais elle avait mis des escarpins noirs à hauts talons. José avait gardé son costume de lin noir. Il avait apporté un seul petit changement à sa tenue, un foulard rouge noué autour du cou, qui offrait exactement les mêmes nuances que la robe d'Ana et semblait presque avoir été fait dans la même étoffe.

Je m'assis à une table voisine de la leur et nous nous adressâmes des petits signes de tête. Voyageant seul, j'avais appris à ne pas mendier les offres charitables de partager la table d'autrui. C'était le soir à présent, l'excursion de l'après-midi était terminée, et Ana et José ne m'appartenaient plus. A cette heure tardive, ils appartenaient seulement l'un à l'autre.

Je fis aussi un petit signe de tête à Laura, assise toute seule à l'autre bout du restaurant. Près d'elle était attablé un homme brun à la barbe poivre et sel, il devait avoir une dizaine d'années de plus que moi ; c'était un Italien prénommé Mario, comme j'allais l'apprendre ce soir-là. A la table à côté de lui se trouvait un jeune couple, qui devait être en voyage de noces. Ils étaient jeunes, vingt ans et quelques, et n'arrêtaient pas de se pencher par-dessus la table, en s'étreignant les mains. De temps à autre, leurs deux visages se rencontraient et leurs bouches échangeaient un baiser passionné. Le lendemain soir, j'allais avoir l'occasion de parler un peu avec eux : Mark et Evelyn étaient américains et venaient de Seattle.

John, l'Anglais qui était venu nous chercher à l'aéroport, était là également. Il était visiblement occupé à écrire quelque chose, je m'en souviens bien, car moi aussi il m'arrive souvent de prendre des notes dans les restaurants en attendant qu'on me serve. Je n'ai jamais la tranquillité d'esprit nécessaire pour me plonger dans un roman. Plus tard dans la soirée, il se présenta comme John Spooke, écrivain britannique vivant à Londres, ou plus exactement à Croydon, au sud de la ville. Quand il déclina son identité, je crus qu'il était l'un de ces auteurs de best-sellers qui peuvent se permettre de passer leurs quartiers d'hiver sur une île du Pacifique sud afin d'y puiser l'inspiration pour un nouveau roman. Mais il n'était ici que depuis quelques jours et il était venu pour participer à une émission de télévision. Oui, tu as bien lu, une émission – à propos du nouveau millénaire, de la ligne de changement de date, des défis mondiaux, ce genre de choses, quoi. Ce genre de choses, Véra, ce genre de choses !

Bill, je ne l'ai pas vu. Il était peut-être dans sa chambre à faire des exercices de yoga qui lui donnaient l'illusion de pouvoir vivre encore soixante ans.

Le dîner fut servi par deux hommes indigènes qui étaient vêtus de la traditionnelle chemise des Fidji et portaient des fleurs rouges derrière l'oreille. L'un avait une fleur derrière l'oreille gauche : cela voulait dire qu'il n'était pas encore lié à une femme. L'autre avait la fleur derrière l'oreille droite, il était donc marié. Si j'avais vécu à Taveuni, j'aurais dû, il y a quelques mois, affronter l'humiliation sociale que doit représenter le fait de déplacer la fleur de l'oreille droite à l'oreille gauche.

Je commandai une demi-bouteille de bordeaux blanc et une bouteille d'eau minérale. A Maravu, on avait le choix entre deux plats et il avait fallu décider dès notre arrivée ce que l'on mangerait le soir. J'avais alors la tête tellement farcie d'images sur les anciennes habitudes culinaires des Fidjiens que, par sécurité, j'avais préféré prendre du poisson. Ana et José parlaient si doucement qu'au début je ne pus saisir que des bribes de leur conversation. Mais elles suffirent à exciter ma curiosité. On aurait pu croire qu'ils étaient en pleine négociation ou qu'ils mettaient la dernière touche à un travail commun sur je ne sais quoi – c'est exactement ça, sur je ne sais quoi.

José dit : *« Nous sommes des œuvres d'art ayant nécessité des milliards d'années pour parvenir à ce stade de raffinement. Mais nous sommes un patchwork fait de tissus de mauvaise qualité. »* Deux ou trois répliques m'échappèrent puis José reprit : *« La porte de l'aventure est grande ouverte. »* A quoi Ana répondit en hochant la tête d'un air grave : *« Nous sommes les diamants de l'esprit dans le sablier du temps. »*

Telle était à peu près la teneur de leur entretien, ou du moins de ce que l'acoustique de la salle me permettait d'en saisir.

Tandis qu'ils étaient assis à converser comme deux chasseurs, Bill, en bermuda jaune et chemise hawaïenne à fleurs, finit par émerger de la palmeraie et entra dans le restaurant. Laura avait dû l'apercevoir avant moi car elle se précipita sur son Lonely Planet et se mit à lire intensément, si intensément qu'elle n'a pas dû comprendre un seul mot de ce qu'elle lisait. Peine perdue. L'Américain resta quelques instants sur le seuil à parcourir d'un œil de rapace la disposition des tables pour le dîner avant de jeter son dévolu sur celle de Laura. Elle se recroquevilla sur son livre, je ne voyais même plus sa nuque, et refusa obstinément de lever les yeux. Tout ça n'était pas sans me rappeler la manière dont une tortue qu'on tente d'approcher cherche refuge sous sa carapace et je me souviens d'avoir eu un peu pitié d'elle : elle aurait quand même été en meilleure posture si, à l'aéroport, elle n'avait pas aussi ouvertement manifesté son rejet envers cet amateur de belles plantes. Je ne me rappelle pas si cette considération s'accompagnait ou non d'une certaine joie de ma part.

La conversation avait pris un tour plus résolu à la table voisine. Ana disait : *« Il faut des milliards d'années pour créer un être humain. Et juste quelques secondes pour mourir. »*

Discrètement, je sortis mon carnet de la poche de ma chemise, mais j'avais oublié mon stylo ! Ah, quel imbécile ! Juste au moment où José élevait un peu la voix pour déclamer avec une diction parfaite cette sentence :

— *Pour un regard impartial, le monde n'apparaît pas seulement comme un événement unique invraisemblable, mais comme un fardeau permanent pour la raison. Enfin, s'il existe bel et bien une raison, une raison neutre. Ainsi parle la voix qui vient de l'intérieur. Ainsi parle la voix du Joker.*

Ana fit un signe de tête qui en disait long, puis elle se lança à son tour :

— *Le Joker se sent grandir, il le sent dans ses bras et ses jambes, il sent qu'il n'est pas seulement le fruit de son imagination. Il sent l'émail et l'ivoire pousser dans sa mâchoire anthropomorphe. Il sent le poids léger des côtes du primate sous sa robe de chambre, les battements réguliers du pouls qui sans arrêt pompe le liquide chaud pour l'envoyer dans son corps.*

Je ne devais plus avoir les idées très claires parce que, sans réfléchir, je me levai et fonçai droit sur l'Anglais, qui n'avait pas arrêté de griffonner avant le repas. Il avait déjà fini de manger l'entrée, et avait mis de côté son stylo et son papier.

— Pardonnez-moi… dis-je en m'inclinant, je vous ai vu écrire tout à l'heure. Vous ne pourriez pas me prêter votre stylo juste un instant ?

Il leva les yeux vers moi d'un air interrogateur :

– Avec plaisir, dit-il. Tenez !

Sur ces mots, il sortit de sa poche intérieure un feutre noir Pilot. Il s'amusa à jouer avec lui quelques secondes avant de me le tendre.

– Je vous le rendrai aussitôt, le rassurai-je.

Mais il me fit comprendre d'un signe de tête, très grand seigneur, que ce n'était pas la peine, car s'il y avait bien une chose qu'il n'oubliait jamais d'emporter, a fortiori quand il voyageait dans des endroits aussi isolés que celui-ci, c'était précisément des feutres noirs.

Je le remerciai chaleureusement et nous fîmes plus ample connaissance. A l'aéroport, cela avait été plutôt succinct.

J'essayai en quelques mots de lui faire comprendre ce que j'étudiais ; le géant britannique aux favoris blancs m'écouta attentivement, oui, très attentivement. J'ai assez vécu pour savoir apprécier ce genre d'attention. Il me tendit la main et se présenta à son tour :

– John Spooke, écrivain.

– Tu es venu ici pour écrire ? demandai-je.

Il secoua la tête et expliqua qu'on l'avait envoyé à Taveuni aux frais de la BBC pour participer à une émission de télévision sur le changement de millénaire. On pense que l'avenir commencera ici, fit-il remarquer, sarcastique, car il faudra attendre douze heures de plus pour que le nouveau millénaire déferle sur Londres. Il mentionna les titres de quelques-uns de ses romans et l'un d'entre eux avait, apparemment, été traduit en norvégien.

Je le remerciai encore une fois pour le stylo et je m'apprêtais à regagner ma table lorsqu'il me lança gaiement :

– Écris quelque chose de joli…

Je me retournai et il ajouta :

– … et transmets mes salutations !

Alors je ne sais pas, Véra, peut-être dois-je m'acquit-
ter de ma dette et te transmettre les salutations d'un
aimable écrivain anglais – même si tu n'étais pas la
destinataire de mes notes d'alors. Mais c'est à toi que
j'écris maintenant et si je te raconte cette première soirée
à Maravu, c'est pour t'aider à mieux comprendre ce qui
s'est passé à Salamanque quelques mois plus tard.

Bill faisait tout ce qu'il pouvait pour arracher Laura à
son Lonely Planet. Elle paraissait réussir à donner le
change, répondant par quelques phrases minimales aux
tentatives plus ou moins envahissantes de son compagnon de table qui ne désespérait pas d'avoir une vraie
conversation avec elle.

Le jeune couple en voyage de noces passait son temps
à se bécoter au-dessus de leurs coupes de salade de fruits
et j'ai repensé au cannibalisme. J'appartiens à une culture
où il est socialement admis que deux personnes s'em-
brassent, se lèchent en public, même pendant le dîner,
mais où certaines préparations culinaires sont taboues.
Cela avait dû être le contraire autrefois sur les îles Fidji.
On ne se caressait sûrement pas en public et encore
moins au cours d'un repas. En revanche, consommer les
tripes d'un mort ne posait aucun problème.

L'Italien, l'air mélancolique, fixait son verre de vin
rouge. De tous les clients attablés ce soir-là, il était visiblement le plus seul. Il jeta vers le jeune couple américain un lourd regard de chien abandonné.

Une fois revenu à ma place, j'entendis José faire une
remarque à propos des « attractions de l'exotisme quotidien », puis il marmonna quelque chose qui provoqua
l'enthousiasme de sa compagne. Elle le gratifia d'un
large sourire et se leva pour déclamer avec fougue :

– Une nostalgie erre de par le monde. Plus elle est
forte et puissante, plus est profond le désir d'une
délivrance. Mais qui écoute les aspirations du grain

*de sable ? Qui prête l'oreille au désir du pou ? S'il n'y avait rien, personne ne ressentirait la moindre nostalgie pour quoi que ce soit.*

Elle regarda autour d'elle, mais si rapidement que je doute qu'elle se soit rendu compte que j'écrivais en sténo ce qu'elle disait. Elle ne savait pas que je comprenais l'espagnol, elle ne pouvait pas être certaine que j'entendais leur conversation. J'aurais pu tout aussi bien être plongé dans mes propres notes sur, disons, les différentes espèces de dinosaures que j'avais étudiées en Océanie.

Pendant un bon moment, je dus me contenter des quelques phrases saisies au vol dans le murmure rouge et noir. *« Plus les elfes se rapprochent de l'extermination éternelle, plus leur langage devient insignifiant »*, énonça Ana en regardant d'un air interrogateur son partenaire de jeu. A quoi celui-ci répliqua : *« Sans l'anomalie inconsolable du fou, le monde des elfes serait aussi aveugle qu'un jardin secret. »*

Je commençais à me dire que ces fragments que j'entendais sans comprendre devaient constituer les pièces d'un grand puzzle, oui, d'une mosaïque qui serait d'autant plus difficile à reconstituer qu'il me manquerait des pièces. Mais on m'apporta mon dîner et je posai le carnet sur la table. Les quelques bribes que j'avais réussi à noter n'avaient aucun sens mises bout à bout. Il ne se passa rien pendant le repas mais, à peine celui-ci terminé, José leva la voix et déclara :

*— Dans le conte, le Joker rôde parmi les elfes tel un espion. Il se fait ses réflexions, mais il n'a aucune instance à qui les rapporter. Seul le Joker est ce qu'il voit. Seul le Joker voit ce qu'il est.*

Ana réfléchit un bref instant avant de répondre :

*— Les elfes essaient d'avoir des pensées si difficiles à concevoir qu'ils n'arrivent pas à les penser. Ils n'y*

*arrivent pas. Les images sur l'écran ne bondissent pas*
*dans les salles de cinéma mais se ruent sur le projec-*
*tionniste. Seul le Joker trouve le chemin qui mène aux*
*premiers rangs.*

Je ne peux pas jurer que c'est mot pour mot ce qu'elle
a dit, mais voilà, en gros, de quoi ils parlaient. Je dis
bien : en gros.

On débarrassa les tables et je vis l'Italien qui s'approchait de moi, saluant au passage Ana et José d'un signe
de tête provocant. Il me tendit la main et se présenta.
Mario, puisque tel était donc son nom, s'était occupé ces
quinze dernières années du trafic charter vers Suva avec
un yacht qu'il avait construit lui-même. Au départ, il
n'avait pas du tout prévu de faire ce boulot, mais il avait
échoué ici, il y a quinze ans ou vingt ans, après avoir
sillonné les mers, passant le canal de Suez pour rejoindre
l'Inde, l'Indonésie et l'Océanie, et n'avait pas encore
réuni assez d'argent pour pouvoir retourner à Naples.

Il avait quelque chose à me demander.

– Tu joues au bridge ?

Je dus sûrement hausser un peu les épaules, car même
si je suis un assez bon bridgeur, je ne me sentais pas
tellement d'humeur à jouer aux cartes. La nuit tropicale
méritait mieux que cela. Mais quand il ajouta que nous
jouerions contre le couple espagnol, je m'empressai
d'accepter. Les soirs précédents, il avait eu un Hollandais
comme partenaire, m'expliqua-t-il, mais celui-ci avait
repris, le jour même, le bateau pour Vanua Levu.

Nous nous installâmes donc autour d'une table et nous
fîmes quelques robs. Chaque fois, Ana et José réussis-
saient leur contrat ou nous faisaient chuter en remportant
la dernière levée décisive. Ils jouaient avec une précision
impressionnante, mais aussi d'une manière si ludique et
décontractée qu'ils pouvaient, au beau milieu d'une
partie, s'adosser à leur chaise et poursuivre en espagnol

leur propre petit jeu sans queue ni tête. Je pris au vol des expressions comme « *le très ancien coup de timbales* », « *le cocon honteux qui ne fait que grandir dans toutes les directions* », « *le primate chic* », « *le demi-frère choyé du Néandertalien* », « *le sommeil de la Belle au Bois dormant de la vie quotidienne* », « *un courant chaud de chimères à moitié digérées* », « *le plasma de l'âme* », « *l'oreiller de collision du festival des protéines* », « *le disque dur organique* » et « *la gelée de la connaissance* ».

A deux reprises je fus le mort et je pus ainsi discrètement m'éloigner pour noter les quelques mots que j'avais pu saisir. C'était « *le plasma de l'âme* » et « *l'oreiller de collision du festival des protéines* », par-ci, « *la gelée de la connaissance* » et « *le demi-frère choyé du Néandertalien* » par-là, je n'en croyais pas mes oreilles. En tout cas, je tenais mon diagnostic : Ana et José étaient un couple de poètes atteint du syndrome de Tourette. Et, à ma décharge, j'aurais beaucoup mieux joué si je n'avais pas dû parallèlement prêter attention aux propos échangés entre nord et sud. Peut-être même était-ce leur but : faire diversion pour ruiner notre axe est/ouest.

Mario décida finalement d'interrompre le jeu. Je n'irai pas jusqu'à dire qu'il jeta violemment le jeu de cartes sur la table, mais il le posa d'une manière si brutale que je sursautai. Sans un brin d'humour, il secoua la tête en disant :

– Ce sont des voyants !

Ana leva les yeux vers lui avec une satisfaction presque enfantine, tandis que Mario cherchait mon appui :

– Cinq trèfles ! hurla-t-il presque. Mais après les annonces, ça aurait tout aussi bien pu être Frank qui avait l'as. On dirait qu'ils savent à tout moment ce qu'on a en main.

Il ne se doute pas à quel point il dit vrai, pensai-je. ce couple est si intimement lié – ils n'en sont plus à leur premier voyage de noces – qu'on a le sentiment qu'ils arrivent vraiment à lire dans les pensées de l'autre. Au fond pourquoi pas, me dis-je avec défi. Ne sommes-nous pas quatre primates, toutes antennes dehors, dans l'ensorcelante nuit tropicale, sous le scintillant tapis d'étoiles de notre propre ramification – quasi provinciale – de la Voie lactée ? Ici, sur la planète où nous nous sommes à grand-peine développés à partir de vertébrés primitifs, sur cet îlot de l'archipel galactique, notre espèce envoie sondes et ondes radio dans l'espace pour tenter d'entrer dans une sorte de contact cognitif avec des êtres plus avancés que nous sur le plan biologique et qui se trouveraient à des années-lumière de notre propre parc d'enfant. Et l'on espère que le contact se fera, alors qu'on ignore tout de ces éventuelles créatures et de l'histoire de leur évolution : elles pourraient bien ressembler davantage à des étoiles de mer qu'à des mammifères comme nous. Alors, pourquoi deux âmes jumelles, vivant dans la même biosphère, appartenant à la même espèce et au même peuple, et qui de surcroît n'ont rien de mieux à faire que de voyager en se reflétant mutuellement, ne pourraient-elles pas échanger par-dessus la table de bridge quelques simples signaux magnétiques liés aux couleurs et aux chiffres de cinquante-deux cartes ? Disons que j'étais grisé par l'euphorie de la nuit tropicale, mais enfin, ce n'était pas la première fois que je perdais tout sens critique.

Et ça n'allait pas s'améliorer, car la conversation continuait sur un terrain glissant. Si tous ceux qui sont attablés sont d'aussi bons joueurs de bridge, demanda Mario, quelle est la probabilité pour qu'une équipe remporte huit robs d'affilée ? Selon moi, cela ne dépendait que de la donne, mais la probabilité pour qu'une des équipes ait les meilleures cartes huit fois de suite était si infime qu'il était somme toute plus facile d'avancer l'hypothèse qu'Ana et José avaient été les meilleurs.

Ana savourait sa victoire. Elle ne cherchait même pas à cacher qu'elle trouvait tout cela fort amusant, il était clair que ce n'était pas la première fois qu'elle gagnait au jeu. Elle se contenta de poser une main consolatrice sur l'épaule de Mario, qui se dégagea aussitôt.

A présent c'était au tour de José de reprendre cette question de probabilité, mais dans le domaine de la biologie. Je crois me rappeler qu'il me demanda d'abord si je croyais que l'évolution sur terre était due seulement à quelque chose d'aussi imprévisible qu'un enchaînement de mutations accidentelles. Ou pouvait-on concevoir qu'il y eût un quelconque mécanisme que les sciences de la nature auraient ignoré ? Cela avait-il un sens de penser l'évolution en termes de but ou de dessein ?

Je poussai un petit soupir, non pas que sa question fût naïve, mais parce que de nouveau il abordait un problème qui me touchait tout particulièrement ce jour-là. Je me bornai toutefois à lui donner les réponses classiques, celles qu'on trouve dans les livres, et je pensai ainsi clore le débat.

– Nous avons, reprit-il, deux bras et deux jambes. C'est tout à fait approprié quand nous sommes attablés à jouer au bridge, mais ça ne l'est plus quand on pilote un vaisseau spatial pour aller sur la Lune. Est-ce un hasard ?

– Cela dépend de ce qu'on entend par « hasard », répliquai-je. Les mutations sont le fruit du hasard. Mais c'est l'environnement qui à tout instant détermine quelles mutations vont pouvoir se produire ou non.

– Tu veux dire que si cet univers a pour l'instant une certaine idée de sa propre histoire et de sa propre évolution dans le temps et l'espace, c'est grâce à une somme d'heureuses coïncidences ?

José étendit le bras comme s'il voulait prendre la nuit de l'univers à témoin, car au fond, c'était à elle qu'il s'adressait.

J'allais ajouter quelque chose à propos des mutations et de la sélection naturelle, mais il ne m'en laissa pas le temps.

— Si le but est d'atteindre une raison plus ou moins objective, je ne sais pas si nous aurions pu avoir l'air tellement différents.

Ana esquissa un sourire de connivence. Elle passa un bras autour de son cou et l'embrassa vite sur la joue comme pour l'arrêter. Puis elle se retourna vers moi et me lança d'un ton ironique :

— Il est persuadé – c'est une véritable obsession – que s'il y a d'autres créatures intelligentes dans l'univers, elles doivent nécessairement nous ressembler.

— Là, je crois qu'il fait erreur, ne pus-je m'empêcher de dire.

Mais José ne s'avouait pas vaincu :

— Elles doivent avoir un système sensoriel et donc nécessairement un organe qui sert à penser. Et la seule façon d'obtenir cela, c'est d'avoir deux membres antérieurs libres, comme nous.

— Pourquoi deux ?

Je croyais le tenir, mais il poursuivit sur sa lancée :

— Aujourd'hui, ça suffit bien !

Pour la première fois, j'eus l'impression que c'était moi qui cédais du terrain. Il défendait en tout cas une position qui, de temps à autre, me rendait un peu perplexe. Certes, deux bras et deux jambes étaient *suffisants*. Mais, ce n'était pas ainsi qu'une science empirique devait raisonner. Cela ne faisait-il pas cinq cents ans que la philosophie avait rejeté la théorie aristotélicienne de la « cause finale » ?

Il conclut :

— Cela n'a à la longue aucun intérêt de courir sur plus

de membres que nécessaire, en tout cas pas pendant des millions d'années.

Au même instant surgit un crapaud qui, d'un bond, se retrouva à nos pieds. C'était peut-être l'un des baigneurs de tout à l'heure. Le montrant du doigt, je déclarai sur un ton triomphant :

– Nous avons deux bras et deux jambes tout simplement parce que nous descendons de créatures à quatre pattes comme celles-ci. C'est d'elles que nous tenons aussi la structure fondamentale de notre système sensoriel. L'exemplaire que nous avons sous les yeux est un *Bufo*, plus précisément un *Bufo marinus*.

Je soulevai le crapaud, indiquant les yeux, les narines, la cavité buccale, la langue, le larynx et les tympans. Puis je montrai rapidement où se trouvaient le cœur, les poumons, l'aorte, le ventre, la vésicule biliaire, le pancréas, le foie, les reins, les testicules et l'urètre. Je terminai ma démonstration par quelques commentaires sur la constitution du squelette, la colonne vertébrale, les côtes et les orteils. Relâchant l'animal, j'ajoutai des explications sur tel ou tel point concernant l'évolution, des amphibiens aux reptiles, puis des reptiles jusqu'aux oiseaux et aux mammifères.

Mais j'avais sous-estimé José, car il répliqua :

– Les amphibiens avaient donc un superbe jeu en main. Ils étaient sûrs de remporter toutes les parties, et il ne s'agit plus seulement de chance ici. Ils étaient l'avant-garde des autres espèces animales, ils avaient tout pour donner naissance à un être humain.

– C'est facile à dire après coup, fis-je.

– Mieux vaut tard que jamais, insista-t-il. Si nous avons deux bras et deux jambes, il y a deux raisons à cela : la première, c'est que nous descendons de ces créatures à quatre pattes, la deuxième, c'est que c'est approprié.

– Et si les amphibiens avaient eu six pattes ?

– Alors soit nous ne serions pas ici aujourd'hui en train de discuter aussi sérieusement, soit deux des membres auraient disparu. Nous avions autrefois une queue, ce qui peut s'avérer utile pour un certain nombre d'activités animales, mais qui, il faut bien l'avouer, est plus gênant qu'autre chose devant un ordinateur ou aux commandes d'une navette spatiale.

Je crois me souvenir que je me suis légèrement appuyé sur le dossier de la chaise. José n'avait pas cessé de soulever des problèmes qui avaient été au cœur de mes préoccupations ces derniers temps. De toute façon, après cette chose affreuse qui nous était arrivée à tous les deux, Véra, j'avais largement eu mon lot de questions sans réponse, ces derniers mois. Pourquoi avait-il fallu que nous perdions Sonja ? Oh, combien de fois me la suis-je posée, cette question ! Pourquoi n'avons-nous pas eu le droit de la garder ? Si j'avais lu ce genre de réflexions dans la copie d'un de mes étudiants, je me serais sérieusement demandé s'il méritait son examen. Mais nous sommes des êtres humains, et les êtres humains ont tendance à chercher du sens, même là où il n'y en a pas. Aussi continuai-je :

– Tu as raison, cela dit, dans la mesure où ce n'est pas un arthropode qui a fini par conquérir l'espace, ni un mollusque d'ailleurs.

Il enchaîna :

– Ceux qui un jour, à partir de je ne sais quel système solaire, nous enverront par ondes radio leur carte de visite cryptée n'auront sûrement pas l'anatomie d'une seiche ou d'un mille-pattes.

Ana éclata de rire.

– Qu'est-ce que je t'avais dit ! s'exclama-t-elle.

Ana et José – puis petit à petit Mario – se mirent à me poser toutes sortes de questions ayant trait aux sciences de la nature. Encore grisé peut-être par l'euphorie de la nuit tropicale, je savourai ce moment où je me retrouvai au centre des débats, invité à tenir des mini-conférences sur les problèmes actuels de paléontologie et de biologie de l'évolution. J'appris aussi à mieux connaître mon rival. Avec humour toujours, José souleva plusieurs points qui, sur le plan purement professionnel, se révélèrent pour moi fort embarrassants. Je n'irai pas jusqu'à dire que j'appris quelque chose ce soir-là, mais je pris conscience, comme jamais auparavant, que le doute est inhérent aux sciences de la nature. Il surgissait partout, même là où je n'avais, jusqu'alors, jamais douté.

La conviction de José était que l'évolution de la vie sur Terre n'était pas seulement un processus effectif, mais aussi un processus qui avait un sens. Selon lui, une qualité aussi essentielle que la conscience humaine ne pouvait pas être juste une qualité arbitraire parmi beaucoup d'autres dans le combat pour l'existence, cela devait être la finalité même de l'évolution. C'était presque une loi de la nature qu'une planète développe un système sensoriel de plus en plus spécialisé, et il donna plusieurs bons exemples de ce processus. De même que la nature – sans le moindre lien génétique – avait à maintes reprises développé l'œil et la vue, la capacité de voler ou de se tenir debout, de même elle possédait une sorte de force ascensionnelle latente vers un esprit synthétique.

Là encore, il touchait un point sensible. Adolescent, j'avais eu ce genre de convictions lorsque je m'étais laissé imprégner par les théories de Teilhard de Chardin. Ensuite j'avais commencé mes études de biologie et j'avais naturellement abandonné toute idée d'une quelconque finalité de l'évolution. Au nom de la science, je me sentais à présent obligé d'opposer à José une certaine résistance. Je représentais une grande et noble institution, mais n'était-elle pas devenue trop lourde pour moi ?

Je voulus bien admettre que les facultés de voir, voler, nager ou se tenir debout s'étaient sans cesse développées dans l'histoire de la vie. L'œil, par exemple, avait été inventé quarante, voire cinquante fois ; les insectes avaient développé des ailes plus de cent millions d'années avant que les reptiles les imitent. Les premiers vertébrés ailés furent les ptérosaures, qui apparurent il y a environ deux cents millions d'années et moururent en même temps que les dinosaures. Les ptérosaures volaient comme de grandes chauves-souris, expliquai-je, ils n'avaient pas de plumes et ne peuvent donc pas avoir donné naissance à nos oiseaux actuels. L'oiseau le plus ancien, l'*Archéoptéryx*, remonte à environ cent cinquante millions d'années et était en réalité un petit dinosaure. Les ailes et les plumes des oiseaux sont donc apparues indépendamment des ptérosaures…

— Alors les ailes et les plumes, m'interrompit-il, vous pensez que ça apparaît comme ça du jour au lendemain ? Ne serait-ce pas plutôt la nature qui *sait* où elle va ?

J'éclatai de rire  De nouveau il brandissait la pomme de discorde, bien que la question fût cette fois-ci purement rhétorique, je crois.

— Je ne pense pas, non. Il s'agit de toute une série de mutations qui s'étalent sur plusieurs milliers de générations, et qui sont régies par une seule et unique loi : l'individu isolé qui présente un léger avantage dans le combat pour l'existence a plus de chance de faire passer ses gènes à la postérité.

— Quel avantage peut-il y avoir pour un individu isolé à développer des embryons d'ailes plusieurs générations avant que celles-ci lui servent à quoi que ce soit ? Est-ce que ces moignons rudimentaires ne vont pas le gêner plus qu'autre chose et donc le rendre moins apte à attaquer et à se défendre ?

J'essayai de décrire un reptile en train de grimper aux arbres à la recherche d'insectes. La moindre disposition à avoir des plumes – à l'origine, des coquillages déformés – tournait immédiatement à l'avantage de l'animal qui sautait ou redescendait de l'arbre : plus il avait de coquillages déformés, plus il pouvait sauter longtemps, en battant des bras ou des ailes, et plus ses descendants avaient des chances de survivre. De même, les premiers embryons de palmes pouvaient donner un énorme avantage à un animal dont l'existence se déroulait en totalité ou en partie dans l'eau. Je revins ensuite sur l'élaboration des plumes et soulignai leur rôle thermorégulateur : petit à petit, elles ont permis à l'oiseau de garder une température constante, bien qu'a priori elles n'aient pas été conçues pour ça. Le premier avantage de la différenciation des plumes avait sans doute été l'optimisation des mouvements de l'animal. Mais on peut aussi imaginer la logique inverse : les plumes pouvaient à l'origine avoir permis aux ancêtres des oiseaux de réguler leur chaleur avant de jouer un rôle dans leurs mouvements. La récente découverte de dinosaures couverts de plumes est naturellement un argument allant dans ce sens.

– Puis vinrent les chauves-souris, dit-il. Car quelques mammifères ont fini par apprendre à voler.

Je dus dire quelque chose de ce genre : comme le territoire aérien avait déjà été conquis et envahi par les oiseaux, les chauves-souris avaient dû se rabattre sur la chasse nocturne. Car les chauves-souris n'ont pas seulement développé des ailes, elles ont aussi développé un don que nous appelons la localisation par écho.

– C'est encore le coup de la poule et de l'œuf, intervint José. Car qu'est-ce qui est venu d'abord, la localisation par écho ou les ailes ?

Je n'eus guère le loisir de répondre, car Laura s'avançait à présent vers notre table et se joignait à nous. Lorsque j'avais fait le mort durant la dernière partie de bridge, elle n'avait pas réussi à se libérer de Bill, mais m'avait jeté un regard éloquent que j'avais interprété comme un signal de détresse – et comme une prière. Peut-être demandait-elle pardon pour m'avoir ostensiblement tourné le dos à l'aéroport ? Elle était restée quelques minutes accoudée au bar devant une boisson quelconque, et quand elle traversa nonchalamment la salle je levai les yeux vers elle et lui proposai de venir s'asseoir à notre table. J'étais décidément en grande forme ! Mario prit une chaise à la table d'à côté.

– Donnez-moi une planète vivante… recommença José.

– Ici ! s'écria Laura.

Elle désigna la palmeraie, que l'on devinait à peine dans la nuit. Je songeai à ce badge World Wildlife Fund qui était fixé à son sac à dos.

José se mit à rire.

– Non, donnez-moi n'importe quelle autre planète vivante. Je suis intimement persuadé que tôt ou tard elle produira ce que nous appelons la conscience.

Laura haussa les épaules et José continua :

– Pour contredire ma théorie, il faudrait trouver une planète regorgeant de multiples formes de vie, mais qui, à aucun moment, n'a développé un système nerveux assez complexe pour qu'un beau matin surgissent un ou deux individus capables de penser « *To be or not to be* » ou encore « *Cogito ergo sum* ».

– N'est-ce pas un peu anthropocentrique ? demanda Laura. La nature n'est pas là juste pour nous.

Mais José était lancé. Il poursuivit :

– Donnez-moi n'importe quelle planète vivante et je vous montrerai avec la plus grande satisfaction un fourmillement de lentilles vivantes. Vous verrez, à peine le temps de dire ouf ! et nous pourrons regarder droit dans les yeux une âme éveillée, qui d'ailleurs se débrouillera très bien toute seule.

A nouveau Ana lui coupa la parole :

– Il veut dire que toutes les planètes qui en remplissent les conditions atteindront un jour ou l'autre une sorte de conscience d'elles-mêmes. Le chemin qui mène des premières cellules vivantes aux organismes aussi complexes que nous sera peut-être très différent du nôtre, mais le but sera identique. L'univers aspire à se comprendre lui-même et l'œil qui sonde l'univers est l'œil même de l'univers.

– C'est vrai, intervint Laura en se contentant de répéter ce qu'Ana venait de dire, « l'œil qui sonde l'univers est l'œil même de l'univers ».

Pendant toute la soirée, j'avais essayé de me rappeler où j'avais bien pu rencontrer Ana, mais sans résultat. Il ne me restait plus qu'à tenter de mieux la connaître.

– Et toi, qu'en penses-tu ? demandai-je. Tu dois bien avoir une opinion ?

Elle prit son temps pour réfléchir et je crois encore l'entendre :

– Nous ne sommes pas capables de comprendre ce qu'il en est. Nous sommes l'énigme que personne ne devine.

– L'énigme que personne ne devine ?

Elle marqua une pause.

– Je ne peux bien sûr parler qu'en mon nom propre, dit-elle.

L'espace d'une seconde, elle me regarda droit dans les yeux avant d'ajouter :

– Je suis un être divin.

A part José, je crois être le seul à avoir remarqué l'impénétrable sourire qui accompagna cette affirmation. Mario n'avait pas dû être aussi attentif, car il lança :

– Alors comme ça, tu es Dieu ?

Elle fit un signe affirmatif de la tête.

– Oui, monsieur, dit-elle. C'est bien moi.

Elle répondit avec le même naturel que s'il lui avait demandé si elle était née en Espagne. Et pourquoi aurait-elle hésité ? Ana était une femme fière qui n'avait sûrement pas honte de ses origines, quelles qu'elles soient.

– Dans ce cas, admit Mario. Joyeux anniversaire !

Sur ce, il se leva et se dirigea vers le bar. Je le soupçonnai de continuer à penser à la partie de bridge. Il tenait enfin l'explication de notre incroyable déroute. Là-dessus, Ana éclata de rire. Je ne saurais expliquer pourquoi, mais son rire était des plus contagieux et bientôt nous fûmes tous pris d'un fou rire.

C'était au tour de John de traverser la salle, un verre de bière à la main. Il était resté un moment à s'entretenir avec les jeunes Américains, mais cela faisait quelques minutes qu'il tournait autour de notre table et il avait dû entendre une bonne partie de notre conversation.

Nous allâmes chercher encore une chaise et nous nous retrouvâmes à six, Mario ne tardant pas à revenir avec un verre de brandy ; il fredonnait je ne sais quel air de Puccini, un air tiré de *Madame Butterfly*, je crois. Mario salua enfin Laura, et Laura se présenta à Ana et José.

C'est l'Anglais qui prit le premier la parole :

– J'ai tout à fait par hasard entendu ce que vous disiez à propos du « sens » ou de la « finalité » des choses. C'est intéressant, tout à fait intéressant, bien que je pense qu'il faudrait plutôt considérer ce genre de questions rétrospectivement.

Personne ne voyait au juste ce qu'il entendait par là, mais cela n'avait absolument pas l'air de l'étonner, car il continua :

– Le sens d'un événement particulier n'apparaît souvent que très longtemps après l'événement en question. La cause à l'origine de ce qui arrive ne se révèle que dans le futur. Et la raison, la raison en est tout simplement que tous les processus ont un axe temporel.

Sur le coup, il ne récolta pas même un acquiescement. Personne ne l'invita à poursuivre, ce qui ne le découragea nullement :

— Imaginez que nous ayons été les témoins de ce qui s'est passé sur cette terre il y a, disons, trois cents millions d'années. Je suis sûr que notre ami biologiste peut nous en dresser un tableau assez vivant…

Je saisis la balle au bond et déclarai que nous étions à la fin du carbonifère. Je passai rapidement en revue les plantes, les premiers insectes volants et surtout les premiers reptiles qui se développèrent au fur et à mesure que la terre s'asséchait par rapport au dévonien et au début du carbonifère. Mais parmi les vertébrés sur la terre ferme, les amphibiens étaient encore largement majoritaires.

John marqua un temps d'arrêt avant de poursuivre :

— Entre les fougères au pied des arbres et les plantes grimpantes ressemblant à des prêles, fourmillent de gros amphibiens aux allures de salamandres, mais aussi certains reptiles, dont ceux qui vont donner naissance à notre propre espèce. Si nous avions vécu dans ce milieu, tout cela nous aurait sans doute paru complètement absurde. Ce n'est qu'aujourd'hui, avec le recul, que nous pouvons y trouver du sens.

— Car sans ce qui s'est passé alors, nous ne serions pas ici aujourd'hui, c'est ça ? demanda Mario.

L'Anglais fit un bref signe de tête, mais je glissai :

— Mais de là à dire que nous serions la cause de ce qui a eu lieu il y a trois cents millions d'années…

José, c'était clair, avait beaucoup apprécié l'interprétation de John. Il lui fit signe de continuer.

Et l'Anglais reprit :

– Je dis seulement qu'il y a trois cents millions d'années cela aurait été une conclusion hâtive de déduire que la vie sur cette planète n'avait pas de sens, pour ne pas dire aucune finalité. On ne pensait pas, alors, en termes de finalité.

– Et quelle était la finalité ? demandai-je.

– Le dévonien était le stade fœtal de la raison. Et je pense qu'on a le droit de parler de finalité pour un fœtus ; il me semble en effet que les premières semaines de grossesse ne sont pas une fin en soi. De même il est tout aussi hâtif de croire que nous pouvons aujourd'hui donner une réponse satisfaisante à la question du sens de notre propre existence.

– Tu veux dire qu'on est encore en chemin ? demanda Laura.

Il acquiesça à nouveau.

– Aujourd'hui, c'est nous qui représentons l'avant-garde, mais nous ne sommes pas près du but. Il faudra attendre cent ou mille ou un milliard d'années avant de découvrir vers quoi nous sommes en chemin. Ainsi, ce qui se produira dans un avenir très lointain sera d'une certaine façon la cause de ce qui se joue ici et maintenant.

Il continua encore un moment à expliquer ce qu'il entendait par « le stade fœtal de la raison » et je crois vraiment que la plupart des personnes attablées mirent ses élucubrations sur le compte d'un poète en verve ce soir-là et qui s'amusait à jouer avec les perspectives.

– Mais remontons encore plus loin. Supposons que nous ayons été les témoins de la formation du système solaire. Vous croyez vraiment que nous aurions apprécié ce monstrueux déchaînement des forces aveugles et bêtes de la nature ? La plupart d'entre nous auraient juré, j'en suis sûr, que le spectacle auquel ils venaient d'assister était tout bonnement absurde. Et cela aurait été une réaction hâtive.

Ana comme José approuvèrent de la tête et l'Anglais poursuivit :

– Tenez, faisons encore un pas en arrière. Supposons que nous ayons été les témoins du big bang et, partant, de la formation de l'univers, lorsque l'espace et le temps furent créés. Si j'avais été là, je crois que j'aurais vomi tripes et boyaux tellement cela aurait été insupportable. Car à quoi allait bien pouvoir servir cet extravagant feu d'artifice ? Aujourd'hui, je dirais que la cause du big bang est que nous puissions être assis ici ce soir à réfléchir à tout ça.

– « Nous » ! l'interrompit Laura. Pourquoi toujours nous ? Pourquoi pas la grenouille ou le panda ?

John considéra longuement la jeune femme avant de reprendre son raisonnement :

– Ceux qui affirment que l'existence de l'univers n'a pas de finalité se trompent peut-être. Pour ma part, j'ai l'intime conviction que le big bang était intentionnel. Mais, même si cette intention existe, elle est rétroactive, en tout cas pour nous.

– Je trouve que tu inverses tout, objectai-je. Quand nous parlons de cause, nous parlons toujours de quelque chose qui est antérieur à l'événement. Une cause ne peut pas appartenir à l'avenir, c'est impossible.

Il me jeta un regard oblique.

– C'est peut-être sur ce point que nous faisons erreur. Mais on peut inverser la perspective, si tu préfères. Si la vie sur cette planète ne s'était *pas* développée à partir des premiers amphibiens, nous aurions pu affirmer qu'elle était absurde, dénuée de sens. Heureusement que les grenouilles existent. Qui, autrement, aurait joué le rôle de la preuve face à Jean-Paul Sartre ?

Ces perspectives n'emballaient pas vraiment Laura.

— Personne, et les grenouilles se seraient contentées d'être des grenouilles, point à la ligne. Je ne comprends pas en quoi cela aurait eu moins de sens qu'avec des êtres humains.

L'Anglais approuva et continua dans le même ordre d'idées :

— Oui, les grenouilles se seraient contentées d'être des grenouilles. Et elles auraient fait ce que font les grenouilles. Mais nous sommes des êtres humains, et nous faisons ce que font les êtres humains. Nous voulons savoir s'il y a du sens ou une intention derrière tout cela. C'est en pensant à nous, et non aux grenouilles, que je dis que la vie au dévonien était réellement pleine de sens.

Cela laissa Laura de marbre.

— Je vois cela d'une tout autre manière. Pour moi, toute vie sur Terre a la même valeur.

Je ne pouvais pas juger dans quelle mesure John adhérait vraiment aux idées qu'il exprimait, mais il n'en avait pas terminé avec nous :

— Naturellement, il aurait très bien pu se faire qu'il ne se forme aucune vie sur cette planète. Nous aurions alors souligné que la Terre n'avait pas d'autre dessein que sa propre existence. Mais qui l'aurait souligné ?

Comme il n'obtenait aucune réponse, il conclut :

— S'il ne s'était jamais produit de big bang, tout aurait été complètement absurde et dénué de sens. Bien que cela n'eût concerné que le vide lui-même, qui est tout de même moins sensible à l'absurde que les grenouilles ou les salamandres.

Je remarquai qu'Ana et José ne se quittaient pas des yeux et cela me rappela les regards intenses qu'ils échangeaient en prononçant leurs sibyllines paroles. Pouvait-il y avoir un lien avec ce que disait John ? S'agissait-il d'un jeu convenu entre eux ? Qui sait si ce n'était pas cet Anglais qui écrivait ces étranges maximes ? C'était quand même étonnant, cette manie qu'avaient presque tous les clients de Maravu de déambuler sur l'île en parlant de la création du monde et de l'évolution de la vie sur Terre !

Commençant un tour de table, Ana demanda à Laura d'où elle venait. Celle-ci expliqua qu'elle était originaire de San Francisco, avait une formation d'historienne de l'art, mais avait travaillé ces derniers temps comme journaliste à Adelaïde. Récemment, elle avait obtenu une sorte de bourse de travail d'une fondation américaine pour la protection de l'environnement. En deux mots, elle avait pour mission de répertorier toutes les forces entravant le combat des écologistes. Plus spécifiquement, il incombait à Laura de rédiger un rapport annuel sur certains individus, certaines institutions et grandes entreprises qui, par intérêt, intervenaient publiquement pour minimiser les dangers qui pesaient sur l'environnement.

Mario voulut savoir pourquoi il était si important de dresser ce genre de constat et Laura en profita pour donner, dans les grandes lignes, sa propre vision de l'état de la Terre. Selon elle, la vie sur Terre était menacée et, à la longue, les ressources exploitables de la Terre allaient finir par s'épuiser, les forêts tropicales par brûler et le nombre des espèces sur cette planète par diminuer. Il s'agissait, précisa-t-elle, de processus tout à fait irréversibles.

– D'accord, admit Mario, mais à quoi ça peut servir, ce genre de rapport ?

– Ils ont des comptes à rendre, répondit-elle. Jusqu'ici, c'est toujours le mouvement écologique qui a eu la charge de la preuve. C'est ce que nous essayons de changer. Nous voulons un discours clair.

– Et après ?

Laura ouvrit les bras en signe d'ignorance :

– Peut-être y aura-t-il un jour une décision de justice Il faudra bien que quelqu'un un jour prenne la défense des grenouilles.

– Tu crois vraiment que ton rapport va faire peur aux pollueurs et à ceux qui les soutiennent ?

Elle fit oui de la tête.

– Beaucoup baissent d'un ton quand ils apprennent pourquoi je les interviewe. Ils retournent même leur veste dès qu'ils comprennent que le but de l'entretien est de garder une trace indélébile de leurs déclarations. C'est le genre de choses que l'on pourra montrer plus tard à leurs enfants et petits-enfants, pour leur prouver que leur grand-père autrefois avait nié ou minimisé les dangers de la pollution.

Mario avait enfin compris.

– Tu veux les rendre personnellement responsables, c'est ça ? dit-il.

Je souris intérieurement, car j'aimais bien la pointe d'insolence qu'il y avait dans la démarche de Laura. Aussi dis-je :

– Je trouve que c'est une idée amusante.

Elle tourna vers moi un regard interrogateur. Je plongeai dans un œil vert et un œil brun. Comme la plupart des idéalistes, elle se tenait sur ses gardes.

– Peut-être qu'il nous faudrait un pilori, ajoutai-je.

John se contenta d'acquiescer, mais avec une telle force qu'il capta à nouveau l'attention de tous.

– L'homme, enchaîna-t-il aussitôt, est peut-être le seul être vivant dans tout l'univers à avoir une conscience universelle. Il ne s'agit pas seulement d'une responsabilité globale vis-à-vis de l'environnement sur la planète Terre. Il s'agit d'une responsabilité cosmique. Un jour, l'obscurité peut s'abattre à nouveau. Et l'esprit de Dieu ne voguera plus sur les eaux.

Cette conclusion ne rencontra aucune opposition. Au contraire, on aurait dit qu'elle avait plongé toute l'assemblée dans une réflexion silencieuse.

Bill choisit ce moment pour s'approcher, la démarche un peu chancelante, trois bouteilles de vin rouge et un verre de whisky à la main. Il avait réussi à trouver six verres ainsi qu'une fleur qu'il s'était mise derrière l'oreille gauche. L'Américain posa les bouteilles sur la table et alla se chercher une chaise à une table voisine. Avant de s'installer à côté de Laura.

Bill distribua les verres et désigna du doigt ses trois trophées.

– C'est la maison qui paye ! lança-t-il.

J'eus tout le loisir d'étudier la froideur de Laura à son égard, et je crois m'être dit que dans son engagement pour l'environnement elle risquait bien de devenir un peu misanthrope. Elle était ravissante et passionnée, mais elle n'était pas du genre à interrompre sa lecture et à sourire quand, en avion, on lui adressait gentiment la parole.

Comme la conversation continuait à tourner autour de l'écologie, je leur expliquai rapidement, encouragé sans doute par Ana et José, sur quoi portaient mes recherches. Cette fois, Laura ne cacha pas qu'elle était impressionnée et elle me manifesta dès lors un certain respect. J'eus la sensation qu'elle s'était vraiment imaginé jusqu'ici être la seule personne au monde – ou du moins sur cette île – à s'intéresser aux questions d'environnement.

Bill appartenait, je l'aurais parié, au grand troupeau des Américains retraités débordants de vitalité. Il avait travaillé pour une grande compagnie pétrolière et s'était spécialisé dans la lutte contre les jaillissements incontrôlés dans les puits de pétrole. Il n'était pas peu fier de préciser qu'il avait bossé entre autres avec le légendaire Red Adair. La Nasa lui avait d'ailleurs confié quelques missions et – en toute modestie – il pouvait affirmer qu'il avait activement contribué au sauvetage d'Apollo 13. Si je te raconte tout cela, Véra, c'est en raison de l'événement suivant :

Nous parlâmes encore un moment, puis la conversation s'arrêta d'elle-même et nous décidâmes d'aller nous asseoir dans un endroit plus confortable. C'est à ce moment-là que Bill – sur notre demande à tous – commença à raconter quelques-uns de ses exploits. Nous l'avions, somme toute, assez peu entendu ce soir-là, et, en plus, c'était lui qui versait le vin que nous buvions. Pendant qu'il nous racontait un cas particulièrement dramatique, Laura fut prise d'un accès de fureur et se précipita sur Bill.

– Je vais te faire voir, moi, ce que c'est qu'un jaillissement incontrôlé ! hurla-t-elle. Espèce de sale mec qui pue le pétrole !

L'insulte était d'autant plus déplacée que l'Américain venait précisément de nous raconter comment, au péril de sa vie, il avait réussi à empêcher une catastrophe pétrolière.

Pas de doute, la jeune femme avait du tempérament. Elle avait aussi visiblement du mal à faire la part des choses et à ne pas confondre engagement et fanatisme. Bill rentra la tête dans les épaules pour éviter les coups qui pleuvaient sur lui. Dans la bagarre, une des bouteilles se renversa sur la table et le quart de litre qui restait se répandit sur la nappe blanche damassée.

Bill osa alors faire ce geste inouï – saisir Laura au collet et lui dire avec gentillesse :

– Calme-toi, calme-toi, ça va aller.

Ce fut le tournant de la soirée. La jeune femme se calma aussi vite qu'elle était partie au quart de tour. On aurait dit un tigre et son dompteur, car d'une certaine façon ils dépendaient l'un de l'autre : sans l'agressivité du tigre, le dompteur n'a rien à maîtriser et sans dompteur, le tigre n'a aucune raison de se rebeller. Preuve fut faite en tout cas du talent indéniable de Bill à contrôler les jaillissements inattendus. Ce que je comprenais moins, c'était l'origine de cette tension.

Cet incident mit un terme définitif à la conversation. Laura fut la première à se lever. Elle remercia pour le vin et s'excusa auprès de Bill avant de regagner son bungalow. J'eus l'impression qu'elle se retournait pour me chercher des yeux, comme si je détenais quelque remède contre les souffrances de son âme.

– *La donna è mobile*, bredouilla Mario en faisant un geste d'impuissance avant de se lever et de prendre, lui aussi, la tangente.

Il faut dire que c'était lui qui avait vidé presque toutes les bouteilles.

Le solide Anglais jeta un regard satisfait autour de lui en hochant la tête.

– Voilà ce que j'appelle un début prometteur, dit-il. Au fait, vous comptez rester longtemps ?

Je lui répondis que je comptais passer trois jours sur l'île. Bill aussi, il poursuivrait ensuite sa route vers Tonga et Tahiti. Les Espagnols devaient partir un jour après moi.

Le jeune couple de Seattle s'était depuis longtemps retiré dans sa suite nuptiale. Le personnel s'activait, éteignant toutes les lumières et débarrassant les tables. John vida sa chope de bière et prit solennellement congé. Quand Bill à son tour eut remercié tout le monde pour cette bonne soirée, il ne resta plus que moi et le couple espagnol. Nous sortîmes dans la palmeraie. Les crapauds continuaient à aligner les longueurs dans la piscine. Je remarquai qu'ils nageaient la brasse comme nous.

– Ou l'inverse, remarqua José. C'est eux qui nous l'ont apprise.

Au-dessus de nous, les étoiles scintillaient, comme pour nous envoyer des signaux en morse d'une époque révolue. José les montra du doigt et dit :

– Un jour, cette galaxie était enceinte d'eux.

Je ne compris pas tout de suite ce qu'il entendait par « eux », sans doute parce que je pensais encore à Laura et Bill.

– De qui ? demandai-je.

Il indiqua la piscine.

– Des crapauds. Mais ils ne peuvent guère en être conscients. Je suis enclin à penser qu'ils ont encore une conception géocentrique du monde.

Nous admirâmes un instant les lueurs rouges, blanches et bleues dans le ciel.

– Quelle est la probabilité pour que quelque chose naisse de rien ? voulut savoir José. Ou l'inverse, bien sûr : quelle est la probabilité que quelque chose puisse avoir toujours existé ? Ou plus précisément : peut-on calculer la part du hasard dans ce soudain réveil de la matière cosmique qui, un matin, a pris conscience d'elle-même ?

Il était impossible de comprendre à qui ses questions s'adressaient : à moi, à Ana, à la nuit étoilée ou simplement à lui-même ? Je m'entendis répondre platement :

– On se pose tous ce genre de questions. Mais on ne peut pas y répondre.

– Ne dis pas cela ! dit-il d'un ton désarmant. Qu'une réponse soit hors d'atteinte ne signifie pas pour autant qu'elle n'existe pas.

Ana prit à son tour la parole et je sursautai quand elle s'adressa soudain à moi en espagnol, en me regardant droit dans les yeux :

– *Au début était le big bang ; ça fait un bail.*

« *Par ici, approchez ! Ce soir, numéro exceptionnel : dépêchez-vous, il ne reste que quelques billets ! En ouverture du spectacle, rien de moins que la création du public ! »*

*Pour un tel événement, il aurait été pour le moins incongru de se passer de claque et de ne pas en faire un spectacle.*

*« Il reste encore quelques places dans les premiers rangs ! »*

J'applaudis avant de me rendre compte, la seconde d'après, que je venais de faire une gaffe. Pour me rattraper, je dis :

– Mais de quoi parlais-tu ?

Elle se contenta de me répondre par un sourire que je devinai à peine dans la lumière de la piscine.

José avait passé un bras autour d'elle comme pour la protéger du vide nocturne. On se souhaita bonne nuit avant de se diriger chacun chez soi. Avant qu'ils disparaissent entièrement dans la nuit, j'entendis José dire :

– *S'il existe un dieu, il n'est pas seulement un cogneur qui laisse des traces derrière lui, il est passé maître dans l'art de se volatiliser. Et le monde n'est pas à même de dire les choses comme elles sont, en tout cas pas celui-ci. Dans l'espace, tout est toujours aussi dense. Ce n'est pas le genre des étoiles de colporter des ragots.*

Ana approuva et ce que José avait encore sur le cœur, ils le récitèrent tous les deux en chœur, comme s'il s'agissait d'une vieille comptine :

– *Personne n'a oublié le big bang. Depuis ce temps-là, le silence règne sans partage, et les corps célestes se détachent les uns des autres. Il est encore possible de croiser une lune. Ou une comète. Mais, ne vous attendez pas à être accueilli par des cris de joie. Dans le ciel, il n'y a pas de cartes de visite.*

# Homme-moustiques pour un gecko

En ouvrant la porte de la *bure* n° 3, j'eus comme un pressentiment et effectivement, à peine la lumière allumée, j'aperçus le mouvement furtif d'un gecko sur la bouteille de gin. Je m'en doutais. Peut-être était-ce lui qui avait couru sur la poutre du toit quand j'étais parti dîner. Le saurien faisait presque trente centimètres de long, et il était clair qu'il n'avait jamais manqué de moustiques. Nous eûmes aussi peur l'un que l'autre, le gecko s'immobilisa aussitôt, mais lorsque je fis un pas dans sa direction, il tourna tout autour de la bouteille et je craignis qu'il ne la renversât. Il y avait eu assez de liquide renversé ce soir-là.

Ce n'était pas la première fois que j'avais affaire à des geckos et je savais bien que, dans cette partie du monde, il était illusoire d'espérer avoir sa chambre à coucher pour soi tout seul. Mais, rien à faire, je n'appréciais pas de voir une foule de spécimens hyperactifs courir dans la pièce juste au moment où j'allais me coucher, et encore moins d'en voir un se précipiter sur mon dessus-de-lit ou rester en faction sur un montant du lit.

Je m'approchai de la table de nuit. Le gecko resta immobile, le corps collé au dos de la bouteille, de sorte que j'eus tout loisir d'observer son ventre et son cloaque agrandis par le bombement du verre. Pas le moindre tressaillement, mais la tête et la queue dépassaient de

111

derrière la bouteille et le pauvre saurien, sur ses gardes, me regardait fixement. D'instinct, il savait l'alternative : rester immobile et espérer se fondre dans l'environnement ou remonter à toute vitesse le long du mur pour rejoindre le plafond et se cacher derrière une poutre.

Paradoxalement, cette rencontre avec ce remarquable spécimen de *Hemidactylus frenatus* me donna plus envie que jamais de boire une bonne rasade d'alcool. Je craignais vraiment que cet animal, par sa négligence, ne m'en empêchât, non seulement cette nuit-là, mais durant tout le reste de mon séjour sur l'île. La bouteille était à moitié vide et, en vieil habitué, j'avais très exactement calculé qu'elle devait me permettre de tenir les trois dernières soirées jusqu'à mon retour à la maison. Le mini-bar que j'avais inspecté dès mon arrivée ne contenait que de la bière et de l'eau minérale.

La main gauche prête à sauver la bouteille en cas de chute intempestive, je fis encore un pas vers le gecko, mais mon hôte indésirable avait décidé de s'accrocher à l'option de résistance passive et possessive qu'il jugeait préférable à la fuite éperdue. Si je n'avais pas eu tant d'affection pour le contenu de la bouteille, je serais allé dans la salle de bains pour lui laisser le temps de s'enfuir sans perdre la face. Mais j'avais trop clairement en mémoire toutes les fois où un gecko avait semé la pagaille dans ma chambre, renversant tout sur son passage, jusqu'à la bouteille de shampooing et le verre à dents. Et je me rappelai brusquement que le bouchon de la bouteille n'était pas bien vissé...

Un pas de plus et j'aurais pu saisir la bouteille, mais le gecko aurait fait partie du butin et – je dois l'avouer – mes relations avec les reptiles ont toujours été ambiguës. Certes, ils me fascinent, et pas seulement pour de multiples raisons d'ordre paléontologique, mais je n'aime pas les sentir bouger entre mes mains, grimper dans mes cheveux, encore moins au moment d'aller me coucher !

Les sauriens représentent pour la plupart des hommes un *mysterium tremendum et fascinosum*, et, tout biologiste que j'étais, je ne faisais pas exception à la règle. On peut parfaitement nourrir un intérêt professionnel pour les bactéries et les virus et refuser tout contact non protégé avec ces organismes. De même, les successeurs de Marie Curie, malgré leur enthousiasme pour les rayons X, se sont vus contraints de prendre des précautions avant de manipuler ces dangereuses matières radioactives. Et rien n'empêche un jeune étudiant talentueux atteint d'une peur phobique des araignées d'écrire un mémoire plein d'humour sur la morphologie de ces arthropodes carnivores.

Dans le cas de vertébrés tels que les geckos et les iguanes, il faut aussi prendre en considération le fait que ce sont de véritables individus capables de vous observer – ce qui est beaucoup moins vrai, par exemple, des bactéries ou des araignées. Depuis ce jour où j'avais découvert le faon mort près de chez moi, dans le Vestfold, je portais un autre regard sur les animaux : chacun est un être distinct, avec sa propre personnalité et, en ce moment précis, je ne supportais pas l'idée de faire une nouvelle rencontre. Je ne voulais pas me faire dévisager par un saurien, en tout cas pas à cette heure avancée, et pas dans ce que je considérais comme mon chez-moi. Je l'avais dûment payé, ce bungalow, et, en plus, j'avais bien précisé que je ne voulais pas le partager avec quelqu'un d'autre. Les insectes, c'est différent, leur présence ne me gêne pas. Je n'ai jamais réussi à concevoir une mouche comme un individu, une mouche n'a pas de visage, elle n'a pas d'expression individuelle. Mais les sauriens, oui, et c'était bien le cas du gecko opiniâtre accroché à ma bouteille de gin.

J'aurais certainement pu vaincre mes réticences à l'idée de tout contact reptilien, si seulement j'avais pu descendre quelques bonnes rasades de gin. Il aurait donc fallu *d'abord* que je boive quelques décilitres d'alcool avant d'oser porter la bouteille à mes lèvres. La situation était bel et bien bloquée, et cette minable scène tirée d'un mauvais film d'épouvante aurait pu s'éterniser encore longtemps, car j'étais fatigué, extrêmement fatigué, et n'avais pas le courage de me coucher à côté d'un gecko sans avoir pris mon somnifère.

Je ne pouvais pas non plus rester debout, je ne sentais plus mes jambes après ma longue balade jusqu'à la ligne de changement de date. Mais pas question que je m'effondre sur le lit : j'aurais eu trop honte face à ce reptile qui me regardait bouche bée sans me lâcher des yeux un seul instant et semblait déjà avoir sa petite opinion sur moi. Je m'assis donc, prudemment, sur le lit, à une distance respectable qui me permettait néanmoins d'atteindre la bouteille si jamais on devait en arriver à une vraie confrontation. Cela n'était pas du tout impossible. Ce spécimen qui aurait dû à peine avoir l'épaisseur d'un doigt était le plus dodu que j'eusse jamais vu et je ne doutais plus, à présent, de sa capacité, par son poids et sa force musculaire, à renverser la bouteille comme un rien. Bien sûr, c'était le pire des scénarios, mais je ne pouvais pas me permettre de prendre le moindre risque.

Nous sommes restés un bon moment à nous regarder, moi assis sur le bord du lit et le gecko, trônant comme un sphinx, gardant l'accès de ma pharmacie personnelle. Il m'aurait suffi de frapper dans mes mains pour qu'il renonçât à sa résistance passive, mais, par maladresse ou par pure méchanceté, il pouvait tout envoyer valser quelques microsecondes à peine après que les paumes de mes mains se seraient touchées et plusieurs dixièmes de secondes avant que le primate lent à la détente soit parvenu à sauver *in extremis* son précieux bien. S'il y a quelque chose qui m'impressionne chez ces animaux, c'est bien l'instantanéité de leurs réactions ; on dirait qu'ils lisent dans les pensées. Et jusque-là, ce spécimen s'était comporté comme un parfait représentant de son espèce…

Je le surnommai Gordon, d'après l'étiquette sur la bouteille. Que c'était un mâle, j'avais déjà pu le constater. Monsieur Gordon n'était apparemment plus de la prime jeunesse ; à l'échelle d'une vie d'homme, il aurait eu une dizaine d'années de plus que moi et bien qu'appartenant à une espèce dont les femelles ovipares ne peuvent pondre que peu d'œufs à la fois, il avait sûrement eu une nombreuse descendance. Gordon avait eu le temps d'être grand-père et arrière-grand-père, j'étais prêt à en mettre ma main au feu. Peut-être que son propre grand-père avait fait partie de la première génération d'immigrés, puisque l'espèce avait été introduite récemment dans les îles Fidji, dans les années soixante-dix pour être précis.

Sans doute était-ce son expérience de la vie qui lui intimait l'ordre de rester sur cette bouteille, car il était clair qu'il se rendait compte que nous nous tenions mutuellement en échec. Il devait savoir que les primates chevelus avec vêtements ne constituaient pas une réelle menace, mais il semblait avoir oublié une autre règle d'or : déguerpir ne comporte pas davantage de risque… Et puis, il y avait une troisième possibilité : Gordon pouvait être du genre curieux ou, pire encore, sociable.

J'avais tellement envie de sentir l'alcool couler dans mon gosier que, plongeant dans ses pupilles verticales, je le fusillai du regard et chuchotai :

– Allez, ouste, décampe !

Je crois que sa respiration est devenue plus lourde et que, peut-être, sa tension est montée d'un cran, mais à part cela il resta d'un calme parfait. Il me fit penser à ces manifestants que la police essaye de disperser, alors qu'ils protestent contre la construction d'une autoroute ou – comme dans le cas présent – contre des décisions de libations trop libérales. Contrairement à moi, ce contestataire d'un nouveau genre n'avait même pas besoin de cligner des yeux. C'était précisément ça – cette immobilité des paupières chez les geckos – qui m'énervait en ce moment : non seulement je ne pouvais pas espérer profiter d'une seconde d'inattention ou de relâchement de sa part, mais cela signifiait aussi qu'il pouvait, pendant de brefs instants, m'observer sans que je le voie. Un instant n'ayant pas la même valeur pour un homme et pour un gecko, ce dernier pouvait, en fait, me dévisager tranquillement pendant que je piquais du nez.

– Bon, dis-je à voix haute. Maintenant ça suffit !

Aucune réaction. Non seulement j'avais affaire à une vraie tête de mule, blasée et revenue de tout, mais, en plus, cet individu n'avait sans doute pas d'autre plaisir dans l'existence que de détourner le calmant réclamé à cor et à cri par un vertébré, hiérarchiquement supérieur à lui. Détournement de fonds, oui, voilà le mot clé, car il y en avait un autre que j'avais soupçonné de détournement de fonds aujourd'hui, quelqu'un qui, en plus, croyait à la vie éternelle, quelqu'un abandonné par sa femme et qui avait passé la nuit dans un bar enfumé à vider verre sur verre, avant d'embarquer au matin cinq passagers payants. A ce point de ma réflexion, je reconnus le pilote de Sunflower Airlines. Gordon Gecko avait exactement la même expression un peu décrépite, le même regard perçant, le même cou un peu ridé avec la poche de chair flasque sous le menton, sans oublier les mains en forme de pelle. Le gecko possède cinq doigts courts – *Hemidactylus* signifie en effet « demi-doigt » –, et le pilote aussi avait deux demi-doigts. Les choses se mettaient progressivement en place. Ce n'était pas la première fois de la journée que j'étais pris en otage par une sorte de pirate, et ce n'était pas non plus la première fois que cette situation provoquait en moi une soif terrible qui ne pouvait pas être étanchée.

Cela me mit tellement en colère que, de nouveau, j'envisageai la possibilité d'une attaque éclair. Si j'y renonçai, c'est uniquement parce que je me rendis compte qu'à supposer que je sauve la bouteille par une opération commando, je courais le risque de voir une bonne partie de son délicieux contenu se répandre sur le sol. Gordon pouvait mal réagir – impossible d'exclure cette possibilité – et je n'avais pas les moyens de gaspiller un seul décilitre.

– Bon, écoute, dis-je en plongeant mon regard dans celui de ce parent éloigné. Je n'ai nullement l'intention de te trucider et je crois sincèrement que tu l'as compris. Je ne vais pas non plus te supplier, mais je veux avoir la bouteille à laquelle tu es agrippé.

Il avait compris ce que je venais de dire, je n'en doutai pas une seconde. Il me sembla même qu'il me répondait vaguement quelque chose, du genre qu'il était parfaitement conscient de la situation, depuis un bon quart d'heure déjà, mais qu'il était resté un bon bout de temps sur cette bouteille à attraper des moustiques avant mon arrivée, et que je n'avais donc aucun droit d'exiger qu'il s'éloignât. Au contraire, c'était moi qui avais envahi son territoire, car lui ne m'avait jamais vu ici auparavant, et si je ne filais pas immédiatement, ou si en tout cas je ne le laissais pas tranquille, il se verrait dans l'obligation de faire en sorte qu'il n'y ait plus d'objet de litige – la bouteille, en l'occurrence – entre nous. Cette longue tirade me donna l'occasion de voir sa queue en ceinture marron.

– Oh, je disais ça comme ça, fis-je. Si tu me laisses boire quelques gorgées, ça ne prendra que quelques secondes, et tu pourras tout à fait reprendre ta place ensuite. Comme j'ai déjà une ceinture noire faite de peaux de reptiles pressées et que nous n'avons pas vraiment confiance l'un dans l'autre, je te conseillerais de descendre de la table de nuit le temps que je boive. Il faut aussi que je revisse le bouchon de la bouteille, sinon par ma négligence, l'un de nous deux pourrait bien se retrouver parfumé au genièvre.

Il esquissa une grimace :

– On m'a déjà fait le coup.

– Comment ça ?

– Pour que tu te tires avec la bouteille, non merci.

– Je crois que tu ne comprends pas à quel point j'ai soif, laissai-je échapper.

– Et moi, j'ai faim, répondit-il, et c'est la bonne heure pour manger. Les moustiques, vois-tu, sont attirés par les bouteilles. Ils se posent, je n'ai plus qu'à tendre la langue et slurp – rideau.

Les habitudes alimentaires des geckos ne m'intéressaient pas outre mesure, mais il venait de marquer un point. Ah, si seulement la bouteille avait été vide, nous aurions pu partager la chambre en parfaite harmonie ! Gordon aurait pu rester en faction sur la bouteille à s'occuper des moustiques, et moi j'aurais pu dormir tranquillement, sans être dérangé par les piqûres. Autrefois, les chefs des Fidji avaient des « hommes-moustiques » qui passaient toute la nuit assis, nus, à côté d'eux pendant qu'ils dormaient, dans le seul but de se faire piquer à la place de leurs chefs. L'introduction du gecko domestique fut sûrement un coup dur pour cette catégorie socioprofessionnelle. Aujourd'hui, ce saurien fait presque partie des meubles.

– J'ai une idée, je vais aller chercher une autre bouteille.

Tu peux avoir une bouteille de bière qui sort du réfrigérateur. Ça marche à tous les coups avec les moustiques.

Il resta immobile un moment, à étudier cette proposition de compromis, et répondit :

– Toutes ces chamailleries commencent à me fatiguer sérieusement. Bon, j'accepte l'échange.

– C'est vraiment chic de ta part ! m'écriai-je.

L'espace de quelques secondes, je fus tout heureux et je me souviens m'être félicité d'avoir pensé à cette solution. Je continuai :

– Écoute, voici ce que je te propose : tu descends de la bouteille et je t'en apporte tout de suite une autre.

L'animal tressaillit enfin, mais répliqua :

– D'abord tu vas chercher la bière, ensuite je descends.

Je fis un signe de dénégation :

– Pas question, parce que dans l'intervalle tu peux renverser justement ce que tu dois me donner en échange de la bouteille de bière. C'est si facile de faire un faux mouvement, tu sais, surtout quand on se sent surveillé.

– Une bouteille, ça ne se renverse pas quand on sait se tenir. De toute façon, cet échange, tu peux l'oublier.

– Pourquoi ça ?

– Je suis parfaitement bien là où je suis.

Espérant encore pouvoir le convaincre, je dis :

– S'il reste des moustiques dans cette chambre, je suis sûr qu'ils préféreront une bonne bière bien fraîche. Tous les moustiques aiment la condensation sur les bouteilles de bière froides.

Il se contenta de me jeter un regard moqueur :

– Et à ton avis, que va-t-il m'arriver si je me pose sur le verre glacé ? Cela équivaudrait à un suicide pour une personne aussi sensible que moi. Mais c'est peut-être cela que tu as en tête ?

Loin de moi une telle pensée. L'idée que Gordon était un animal à température variable qui pouvait se sentir mal s'il restait juste cinq minutes sur une surface à moins de 2 °C ne m'avait même pas effleuré.

– Si c'est comme ça, je vais te réchauffer une bière. Pas de problème.

– Imbécile !

– Hein ?

– Si elle n'est pas froide, je peux tout aussi bien rester là où je suis.

C'est moi qui commençais pour le coup à m'échauffer.

– Tu sais que je n'ai qu'à étendre la main pour te presser comme un citron ?

On aurait dit que ça le faisait rire.

– Tu ne ferais jamais une chose pareille. Tu n'en es même pas capable. N'est-ce pas toi qui, il y a un instant, louais mes réactions instantanées ? Comme si je lisais dans les pensées, disais-tu.

– Je l'ai pensé, mais je ne l'ai pas dit. Alors n'essaie pas de m'embrouiller.

Visiblement, il trouvait tout cela fort amusant.

– Si nous lisons dans les pensées, eh bien, il n'y a pas grande différence entre ce que j'entends effectivement et ce que je devine. Je verrai, au ralenti, tes mains s'approcher de moi longtemps, bien longtemps avant qu'elles me touchent. Dans l'intervalle, j'aurai des océans de temps pour prendre congé d'un coup de queue efficace et regagner le plafond en toute sécurité.

Je savais que c'était lui qui avait raison.

– Ce n'est plus drôle, criai-je presque. Ce n'est pas dans mes habitudes de me disputer avec des reptiles, mais je crois que je vais perdre mon sang-froid.

– « Me disputer avec des reptiles », répéta-t-il. Épargne-moi tes sarcasmes.

Je retombai sur le lit et si loin cette fois que, pendant quelques secondes, je n'aurais eu aucune chance de sauver la bouteille s'il avait mis ses menaces à exécution.

– Ce n'est pas ce que je voulais dire, vraiment, dis-je d'un ton doucereux. J'ai beaucoup plus de respect pour les êtres comme toi que tu ne l'imagines.

– « Les êtres comme toi », me singea-t-il. Les préjugés les plus perfides sont souvent si profondément ancrés qu'on les remarque à peine.

– Ce n'est pas mon genre de mépriser les geckos…, l'assurai-je. Mais, à t'entendre, on dirait que tu souffres d'un sérieux complexe d'infériorité.

– Pas du tout. Lorsque ton espèce en était encore au stade d'animaux insignifiants de la taille des musaraignes, mes tantes et mes oncles régnaient sur toute forme de vie sur la terre ferme, et beaucoup d'entre eux dominaient le paysage comme de fiers vaisseaux.

– Bon, d'accord. Je connais bien les dinosaures et je sais faire la distinction entre les synapsides et les diapsides. Mais je te signale que je connais aussi la différence entre un *Lepidosauria* et un *Archosauria*, alors ce n'est pas la peine de te glorifier de ta parenté avec les dinosaures, laisse plutôt ça aux pigeons et aux perroquets qui vivent un peu plus loin à l'intérieur de l'île.

Je croyais lui avoir cloué le bec avec mes termes taxinomiques. Il resta un bon moment silencieux. Peut-être ne connaissait-il pas le grec. Il finit par dire :

– Si nous remontons un peu plus loin encore, les lignées de nos deux espèces se rencontrent. Nous faisons donc partie de la même famille. As-tu jamais songé à cela ?

Évidemment que j'y avais pensé ! Cette question me parut tellement stupide que je ne daignai même pas répondre. Il revint à la charge :

– Si nous remontons à la fin du carbonifère, toi et moi descendons du même couple de parents. Tout bien considéré, tu fais partie de ma fratrie. Tu comprends ?

La conversation commençait à prendre un tour un peu trop personnel à mon goût, mais j'étais toujours obsédé par ce gin que je ne voulais pas perdre.

– Bien sûr que je comprends. Et toi, tu comprends seulement parce que moi, je comprends. A moins qu'il n'y ait une université pour geckos sur l'île ?

Je n'aurais pas dû dire ça, car à présent il était vexé. Il me jeta un regard mauvais, son visage se contracta dans une sorte de crispation de tous les muscles. Puis arriva ce que j'avais tant redouté. Il se mit à tourner autour de la bouteille de gin – deux tours et demi. Mon cœur s'arrêta de battre : la bouteille bougea de quelques centimètres, et pire encore, dans la confusion générale, le bouchon de la bouteille glissa, roula sur la table de nuit et atterrit sur le sol. J'en eus les larmes aux yeux. Par ce geste, ce dragon coléreux avait manifesté sa supériorité et il s'en était fallu de très peu pour que le monde entier ne tombât en morceaux et que je fusse obligé de boire, toute la nuit, de la bière fidjienne. Il avait dû me prendre en grippe dès le début, quand je lui avais lancé un regard désapprobateur alors qu'il déployait une grande carte sur les genoux de Laura au lieu de s'inquiéter de notre mauvaise posture juste au-dessus de Tomaniivi

Je ramassai le bouchon par terre. Je bouillais de colère intérieurement, mais je pris sur moi et déclarai d'un ton conciliant :

– Je reconnais que ma remarque sur les universités pour geckos était un peu maladroite. Tu acceptes mes excuses ?

Désormais agrippé au devant de la bouteille de gin, il me tournait le dos et ne pouvait me voir que d'un œil.

– D'ailleurs tu as raison quand tu dis que les reptiles ont régné sur la Terre pendant les glorieuses époques du Jurassique et du Crétacé, continuai-je. Vous étiez plus avancés que les premiers mammifères primitifs et, vers la fin du Crétacé, plus avancés aussi que les marsupiaux et les placentaires. J'en suis parfaitement conscient. C'est pourquoi la chute d'une météorite qui marqua la transition Crétacé-Tertiaire est si terriblement injuste.

– Comment ça ?

– Vous étiez promis à un brillant avenir. Beaucoup d'entre vous s'étaient déjà dressés sur deux pattes, d'autres avaient le sang chaud comme nous, et je pense sincèrement que vous étiez bien partis pour fonder une civilisation avec universités et centres de recherches. Pour certaines espèces, c'était juste l'affaire de quelques millions d'années, une misère si l'on considère que les dinosaures dominèrent la vie sur la terre ferme pendant presque deux cents millions d'années. Comme point de comparaison, tu n'as qu'à penser aux énormes progrès accomplis par ma propre espèce ces dernières dizaines de millions d'années. Je parle de progrès génétiques, car les conquêtes culturelles se calculent, elles, en siècles et en décennies, bref il n'y a vraiment pas de quoi se vanter.

Au fur et à mesure que je parlais, je me disais que j'avais peut-être été imprudent en choisissant cet angle d'approche. J'étais en fait tout bonnement en train de me glorifier sans réserve des succès de ma propre espèce et, précisément, aux dépens des reptiles. J'essayai de me rattraper :

– Je pense comme toi qu'au jurassique et au Crétacé ton espèce était à l'avant-garde, et puis cette collision insensée avec un autre corps céleste a tout détruit. C'est injuste, oui, c'est vraiment injuste que les tout premiers et, jusqu'à la date d'aujourd'hui, les plus importants efforts qu'une espèce ait jamais faits sur cette planète pour acquérir une maturité intellectuelle, pour comprendre l'histoire de l'évolution et l'univers qui nous entoure – bref que tous ces efforts aient été anéantis à cause d'une météorite hors orbite impitoyablement attirée par la force d'attraction de notre planète. Cela vous a fait perdre plusieurs millions d'années.

Gordon plongea son regard dans le mien et je n'osai pas détourner les yeux une seconde. J'avais pris ma voix la plus douce et j'avais réussi, semblait-il, à le calmer un peu.

– Qu'est-ce que tu veux dire quand tu dis que cela nous a fait perdre plusieurs millions d'années ?

Il se montrait plus conciliant à présent. On aurait dit un fils bouder demandant à son père qui vient de lui refuser un chocolat de continuer quand même à raconter son histoire.

– Vous avez perdu la course pour la conquête spatiale. Ce sont les descendants des musaraignes qui ont les premiers marché sur la Lune.

Je me mordis les lèvres. De nouveau je m'étais laissé emporter.

– Merci, ce genre d'amabilités, tu peux te les garder, dit-il.

Je compris que c'était un dernier ultimatum avant que se produisît, cette nuit même, une catastrophe dans la lignée de la chute de la météorite mentionnée plus tôt.

Aussi me hâtai-je de dire :

– Je crains qu'il n'y ait à nouveau un malentendu, mais j'en suis seul responsable. Il faut dire que je n'ai pas toujours l'esprit très clair en pleine nuit, et encore moins quand on m'empêche de… euh, passons. Comme tu l'as justement fait remarquer, nous sommes en réalité des frères de sang avec toute une série de gènes identiques dans nos bagages. Nous sommes tous deux des tétrapodes pentadactyles, et je crois que nous pourrions mieux nous comprendre les uns les autres si seulement nous apprenions à considérer ce globe terrestre sur lequel nous vivons comme une arène ou une sphère d'intérêts communs. C'est la planète elle-même qui a perdu des millions d'années à cause de l'inconséquence d'une météorite égarée, et ce n'est donc ni toi ni moi – ou plus exactement c'est nous deux ensemble –, car même une planète n'a pas une durée de vie illimitée, et un jour il sera trop tard. Sans cette météorite capricieuse, c'est toi qui serais assis là, sur le bord du lit à parler pour ne rien dire, et moi qui furèterais dans la pièce à la recherche d'insectes. Cela peut encore arriver. Voilà ce que je pense, cela peut encore arriver ! On parle ici d'un fragile équilibre entre la raison et la déraison, entre la conscience universelle et une inconscience tout aussi universelle, donc à l'échelle cosmique, d'un équilibre dans la terreur. Tu reconnaîtras que notre petit différend ne paie pas de mine à côté. Et dans cet équilibre, la raison elle-même est comme David avec son modeste lance-pierre, et la déraison comme le géant Goliath avec son arsenal de comètes et de météorites coléreuses. La raison est une contrée désolée, voire déserte, alors qu'il y a abondance de glace, de feu et de pierres. Des milliers d'astéroïdes lunatiques continuent, eux, de grouiller dans le ciel, suivant, entre Mars et Jupiter, des tracés hautement instables. Il suffirait d'une malencontreuse conjoncture pour que, à nouveau, l'un d'entre eux quitte son orbite et fasse route vers la Terre. Attends un peu, et tu verras… La prochaine fois, ce sont les primates qui iront courir sur la lande, et la famille des *Geckonidae*, un sous-groupe des *Sauria*, par exemple, qui prendra les rênes : elle pilotera le prochain essai que fera la nature pour comprendre un peu plus l'univers auquel nous appartenons. Toute la question est de savoir si ce ne sera pas trop tard pour la Terre, car qui sait combien de temps encore il reste avant que le soleil devienne une géante rouge… mais je ne veux pas porter de jugement, je vous souhaite bonne chance. Un jour, vous ferez peut-être un petit pas pour les dinosaures, mais un grand bond pour toute la nature. Dans ce cas n'oubliez pas que, nous aussi, nous faisons partie du voyage.

– Tu parles trop, dit-il.

– Beaucoup trop, admis-je. On appelle ça la peur cosmique.

– Tu ne penses pas que tu devrais remercier ma famille pour ce que tu es devenu aujourd'hui ?

Sa revendication me paraissait tout à fait justifiée.

– Bien sûr que si ! Je suis, par exemple, très impressionné par le fait que vous avez réussi pendant autant de millions d'années à rester à l'écart des drogues. C'est peut-être pour ça, d'ailleurs, que vous vivez si vieux. Ce ne doit pourtant pas être si facile d'être un reptile : enfin, entre nous, être un hominidé, ce n'est pas simple non plus tous les jours. Peut-être souffrons-nous d'une anomalie causée par une ou deux circonvolutions de trop dans le cerveau ? Je ne dis pas cela pour me plaindre, je sais que les reptiles ont leurs propres problèmes, mais bref, l'alcool est quasiment en vente libre, par exemple dans les fruits tombés à terre, et pourtant aucun d'entre vous n'est devenu accro. Quand je dis vous, j'entends toutes les espèces réunies, c'est-à-dire les rhynchocéphales, les dinosaures à cuirasse et les crocodiles, pour s'en tenir aux diapsides. Pour les tortues, je ne sais pas trop, mais je suppose qu'elles se débrouillent sans alcool, en tout cas pendant de longues périodes. Il faut dire qu'elles deviennent étonnamment vieilles. Certaines espèces peuvent même vivre deux cents ans, dit-on. On raconte par exemple que l'évêque de Saint-Pétersbourg possédait une tortue de terre grecque qui mourut à l'âge de deux cent vingt ans. Peut-être a-t-on un peu exagéré, mais une autre source, écrite celle-là, affirme qu'une tortue géante fut capturée en 1766, à l'âge adulte, sur les Seychelles, et vécut en captivité jusqu'à sa mort accidentelle, sur l'île Maurice, en 1918 ; elle avait été aveugle pendant cent dix ans. Cette longévité exceptionnelle ne concerne pas uniquement les tortues, j'en suis parfaitement conscient. En règle générale, les reptiles vivent fort vieux, sans connaître pour autant ce type d'alcoolisme lié à l'âge qui a contaminé de manière tellement indécente ma propre espèce, en tout cas dans les civilisations cultivant presque exclusivement les circonvolutions en trop de notre cerveau dont je te parlais tout à l'heure. Elles veulent trop bien faire, ces circonvolutions, et sont à l'origine de toutes nos angoisses face au cosmos, à nos vies beaucoup trop courtes et aux espaces temporels bien trop grands.

— Je te l'ai déjà dit, tu parles trop.

Ma tirade était une dernière tentative pour faire la paix. Sinon, je pouvais tout de suite dire adieu à ma bouteille de gin. Aussi préférai-je, par précaution, capituler définitivement.

— Monsieur Gordon. Par égard pour cette bouteille, je me suis rendu, non ?

— C'était sage de ta part.

— Bon, alors n'en parlons plus.

— Cela fait une heure que je me dis la même chose.

— Tu ne vois donc pas d'inconvénient à ce que je rebouche juste la bouteille ? C'est vraiment une habitude que les gens devraient prendre.

Il ne répondit pas, et je poursuivis :

— Cela ne devrait pas te déranger dans ta chasse, à mon avis. Au contraire, j'ai entendu dire que les moustiques ne supportent pas l'odeur du gin, que c'est un vrai produit antimoustiques. C'est pour ça que les colons anglais en buvaient tant, ça les protégeait de la malaria.

Il eut un mouvement imperceptible, peut-être pour m'avoir dans son champ de vision binoculaire, qui, pour un gecko, n'excède pas vingt-cinq degrés.

– Essaie un peu pour voir, dit-il.

On pouvait interpréter cette courte réponse de deux manières :

– Ça veut dire oui ?

– Non. Ça veut seulement dire que tu devrais choisir tes mots avec plus de soin. Tu as tout à fait raison de faire remarquer qu'il faut manipuler une bouteille débouchée avec beaucoup plus de précautions qu'une bouteille bien fermée.

– Ça ne t'arrive jamais d'être fatigué ?

– Je suis un gecko nocturne. Tu le sais bien.

Je n'avais donc plus de souci à me faire pour mes prochaines nuits à Maravu. Je pourrais peut-être m'acheter une autre bouteille de gin à l'hôtel ou dans l'épicerie à Somosomo, même si j'ignorais tout de la réglementation régissant la vente d'alcool sur les îles Fidji. Mais j'étais sûr d'une chose : il me fallait à tout prix boire là, maintenant, deux décilitres de la bouteille de Gordon pour pouvoir m'endormir. J'étais prêt à risquer un demi-litre de gin pour obtenir mes deux décilitres. Sur ces nouvelles bases, je pouvais de nouveau envisager sérieusement une attaque éclair sans trop me soucier des pertes. L'important était de sauver ma dose pour cette nuit. Dans le pire des cas, pensai-je, l'opération finirait avec la chute de la bouteille… Mais, en y réfléchissant bien, je ne pouvais pas supporter l'idée que Gordon me voie à quatre pattes en train de lécher les quelques flaques éparses de mon élixir sédatif avant que celui-ci disparaisse entre les lattes du plancher. Non, cela serait trop humiliant ! Il fallait que je trouve autre chose.

Au beau milieu de la chambre et à environ un pas et demi de là où j'étais assis se trouvait mon bagage de cabine, et je me souvins, tout à coup, qu'il y avait à l'intérieur un pack de jus d'orange, souvenir d'un de mes vols, avec une petite paille accrochée à l'emballage – en tout cas, elle y était quand l'hôtesse me l'avait donné. C'était peut-être ma chance et je résolus cette fois de ne rien dire à ce terroriste si conscient de sa supériorité ; on allait bien voir s'il lisait vraiment dans les pensées.

Avec la main gauche tendue en arrière dans la direction de la table de nuit pour faire balancier, je parvins à ramasser par terre ma petite valise sans bouger de mon poste au bord du lit, et surtout sans quitter des yeux ma bouteille et Gordon.

– Qu'est-ce que tu fabriques ? demanda-t-il.

– Je me prépare juste à aller me coucher, mentis-je. Moi, je suis plutôt un animal diurne, tu comprends.

Il dit :

– Ce n'est pas des musaraignes que tu descends. Elles, elles attendaient qu'il fasse nuit pour sortir chasser, car c'était le moment où les carnassiers au sang froid se tenaient tranquilles.

Tout en ouvrant ma valise, je déclarai :

– Je le sais. Je sais tout ça. J'ai aussi dit que s'il n'y avait pas eu cette météorite il y a soixante-cinq millions d'années, tu aurais très bien pu être à ma place sur ce lit et moi à la tienne, rampant dans tous les sens à la poursuite d'insectes. Tu n'es pas en position de savoir plus ou autre chose que ce que je sais déjà.

Je prononçai ces derniers mots pour voir sa réaction, mais aussi pour faire diversion pendant que je manipulais le pack de jus d'orange. Enfin, je dégageai la paille.

Je n'étais plus assez naïf, désormais, pour demander à Gordon de bien vouloir libérer au moins quelques-uns des malheureux centilitres qu'il me confisquait. Je me contentai de me pencher vers la bouteille en disant :

– Tu sais que je suis un connaisseur en matière de reptiles…

– Merci, j'avais compris. C'est une véritable obsession chez toi.

– Mais je n'ai peut-être pas assez insisté sur le fait que j'ai une préférence marquée pour les geckos. Et tout particulièrement, je peux te l'avouer, pour les trente-cinq espèces de geckos à demi-doigts…

Brusquement, je mis la paille dans ma bouche et l'enfonçai dans la bouteille sans y porter les mains. Fait extraordinaire, Gordon resta immobile. Il n'ose pas bouger, pensai-je, ma manœuvre doit le rendre perplexe.

Je suis sûr que j'aspirai un bon décilitre avant de reprendre ma respiration. J'avais réussi ! J'avais réussi ce tour de force qui consiste à boire à la bouteille sans toucher le goulot. Du coup, l'œuf de Christophe Colomb ne m'impressionnait plus autant.

– Ah, dis-je en faisant un rot.

Je ne cherchais pas à me conduire comme un porc, ce n'était pas non plus un regain de témérité provoqué par l'alcool, ça m'avait juste échappé. Mais je dois tout de même avouer que j'avais l'esprit plus léger et que je sentais mon courage revenir. Vu les effets de la boisson sur moi, Gordon n'avait sans doute pas eu tort de tout mettre en œuvre dès le départ pour me dissuader de boire.

L'instant d'après, mon spécimen d'*Hemidactylus frenatus* exécuta un tour complet autour de la bouteille, et même en tenant le goulot d'un doigt je ne pus empêcher quelques précieuses gouttes d'être projetées sur la table de nuit. Mais je m'y étais préparé, et je lâchai prise car je savais qu'il allait saisir la première occasion pour me grimper dessus. Ce n'était certes pas cette rencontre avec Gordon qui allait rendre ma relation avec les geckos moins ambivalente.

– Je vais être très clair, expliqua-t-il. Si jamais tu essaies encore de me refaire ce coup-là, je te promets que tu vas le regretter.

Je comprenais sa réaction. Je savais, dans mon for intérieur, qu'il aurait suffi d'un décilitre de plus pour que je prenne mon courage à deux mains et le trahisse. Déjà cette première rasade m'avait donné des démangeaisons dans les doigts.

— Compris, dis-je. Je ne pensais pas que tu le prendrais aussi mal. C'était juste pour rire, loin de moi l'idée de te réduire en purée.

— Alors tu pourrais peut-être aussi arrêter ta logorrhée.

C'est vrai que, pour l'instant, je n'avais plus rien à dire à Gordon Gecko. J'étais comme le psychologue de la police face à un preneur d'otages, sauf que lui, il trouve toujours quelque chose – c'est là l'astuce –, car il lui faut absolument gagner du temps. Et, en fait, dans ce genre de situation, cela arrange les deux parties de discuter : quand la situation est bloquée et que les forces de police l'entourent, le preneur d'otages a, lui aussi, besoin de temps.

— Ou alors, parle d'un sujet plus intéressant.

— Tu veux ? Tu veux parler d'un sujet plus intéressant ?

— La nuit n'est pas encore très avancée, et les moustiques vont sûrement rappliquer si tu restes assis à proximité, sans compter que du coup ils seront considérablement plus gras et plus nourrissants quand je les happerai.

L'idée de servir d'homme-moustiques à un gecko ne me disait trop rien, mais il ajouta, avec insolence :

— Je t'avoue que j'avais espéré que tu ne refermerais pas aussi vite la porte derrière toi après avoir allumé la lumière.

La vérité, c'est que j'avais fermé la porte *avant* d'allumer. Cela faisait deux mois que j'étais sous les tropiques, et, sans être particulièrement sensible aux moustiques, je faisais quand même un peu attention. Et puis ne pas laisser entrer de moustiques, c'était aussi maintenir la population de geckos au plus bas niveau possible…

— Nous pouvons parler de n'importe quoi, lui dis-je. Tu t'intéresses au football ?

— Absolument pas.

— Et au cricket ?

— Des clous.

— Aux timbres rares ?

— Arrête !

— Alors je suggère que nous parlions de la réalité.

— De la réalité ?

— De la nôtre par exemple. A moins que ce ne soit aussi un sujet trop superficiel pour toi…

— Vas-y, de toute façon je ne me coucherai pas avant le lever du soleil.

— Je commencerai en disant que, d'une part, c'est immensément grand et, d'autre part, étonnamment vieux. Encore que personne ne connaisse précisément son origine.

— Tu veux parler du Soleil ?

— Non, de la réalité. Je te rappelle que c'est elle dont nous parlons en ce moment. Je crois que nous devrions essayer de nous concentrer sur une seule chose à la fois : le système solaire n'est qu'un fragment microscopique de ce que nous appelons la réalité. Vue dans son ensemble, cette dernière est composée de quelque chose comme cent milliards de galaxies. L'une d'elles est la Voie lactée – notre petit chemin de campagne avec les bidons de lait sur le bas-côté – et le Soleil n'est qu'une étoile parmi des centaines de milliards d'autres, même si c'est lui qui va éclairer notre planète dans quelques heures, marquant l'aube d'une nouvelle journée sur la Terre, puisque nous nous trouvons pratiquement sur la ligne de changement de date, « qui marque le début de chaque nouvelle journée ».

– Alors la réalité est gigantesque, commenta Gordon, en essayant de se faire passer pour plus bête qu'il n'était.

Je repris :

– Mais nous ne sommes ici que pour un court instant. A peine le temps de naître, et hop ! on repart pour le restant de l'éternité qui risque de durer un bon bout de temps. Pour ma part, je partirai dans quelques années ou dizaines d'années, et je n'aurai aucun moyen de savoir ce qui se passera ici. Dans quelques centaines de millions d'années à partir de ce jour, je serai absent. On peut dire que j'aurai disparu exactement des centaines de millions d'années moins quelques semaines, mois et années, y compris le restant de cette nuit.

– Je trouve que tu ne devrais pas te tourmenter avec ce genre de considérations.

Il cherchait presque à me consoler, oubliant que lui seul était à l'origine de ma mélancolie.

– Ce qui me tracasse le plus, ce n'est pas que cette vie soit si courte, continuai-je. Moi aussi, j'aurai bientôt besoin de m'allonger, de me reposer un peu. J'ai l'impression d'être courbaturé de partout. Ce qui me dérange, c'est que je ne pourrai jamais revenir à la réalité une fois que je me serai couché pour de bon. Non pas que je veuille nécessairement revenir exactement ici, je veux dire dans la Voie lactée. Si jamais il devait y avoir des problèmes de place, je pourrais tout à fait considérer une autre galaxie, du moment qu'il y a un bar et que je suis réincarné dans un être sexué (le genre de planètes monastiques formées par prolifération spontanée, très peu pour moi). Le problème n'est pas de venir au monde, mais de ne jamais pouvoir revenir. Pour nous qui possédons ces deux ou trois replis inutiles dans le cerveau – inutiles car ils sont en trop, ou en surnombre si tu préfères – de telles perspectives nous ôtent à certains moments toute joie de vivre, et pas seulement sur le plan émotionnel : il s'agit tout autant d'une injure faite aux sentiments qu'à la raison. Tu pourrais dire que nous sommes les victimes de ces deux ou trois circonvolutions de trop qui se mordent la queue. Cela peut aller, littéralement, jusqu'au sang. Nous avons, en d'autres termes, une aptitude à l'autodestruction dont il est bien difficile de se débarrasser ; les primates supérieurs ne possèdent pas l'équivalent cérébral de cette étonnante autotomie des lézards qui leur permet d'abandonner leur queue quand ils sont attaqués. Nos synapses peuvent être anesthésiées pendant quelques heures, par exemple avec un décilitre ou deux de gin, mais il ne s'agit que d'un remède passager qui apaise les symptômes sans résoudre le problème lui-même.

— Je comprends, se contenta-t-il de dire.

Cela me semblait un peu présomptueux de sa part. Je doutais qu'il puisse vraiment comprendre.

Je repris :

— Les replis du cerveau qui, au sens strict, ne sont pas nécessaires pour les fonctions vitales de base sont aussi la condition *sine qua non* de ce peu de raison qui nous a été transmis, malgré tout, dans l'évolution de la vie sur la terre, pour la compréhension de certaines lois naturelles fondamentales, sans oublier celle de l'histoire de l'univers lui-même, depuis le big bang jusqu'à aujourd'hui. Nous ne remplissons pas notre cerveau avec des futilités, comme tu vois.

— Je suis très impressionné.

— Nous sommes assez intelligents pour nous représenter à peu près clairement l'histoire et la géographie de la réalité ainsi que les caractéristiques de sa masse proprement dite. Mais personne n'est à même de comprendre ce que cette masse est réellement, en tout cas pas nous, les humains, car non seulement les distances dans cet univers sont énormes, mais elles sont grotesques. Toute la question est de savoir si nous en aurions compris davantage – sur, fondamentalement, le monde qui nous entoure – si notre cerveau avait été, disons, dix pour cent plus gros ou quinze pour cent plus efficace. Qu'en penses-tu ? Crois-tu que nous sommes allés aussi loin dans nos recherches qu'il nous était possible de le faire, j'entends pour un cerveau quel qu'il soit, et sans tenir compte de sa taille ? Il faut bien admettre qu'il paraît difficile d'imaginer que nous puissions en comprendre plus qu'aujourd'hui. Dans ce cas, c'est vraiment un miracle que notre cerveau soit juste assez grand pour appréhender, par exemple, la théorie de la relativité, les lois de la physique quantique et le génome humain. Dans ce dernier domaine, il n'existe, en effet, plus beaucoup de chaînons manquants. Je doute que le plus avancé des chimpanzés ait la moindre idée du big bang, du nombre d'années-lumière jusqu'à la prochaine galaxie, ou sache tout bonnement que la terre est ronde. Il est, par ailleurs, intéressant de noter que le cerveau humain n'aurait pas pu être plus grand, tout simplement parce qu'il aurait, sinon, empêché la station debout des mères. Et je m'empresse d'ajouter que, sans la station debout, le cerveau n'aurait pas pu se développer jusqu'à sa taille actuelle. Il s'agit, je le répète, d'un équilibre précaire. Formulons cela autrement : tout ce que nous sommes en mesure de comprendre de cette énigme au sein de laquelle nous vivons dépend donc de la largeur d'un bassin de femme. Je trouve inouï que la raison de cet univers soit limitée par des frontières anatomiques aussi banales. Mais n'est-ce pas déjà une énigme que l'équation humaine soit en passe, semble-t-il, d'être résolue ? On verra peut-être que l'inconnue $x$ de l'équation est exactement en quantité suffisante pour que cet univers pour l'instant soit conscient de lui-même. Les os du bassin de l'homme sont juste assez grands pour que nous puissions comprendre ce qu'est une année-lumière, combien d'années-lumière il y a jusqu'aux galaxies les plus reculées et, par exemple, comment les plus minimes quantités de matière se comportent, à la fois en laboratoire et dans les premières secondes après le big bang.

– Mais pourquoi n'y aurait-il pas des cerveaux plus puissants ailleurs dans l'univers ? objecta Gordon.

J'eus un rire contenu :

– Ce n'est pas impensable. On pourrait très bien imaginer un cerveau qui, par exemple, pourrait apprendre par cœur toutes les pages de l'*Encyclopædia britannica*. On peut même parfaitement concevoir un cerveau simple capable d'emmagasiner la somme des savoirs de toute l'humanité, mais, en fait, je doute qu'il y ait encore tellement d'autres secrets à découvrir dans cet univers. Toutes les questions que je me pose se réduisent à celle-ci : l'univers recèle-t-il encore tant de secrets que ça ? Voici ce que je pense : si tu trouves une météorite, tu peux t'amuser à calculer sa masse et établir sa composition chimique. Mais une fois que tu as analysé tout cela, tu ne peux plus rien arracher d'autre à cette pierre. Elle n'est que ce qu'elle est, ce qu'elle a été de tout temps. Il ne te reste plus qu'à la mettre de côté et à la laisser prendre la poussière dans un musée. Nous ne serons pas plus avancés. Car qu'est-ce qu'une pierre ?

– Je crois que j'ai un peu de mal à te suivre, soupira Gordon, qui semblait être au bord de l'épuisement.

– Ce que j'essaye de te dire, c'est que la sphère scientifique commence peut-être à approcher de la fin. Nous touchons déjà au but, et le but est la conscience même du long chemin pour atteindre celui-ci. Nous nous sommes présentés à l'univers, et l'univers s'est présenté à nous, en tout cas de manière catégorique. Peut-être la science est-elle arrivée au bout de sa route, peut-être savons-nous tout ce qui vaut la peine d'être su. Et quand je dis « nous », tu remarqueras que je ne pense pas uniquement à nous deux, j'inclus tous les cerveaux potentiels de l'univers. Si tel est le cas, et je serais plutôt pour l'instant enclin à défendre cette théorie, si tel est le cas, donc, la réalité souffre d'une absence de dénomination irréparable. Qui suis-je ? demande la réalité. Mais personne ne répond. Personne n'est là pour nous voir ou nous répondre. On se voit juste soi-même.

— J'aurais bien aimé t'être plus utile, dit Gordon penaud, alors qu'il lui aurait été si facile d'abréger mes souffrances en libérant la bouteille.

— Mais tu m'as dit, objectai-je, que tu croyais à la vie éternelle. C'est pourquoi d'ailleurs tu ne devrais pas embarquer de passagers quand tu voles sans copilote, mais bon, on ne va pas revenir là-dessus.

Peut-être qu'il n'en a même pas le droit, me dis-je tout d'un coup, et c'est pour cela qu'il ne dit rien.

Je demandai :

— Est-ce fréquent chez vous de croire à la vie éternelle ?

Il consentit à me répondre :

— Je n'ai jamais rencontré de gecko développant le moindre argument convaincant dans le sens contraire.

— Ce qui veut dire ?

— Tous les geckos, sans exception, croient à la vie éternelle. Je crois qu'aucun reptile n'a jamais eu l'idée que la vie, un jour, prend fin. Cette pensée ne nous a tout simplement jamais effleurés.

Il poursuivit, on aurait dit qu'il imitait ma propre voix :

— Par « nous », j'entends toutes les espèces et les familles dans les quatre ordres de la classe des vertébrés *Reptilia*. Aucun de nous n'a jamais imaginé que la vie, un jour, pût s'arrêter.

Il suffit, compris-je brusquement, de remonter quelques générations en arrière dans l'histoire des hommes pour retrouver cette tranquille certitude chez les primates. La bouffée même du grand néant est donc un phénomène récent. Et qui sait, peut-être l'angoisse de la mort n'existe-t-elle sur aucune autre planète de l'univers ?

Il dit :

— *Il existe un monde. Du point de vue de la vraisemblance, cela confine à l'impossible. Cela aurait été beaucoup plus simple si on avait pu faire en sorte qu'il n'existât rien du tout. Personne alors ne se serait posé la question de savoir pourquoi il n'y avait rien.*

Comme je ne répondais rien, il reprit :

— Tu as entendu ce que j'ai dit ?

— Oui, bien sûr. Dis-moi, ces phrases, c'est juste quelque chose que vous inventez ici sur l'île, une spécialité locale en quelque sorte, ou alors vous les avez trouvées dans un recueil de maximes de sagesse ?

Il ne répondit pas, mais j'insistai :

— Est-ce le résultat d'une longue réflexion ? Ou est-ce que vous vous voyez plutôt comme des poètes itinérants ?

Mais cela ne fit que le remonter. Il me gratifia d'une nouvelle tirade :

— *Nous portons une âme que nous ne connaissons pas et sommes portés par elle. Quand l'énigme se tient sur deux jambes sans être résolue, c'est à notre tour. Quand les images du rêve se pincent elles-mêmes le bras sans se réveiller, c'est nous. Car nous sommes l'énigme que nul ne devine. Nous sommes l'aventure enfermée dans sa propre image. Nous sommes ce qui marche sans jamais arriver à la clarté.*

— Alors, c'est peut-être à ton tour de conclure, dis-je. Je commence sérieusement à m'impatienter, tu sais.

– Tu peux te coucher quand tu veux, dit-il, ignorant mon intervention. Je surveillerai la bouteille.

– Jamais de la vie, m'écriai-je.

Sur ces mots, je me jetai sur lui et la bouteille, car l'heure était venue d'endormir mes synapses.

Un Gordon furieux se précipita sur ma main, puis, en quelques sauts désordonnés de lézard, s'empressa de remonter le long du mur tandis que la bouteille se renversait et roulait à terre. Mon somnifère se répandit abondamment sur le sol, disparaissant rapidement entre les lattes du parquet. Le temps de me ressaisir et de récupérer la bouteille, et je m'aperçus en la tenant contre la lumière qu'il ne restait plus guère qu'un décilitre, ou dans le meilleur des cas, un décilitre et demi. Je portai la bouteille à mes lèvres et la vidai d'un trait.

– Espèce de brute ! protesta-t-il du mur. Tu ne perds rien pour attendre !

Avant de m'endormir, j'eus encore le temps d'entendre Gordon déclamer les mots suivants qu'il avait volés à l'impressionnante collection, en espagnol, de descriptions de la réalité que possédaient Ana et José :

*– S'il existe un dieu, il n'est pas seulement un cogneur qui laisse des traces derrière lui, il est passé maître dans l'art de se volatiliser. Et le monde n'est pas à même de dire les choses comme elles sont, en tout cas pas celui-ci. Dans l'espace, tout est toujours aussi dense. Ce n'est pas le genre des étoiles de colporter des ragots… Personne n'a oublié le big bang. Depuis ce temps-là, le silence règne sans partage, et les corps célestes se détachent les uns des autres. Il est encore possible de croiser une lune. Ou une comète. Mais, ne vous attendez pas à être accueilli par des cris de joie. Dans le ciel, il n'y a pas de cartes de visite.*

Ce que Gordon dit cette nuit-là pour essayer de me tenir éveillé, je n'en ai plus que de vagues souvenirs

– j'étais le plus souvent inconscient –, mais je crois qu'il me réveilla sur le coup de cinq heures du matin avec l'aphorisme suivant :

– *Il faut des milliards d'années pour créer un être humain. Et juste quelques secondes pour mourir.*

# Le demi-frère choyé
## du Néandertalien

Ainsi se passa ma première journée sur les îles Fidji. Je te raconte tout en détail parce que je veux te faire comprendre pourquoi j'ai réagi comme je l'ai fait à Salamanque.

Au moment précis où j'allais aborder le sujet difficile de notre séparation, j'ai soudain aperçu Ana et José sur les bords du Tormes, et j'ai cru me retrouver sur la Prince Charles Beach. Tu as été prise d'un tel fou rire – tu croyais que je te racontais des blagues, rien que pour me serrer contre toi – que je n'ai pas réussi à te parler de nous deux ni de ce qui s'est passé avec Sonja. C'était tellement bon de t'entendre rire à nouveau. J'aurais pu en inventer beaucoup, des histoires étranges, pour avoir la joie de te regarder rire. Mais c'était bien Ana et José que j'avais vus, j'en étais sûr, et j'en eus la confirmation le lendemain, dans la matinée. Et, une dizaine de jours plus tard, je rencontrai José à Madrid. Quand il m'eut raconté son incroyable histoire à propos de *El Planeta* et des deux portraits au musée du Prado, il m'apparut clairement, comme jamais auparavant, que nous avions une sérieuse leçon à apprendre l'un de l'autre et que la seule chance d'un nouveau dialogue entre nous deux, c'était de t'écrire.

Véra, je vais te demander de faire quelque chose pour moi, fût-ce la dernière fois. Jeudi après-midi, j'essaierai de t'envoyer tout ce que j'ai écrit et, vendredi, j'aimerais que tu m'accompagnes à Séville. Je pense que ce voyage, je dois le faire pour Ana et José, et j'ai l'intime conviction que tu ressentiras la même chose quand tu connaîtras l'histoire d'Ana et du portrait magique.

Tu n'as certainement pas oublié la carte que tu m'as envoyée de Barcelone il y a bien longtemps. « Tu te rappelles la boisson magique ? » m'écrivais-tu. En rentrant, tu m'avais confié que si tu l'avais trouvée, tu n'aurais pas hésité à m'en faire boire la moitié. Tu nourrissais le désir que nous vivions ensemble pour toujours. « Pour moi, il n'y a qu'une seule terre et un seul homme », disais-tu. Tu t'en souviens, n'est-ce pas ? Et tu avais ajouté : « Si je ressens ça aussi fortement, c'est parce que je ne vis qu'une fois. » Puis le destin s'en est mêlé et en a décidé autrement.

Dans un premier temps, je vais seulement te supplier de m'accorder encore une journée de ta vie. Je ne peux pas partir pour Séville sans toi. Je ne peux pas.

Après avoir revécu en souvenir ma première rencontre mouvementée avec Gordon, je suis descendu à la Rotonde. J'ai lu *El País*, et bu une tasse de thé en grignotant quelques biscuits. Cela faisait du bien de se déconnecter un peu de tout ce processus d'écriture. Sous la coupole, les notes cristallines d'une harpe se mêlaient au bruissement sourd des conversations. Je sais que je vais avoir droit à une note d'hôtel plutôt salée, mais j'ai décidé de ne pas quitter Madrid avant de t'avoir tout raconté. Cette fois encore, tu l'auras compris, je m'offre le luxe de vivre au Palace. Ici, le personnel me connaît, je suis à deux pas du Prado, du Jardin botanique et à cinq minutes à peine du Retiro, ou de la puerta del Sol.

Pour en revenir aux Fidji, quand je me suis réveillé le lendemain matin, je n'étais pas très fier de ce qui s'était passé la nuit précédente. Je m'étais confié, sans aucune pudeur, à quelqu'un que je connaissais à peine et avec qui je ne souhaitais pas le moins du monde entretenir des relations. Dans ces cas-là, on est toujours un peu partagé : d'un côté, on ne peut s'en prendre qu'à soi-même pour avoir agi de manière aussi irréfléchie, de l'autre, conséquence d'une sorte de gueule de bois, on a tendance à exagérer la signification de ce qu'on a laissé échapper. Perplexe, honteux, on ne se rappelle plus très bien ce qu'on a dit et ce qu'on a seulement pensé sans le dire. C'est pourquoi on est souvent rongé, le lendemain, par l'angoisse obsessionnelle que l'on s'est fait un ennemi pour la vie, ou, pire encore, un meilleur ami pour la vie, c'est-à-dire quelqu'un qui connaît nos secrets les plus intimes. Je savais que Gordon était quelque part dans la pièce, mais, en geckologue averti, je savais aussi qu'à cette heure de la journée il était infiniment moins alerte.

J'entrai dans la salle de bains et me postai devant le miroir : je n'ai jamais été du genre à faire des grimaces dans la glace au réveil, mais plus on vieillit – en d'autres termes plus on se rapproche de sa propre extinction –, plus on aperçoit clairement, dans son reflet, ce regard animal qui nous est propre à l'aube d'une nouvelle journée. Je vis un crapaud métamorphosé, un lézard debout sur deux pattes, un primate qui avait du chagrin. Mais je vis aussi autre chose, et c'est cela qui me gêna le plus : je vis un ange pour qui le temps pressait, car s'il ne retrouvait pas le chemin du retour jusqu'au ciel, la montre biologique irait de plus en plus vite et il serait vite trop tard. Il ne serait bientôt plus capable de rejoindre l'éternité. Et tout ça à cause d'un fatal malentendu qui remontait à bien longtemps, longtemps avant que l'ange pris de panique ne revête un corps de chair et d'os. S'il n'était pas sauvé maintenant, il ne pourrait plus jamais l'être.

En allant prendre mon petit déjeuner, je rencontrai John dans la palmeraie. Il se tenait sous un cocotier et examinait une pancarte qui disait : *Attention aux noix de coco*. Il devait être myope car il s'était placé tout contre le tronc et donc juste sous la couronne du palmier.

– Tu joues à la roulette russe ? demandai-je.

Il vint vers moi.

– Qu'est-ce que tu dis ?

Je n'eus pas le temps d'ajouter quoi que ce soit. A cet instant, une énorme noix de coco s'écrasa sur le sol, à l'endroit exact où il se tenait quelques secondes auparavant.

Il se retourna et constata les dégâts.

– Je crois que tu m'as sauvé la vie.

Je ne savais pas trop comment poursuivre, mais je sentais que j'avais besoin de parler à quelqu'un, de parler en particulier de Ana et José. Après ma petite séance du matin face au miroir, j'étais bien résolu à mener enfin mon enquête. Même si les chances de succès étaient très faibles, je ne pouvais pas me permettre d'exclure l'éventualité que le couple espagnol fût capable d'aider un ange en détresse car trop profondément incarné.

– Tu n'aurais pas vu les Espagnols, par hasard ? demandai-je.

Il secoua la tête en signe de dénégation.

– Mais toi, tu les as rencontrés, hier, sur la ligne de changement de date, n'est-ce pas ?

J'eus le sentiment que cet écrivain anglais était lié, d'une manière ou d'une autre, à Ana et José. Qui lui avait dit que je les avais vus sur la ligne de changement de date ? Ce n'était pas le genre d'informations à faire circuler.

J'acquiesçai.

– C'est un couple charmant, dis-je. Tu parles espagnol ?

Était-ce l'ombre d'un sourire ? En tout cas, j'eus l'impression qu'il comprenait le sens de ma question.

– Très peu. Mais eux, ils parlent parfaitement l'anglais.

– C'est vrai. Mais il arrive aussi qu'ils se parlent entre eux.

Il m'écoutait avec une telle attention que je me sentis mal à l'aise. On aurait dit que toutes mes observations l'intéressaient prodigieusement. Restait à savoir si son intérêt englobait aussi les deux Espagnols.

– Tu comprends ce qu'ils disent ?

J'étais coincé, car je ne voulais pas que John s'imaginât que je passais mon temps à épier Ana et José.

– J'ai du moins compris qu'ils ne parlaient ni de football ni de cricket, dis-je. Plutôt de sujets assez bizarres.

L'homme aux favoris blancs hésita un moment, le nez en l'air, avant de lâcher :

– Il paraît qu'elle est l'une des danseuses de flamenco les plus célèbres de Séville.

Le flamenco ! Voilà une piste que mon cerveau n'avait pas encore explorée. J'avais fréquenté, un moment, un bar de flamenco à Madrid, mais cela remontait à plusieurs années, et si c'était là que j'avais vu Ana, je l'aurais sûrement immédiatement associée aux rythmes emportés, aux volants qui virevoltent et aux chants passionnés qui caractérisent cette danse. Et puis, profondément enfouie dans mon subconscient, j'avais l'image d'une Ana qui s'était imposée à moi dans une certaine permanence, pas juste le temps d'un spectacle de flamenco. Cela dit, cette information était tout de même utile.

Je repris :

– Si je m'intéresse aux deux Espagnols, c'est parce que j'ai l'impression d'avoir déjà rencontré Ana quelque part.

– Où ça ? me demanda-t-il, tout surpris.

– C'est bien là le problème. Je n'arrive pas à m'en souvenir.

– Intéressant…, dit-il, pour ne pas dire curieux. J'ai, en effet, exactement le même sentiment. Il y a quelque chose en elle que l'on reconnaît, quelque chose de presque douloureux…

Lui aussi avait cette impression. Du coup, je pouvais abandonner l'idée que j'avais rêvé d'Ana ou que j'avais été marié avec elle dans une vie antérieure. Je comprenais aussi désormais pourquoi cela lui importait tant de savoir si, oui ou non, j'avais rencontré les Espagnols sur la ligne de changement de date.

– Ce n'est pas un visage que l'on oublie facilement, dis-je.

Je me rendis compte en le disant que cela faisait un peu grandiloquent. L'Anglais marqua une pause, comme plongé dans ses pensées, avant de répondre :

– C'est possible. Mais ce n'est pas non plus un visage dont on puisse se souvenir si facilement…

Il venait de toucher juste. Il ajouta, hésitant :

– Il reste une troisième possibilité…

J'étais curieux de savoir ce qu'il allait dire.

– Nous avons tous les deux déjà vu cette femme. Il se peut qu'elle ait connu une sorte de… métamorphose.

Une idée analogue m'avait traversé l'esprit et je fus pris de vertige. Il faut dire qu'il faisait chaud et étouffant. A cet instant, nous fûmes interrompus par une voix énergique qui venait du bord de la piscine : Laura était en train de se disputer avec quelqu'un, on devait l'entendre dans toute la palmeraie :

– Mais qu'est-ce que tu as à me suivre partout comme un petit chien ?

Aussitôt après, il y eût un bruit de plongeon et je compris que la jeune femme avait poussé Bill dans l'eau. Je fis un signe de tête à John en lui disant qu'il fallait que je me dépêche si je voulais encore prendre mon petit déjeuner avant qu'il soit trop tard.

En arrivant à la piscine, je découvris la fin d'un drame. Bill remontait de son plongeon forcé sur le ventre, avec une belle grimace offensée. Il était vêtu d'un short jaune et d'un T-shirt bleu clair avec deux ou trois palmiers imprimés dessus, une tenue idéale pour faire trempette, en somme. Laura était en train de s'installer confortablement dans une chaise longue et arborait un sourire de contentement non déguisé. Quand elle leva les yeux et comprit que je me dirigeais vers le restaurant, elle passa une serviette autour de sa taille et me demanda si j'allais prendre mon petit déjeuner. Je hochai la tête.

– Je vais prendre une tasse de thé avec toi, m'annonça-t-elle.

Elle devait avoir terminé de lire son Lonely Planet.

Elle posa sa serviette sur la chaise longue, enfila une robe rouge sur son bikini noir et glissa ses pieds dans des nu-pieds. Je restai là à l'attendre, puis nous montâmes ensemble au restaurant.

Le personnel nous servit du café et du thé, j'eus à peine le temps de me servir de pain et de confiture avant qu'on débarrassât le buffet. Je plongeai le regard dans un œil vert et un œil brun.

– Il t'embête ? demandai-je.

Elle se contenta de hausser les épaules.

– Non, pas vraiment.

– Mais tu l'as poussé dans la piscine, non ?

– Parle-moi plutôt de tes recherches, me dit-elle d'un ton suppliant.

Je ne voyais aucun inconvénient à changer de sujet. Je l'entraînai dans mon champ d'investigation et je compris rapidement qu'elle était, elle aussi, assez calée dans ce domaine. Elle était de la région et connaissait mieux que moi les problèmes spécifiques du continent austral.

Je lui posai quelques questions sur cette institution pour la défense de l'environnement qui finançait le rapport annuel dont elle avait parlé la veille au soir. Laura répondit avec quelque réticence, mais finit par expliquer qu'il s'agissait plutôt d'une fondation puisque tous les moyens dont ils disposaient étaient le fruit du legs d'un seul Américain.

– Un idéaliste ? demandai-je.

– Un richard, corrigea-t-elle, qui nage dans l'argent.

Je lui demandai si, à long terme, elle était optimiste ou pessimiste en ce qui concernait l'avenir de la Terre et de l'humanité.

– Disons que je suis pessimiste quant à l'avenir des hommes, mais optimiste pour celui de la Terre.

Je commençai à mieux la cerner et bientôt elle se livra entièrement : son engagement pour la défense de l'environnement reposait sur une base idéologique plus profonde que je ne l'avais imaginé. La Terre était, selon elle, un organisme qui, pour l'instant, avait un accès de forte fièvre, mais, justement, cette fièvre allait exercer une action régulatrice et elle allait bientôt pouvoir reprendre ses esprits.

– Elle, qui ça elle ?

– Gaïa. Sauf miracle, elle finira en tout dernier lieu par exterminer les microbes qui la rendent malade.

– Gaïa ? repris-je, le souffle coupé.

– Ce n'est naturellement qu'un nom qu'on a donné à la « Terre Mère ». On aurait tout aussi bien pu l'appeler *Eartha*. L'important, c'est de se rendre compte que la Terre est une personne vivante…

– … qui va exterminer les microbes ?

– Il y a des millions d'années, les dinosaures ont disparu, commença-t-elle, et ce n'est pas forcément dû à la chute d'une météorite. Peut-être ont-ils communiqué à la terre une maladie qui les a finalement exterminés. On m'a parlé d'une théorie mettant en cause les gaz intestinaux des dinosaures. Mais la Terre s'est ressaisie, ce fut comme une renaissance. A présent, ce sont les hommes qui mettent en péril la vie sur cette planète. Mais nous détruisons aussi notre propre habitat, et Gaïa saura se débarrasser de nous.

– Et après… après la Terre n'aura plus qu'à se ressaisir, c'est ça ?

La femme aux yeux vairons fit oui de la tête. Je fixai son œil brun et ajoutai :

– Tu ne penses pas que les hommes aussi possèdent une valeur intrinsèque ?

Elle se contenta de hausser les épaules et je compris qu'elle n'avait pas beaucoup d'estime pour ses congénères. Pour ma part, j'avais toujours eu du mal à accorder de la valeur à une planète qui n'engendrerait pas d'autres formes de vie que des organismes inférieurs. J'étais plus sensible à l'idée de renaissance. Mais comme je l'avais confié à Gordon la nuit précédente, la vie était déjà bien avancée sur Terre et je n'étais pas sûr que la raison aurait une nouvelle occasion, du moins sur cette planète, ou alors cela prendrait une éternité.

– J'ai toujours pensé que chaque être, pris individuellement, est infiniment précieux, dis-je.

– Dans ce cas, chaque panda aussi.

Je scrutais à présent son œil vert.

– Toi, en tant qu'individu, tu n'as pas peur de mourir ?

Elle fit non de la tête.

– Je ne mourrai que sous ma forme actuelle.

Je me souviens m'être dit que, question formes, les siennes étaient tout à fait adorables.

– Mais je suis aussi cette planète vivante, poursuivit-elle. Je me fais davantage de souci à la pensée qu'elle va mourir, elle. Car j'ai en elle une identité plus profonde et plus durable.

– « Une identité plus profonde et plus durable »,
répétai-je.

Elle eut un sourire provocant :

– Tu as quand même vu des photos de Gaïa prises de
l'univers ?…

– Évidemment.

– N'est-elle pas splendide ?

Je ne la croyais pas. Je n'avais jamais manifesté le
moindre intérêt pour ce genre de monisme vulgaire
combiné à je ne sais quel militantisme philanthropique
pour la défense de l'environnement. Cela dit, même si
j'avais l'impression d'être mené en bateau, Laura me
plaisait. Avec sa sensibilité à fleur de peau, elle avait un
charme fou.

J'essayai de me mettre à son diapason et d'utiliser la
même rhétorique qu'elle. D'accord, pensai-je, nous
n'avons qu'une courte vie à vivre sur terre, mais tout ne
s'arrête pas là, car nous reviendrons, nous reviendrons
sous forme de lys, de cocotiers, de pandas ou de rhino-
céros, et tout cela c'est Gaïa, notre vraie identité la plus
profonde.

Elle restait là, à balancer ses sandales. Sous l'étoffe
légère de sa robe, je pouvais deviner le haut noir de son
bikini.

– Comment est apparue la vie sur Terre ? demanda-t-elle.

Je compris que c'était une question purement formelle, mais je donnai la réponse classique : étant donné
que le matériel génétique de tous les êtres vivants sur
cette planète présente une parenté incontestable, on
pense que la vie sur Terre s'est développée à partir d'une
seule macromolécule.

– La Terre est donc bien un seul et unique organisme vivant, conclut-elle. Ce n'est pas seulement une
métaphore. Je suis réellement de la même famille que
l'hibiscus.

Elle désigna le jardin du doigt et je vis que Bill avait pris la serviette-éponge qu'elle avait laissée sur la chaise longue, ce qu'il ne me parut pas utile de lui faire remarquer. Elle poursuivit :

– J'ai réellement plus d'affinités avec cet hibiscus que deux gouttes de l'océan entre elles. Et si toute vie sur terre est vraiment née d'une seule et unique macro-molécule…

Elle hésita une seconde, je regardai à nouveau son œil vert :

– Alors ?

– … cela a dû être une molécule inconcevable. Je n'hésite pas à l'appeler « divine ». C'était une semence divine. C'est pourquoi j'affirme que Gaïa est une déesse.

– Comme ton propre moi ?

– Et le tien aussi, et celui de l'hibiscus.

Je continuais à croire qu'elle ne pensait pas la moitié de ce qu'elle disait.

– Mais la Terre aussi a une durée de vie limitée, objectai-je. Elle n'est qu'une *lonely planet* dans le grand néant.

– Ou le Grand Tout !

En prononçant ces dernières paroles, elle prit mes mains dans les siennes. J'en fus tout déboussolé. Cela n'allait pas être facile de se concentrer sur la différence de signification entre les concepts « tout » et « néant ». N'étaient-ils pas presque synonymes, d'ailleurs ?

Elle pressa tendrement mes mains, puis déclara :

– Ensemble, nous sommes un.

Je me sentis paralysé par une sorte d'électrochoc de solitude partagée. C'était tellement bon d'avoir une main chaude dans les siennes au milieu d'une discussion sur le grand tout ou le grand néant. Si tout n'était pas un, nous, en tout cas, nous étions deux. Rassure-toi, Véra, je n'ai pas eu l'illusion de trouver mon salut dans l'idéologie Gaïa, ce n'est pas ce que je veux dire.

Je pensais juste que, la nuit, toutes les illusions d'optique sont permises.

Nous restâmes ainsi quelques secondes à nous tenir les mains. Laura était à la fois une femme pleine de charme et une idéaliste dévoyée. Encore que ce qu'elle avait dit était, d'une certaine façon, irréfutable, aussi irréfutable que mon propre individualisme coincé. Ensemble, nous étions un.

– Est-ce que cela vaut aussi pour l'ingénieur en pétrole ? demandai-je.

Elle retira ses mains des miennes, secouant la tête avec un sourire bienveillant :

– Lui, il appartient à un autre univers.

Sur ces paroles définitives, elle se leva et retourna du côté des chaises longues au bord de la piscine, peut-être pour engueuler l'Américain qui lui avait pris sa serviette.

J'avais décidé de louer une voiture et d'aller au Tavoro National Park, à l'est de l'île, autant pour observer les célèbres perroquets que pour admirer ses impressionnantes chutes d'eau. Mais avant, j'avais une course à faire, une course d'une importance non négligeable pour ma santé.

Le propriétaire du Maravu Plantation Resort, un dénommé Jochen Kiess, d'origine allemande, me trouva rapidement une voiture, mais pour ma petite requête particulière, ce ne fut pas aussi simple. L'hôtel avait un bar, en toute légalité, bien sûr, mais la législation nationale, m'expliqua-t-il, lui interdisait de vendre une bouteille entière d'alcool. Je comprenais tout à fait, lui dis-je, c'était la même chose en Norvège, mais dans le cas présent il ne s'agissait pas d'une vente ordinaire, plutôt d'un petit dédommagement pour les dégâts occasionnés par l'un des nombreux geckos de l'établissement. J'ajoutai que j'étais prêt à acheter cette bouteille, quitte à calculer le nombre de verres qu'elle contenait pour payer le même prix que si je l'avais consommée entièrement au bar. Mes arguments le laissèrent de marbre, sa bonne composition, seule, fit que je revins vers mon bungalow en sifflotant avec une bouteille non entamée de Gordon's Dry Gin. Sur le chemin, je cassai une petite branche de l'hibiscus que Laura avait montré du doigt, et avec lequel elle se sentait plus d'affinités que deux gouttes d'eau entre elles. Évidemment, elle avait raison, mais uniquement parce que deux gouttes d'eau n'ont vraiment aucun lien de parenté. Elles se ressemblent beaucoup, c'est tout.

Je remplis d'eau l'ancienne bouteille de gin, mis la branche d'hibiscus dans ce vase improvisé et posai le tout sur un guéridon devant la fenêtre qui ouvrait sur la palmeraie. Je débouchai ensuite la nouvelle bouteille et la portai à ma bouche. Je ne bus qu'une gorgée, histoire de sentir que désormais elle était vraiment à moi et qu'on ne pourrait plus me l'enlever pour la remettre au bar. J'ouvris ma valise, y déposai avec précaution la bouteille de gin bien fermée et la refermai à clé.

C'est alors que je l'aperçus à nouveau. Gordon avait, pour son assoupissement diurne, choisi un pli du rideau. Je crus qu'il dormait, encore que cela soit difficile à dire quand il s'agit de reptiles nés avec une paire de lunettes siamoises dessinées sur les paupières. Peut-être m'avait-il vu entrer avec la bouteille de gin ? En tout cas, il me regardait à présent droit dans les yeux.

– Tu ne trouves pas que c'est un peu tôt ?

Merde alors ! Ça n'allait quand même pas recommencer !

– Je me rince juste la bouche. D'ailleurs ça ne te regarde pas, je suis dans ma chambre.

– Tu ne veux quand même pas que nous reprenions la conversation là où nous nous sommes arrêtés cette nuit ?

– Surtout pas. Ne te fais pas d'illusions. Tu n'es qu'un gecko.

– Oui et non, *mister*.

– Qu'est-ce que tu veux dire par là ?

– C'est juste la forme sous laquelle j'apparais ici et maintenant. Mais en réalité…

Je commençais à comprendre à quoi il faisait allusion.

– Bon allez, vas-y ! lançai-je. Ce n'est pas moi qui vais censurer la liberté d'expression.

– En réalité, je suis l'esprit du monde. Aujourd'hui, il a élu domicile dans un gecko. Alors si tu as des questions à poser, c'est le moment.

– Je ne sais pas si j'en ai le courage, dis-je. Tout ce que tu peux dire, je le sais déjà.

– Ça m'étonnerait, car je suis un esprit du monde omniscient.

– Alors crache le morceau. Qu'est-ce que tu sais ?

– Tu as pris ton petit déjeuner avec une primate femelle.

– D'accord, disons que tu as réussi l'épreuve. Pourrais-tu me dire, dans la foulée, si je l'aime ?

Il rit :

– Non, ce serait ridicule en si peu de temps, même pour un primate mâle de ton genre. Mais si tu n'arrives pas à maîtriser tes désirs bestiaux, c'en est fait de toi.

– Elle aussi est l'esprit du monde.

– Bien vu. Je t'entoure de tous les côtés. C'est en moi que tu vis, que tu bouges et que tu existes.


Il existe encore quelques enclaves isolées où les individus refusent de vendre leur âme pour de l'argent. Les habitants du modeste village de Bouma, dans la partie occidentale de Taveuni, savaient qu'ils avaient reçu en héritage l une des plus belles forêts tropicales au monde (les amoureux de la nature et les cinéastes à la recherche de décors paradisiaques avaient, eux aussi, depuis longtemps succombé à son charme), et lorsqu'on leur proposa des sommes faramineuses pour exploiter leurs terres, ils surent dire non. Il y eut bien quelques discussions, car de l'argent liquide, ni Bouma ni les îles Fidji n'en avaient beaucoup, mais ils décidèrent à la place de transformer – pourquoi pas ? – cette forêt luxuriante en un parc naturel. Cela aussi pouvait constituer une source de revenus pour le village, plus sûre même et plus pérenne que le pactole qu'on leur avait offert pour l'abattage des arbres. Aujourd'hui, cinq mille hectares de parc sont mis à la disposition des touristes écolos (du moins ceux qui arrivent jusqu'ici), et ce sont les habitants du village eux-mêmes qui entretiennent les sentiers, équipés de garde-fous dans les parties les plus abruptes, ainsi que les toilettes et les aires de pique-nique et de camping. Cette réussite a valeur d'exemple. Plusieurs projets similaires sont actuellement à l'étude en d'autres endroits de l'île.

Je connaissais l'histoire, ce qui explique sans doute qu'après avoir traversé le village et croisé le délicieux fleuve Bouma, je payai de bon cœur les cinq dollars fidjiens pour accéder à ce paradis protégé. Il y avait, à l'entrée, une petite cabane où je trouvai de bons renseignements sur les sept kilomètres de sentiers balisés et où j'achetai un paquet de biscuits et une bouteille d'eau. On me demanda aussi de confirmer que j'étais conscient qu'allumer un feu ici pouvait avoir des conséquences catastrophiques.

Je remontai le fleuve Bouma sur environ un kilomètre. Le chemin avait été aménagé avec une telle rigueur qu'on aurait dit une immense allée bordée de palmiers et de buissons. Ça, c'était une nature domestiquée, Véra, tu aurais dû voir ça !

J'entendis bientôt le grondement, énorme, de la première cascade. J'avais lu que la chute d'eau était haute de vingt mètres et qu'elle avait creusé un jacuzzi gigantesque. On m'avait dit aussi que les gens s'arrêtaient rarement ici pour se baigner. J'avais donc pris mon maillot de bain : si j'étais seul, je plongerais dans cette piscine naturelle, sinon j'irais à la deuxième, un peu plus haut, à une demi-heure de marche. Là-bas, la chute faisait presque cinquante mètres, mais le bassin était de dimensions plus modestes.

En arrivant à la cascade – j'ai encore en mémoire son terrible grondement – j'entendis des voix connues et j'aperçus Ana et José en train de nager dans le bassin. Je ne sais pas ce qui l'emporta sur l'instant : la déception ou la stupéfaction de les trouver là. Quoi qu'il en soit, je pouvais dire adieu à mes projets de baignade, car même si cela me faisait plaisir de les revoir, eux avaient dû tenir exactement le même raisonnement que moi et nageaient entièrement nus. Encore une fois, ils me firent penser à Adam et Ève, le premier homme et la première femme créés par Dieu, la matrice même, originelle, du bonheur, en tout cas avant l'aventure pathétique de la pomme. On n'en était pas encore là, car, pour le moment, ils s'ébattaient nus. Avant de détourner les yeux, j'eus le temps de remarquer qu'Ana avait une grande tache de naissance sur le ventre.

Faire semblant de ne pas comprendre ce qu'Ana et José se disaient était une chose, mais je n'avais pas l'esprit assez tordu pour les espionner dans leur nudité. Je laissais à Dieu un tel comportement inqualifiable. N'était-il pas le paradigme même de la paire de jumelles ? Malheureusement, je ne pouvais pas accéder à la deuxième cascade sans qu'ils me voient, car ce sentier était l'unique moyen d'accès et il passait juste devant l'endroit où l'on pouvait se baigner. Je n'avais plus qu'à revenir sur mes pas.

Mais je ne rebroussai pas chemin, car j'entendis soudain José dire quelque chose à sa compagne dénudée, et même si je ne pus tout saisir, je finis par avoir l'intégralité de son message un peu plus tard :

– *Au sortir de rêves brumeux, le Joker se réveille en chair et en os. Il se hâte de cueillir les baies de la nuit avant que le jour ne les gâte. C'est maintenant ou jamais. C'est maintenant, et jamais plus. Le Joker comprend qu'il ne peut pas se lever deux fois du même lit.*

En restant sur le sentier, sans avancer ni reculer, peut-être aurais-je la chance d'entendre ce qu'Ana avait sur le cœur. Elle dit :

– *Que pensent les elfes quand ils sont délivrés du mystère de leur sommeil et renaissent à une vie nouvelle ? Qu'en disent les statistiques ? C'est le Joker qui pose la question. Lui-même sursaute chaque fois que ce petit miracle se produit. Il se surprend comme dans un tour de prestidigitation qu'il aurait lui-même présenté. Ainsi fête-t-il le matin de la Création. Ainsi salue-t-il la création du matin.*

Je m'étais plusieurs fois demandé qui pouvait être ce Joker. José me fournit un début d'explication :

– *Le Joker se meut parmi les elfes en sucre sous l'apparence d'un primate. Il baisse les yeux sur des mains étrangères, caresse une joue qu'il ne connaît pas, porte les mains à son front et sait qu'à l'intérieur se joue l'énigme du je, le plasma de l'âme, la gelée de la connaissance. Il n'arrive pas à se rapprocher plus près du noyau des choses. Il a l'impression d'être un cerveau transplanté. Il n'est donc plus lui-même.*

Un cerveau transplanté ou un ange biochimique, pensai-je, en tout cas un représentant de l'éternité qui était tellement curieux de voir et d'entendre la vie gargouiller dans le royaume terrestre que, présomptueux, il avait oublié d'organiser sa retraite. C'est certes dangereux, pour un primate, de se doter d'ailes en cire et de croire – conclusion trop hâtive – qu'il peut s'envoler dans le ciel comme un ange, mais l'inverse se révèle tout aussi téméraire. Comment un ange peut-il s'imaginer vivre le lot quotidien des primates sans perdre son statut angélique ? L'ange a infiniment plus à perdre que le primate, bien qu'ils perdent, en un sens, exactement la même chose, à savoir eux-mêmes. Avec cette différence que l'ange tient pour acquis que son existence éternelle ne prendra jamais fin.

Ils avaient dû m'apercevoir là où j'étais, voilà pourquoi ils avaient recommencé à se réciter ces petites phrases, ces petits en-cas saupoudrés de philosophie. Rebrousser chemin n'avait plus de sens. Mais peut-être que ces pensées ne me sont venues qu'après coup. En fait, je me souviens juste être resté sur le sentier, une main devant les yeux, et leur avoir signalé ma présence. Bien sûr, je fis celui qui n'avait rien entendu de ce qu'ils avaient dit.

– Y a-t-il de la place pour un immigré ? lançai-je. J'ai payé cinq dollars mon visa pour ce paradis.

Cela les fit rire. Ils sortirent de l'eau tandis que je gardais ostensiblement une main devant les yeux. Enfin… pendant quelques secondes mes doigts s'écartèrent de quelques millimètres, le temps d'apercevoir leurs corps nus avant qu'ils enfilent, l'homme un pantalon noir en lin, la femme une robe d'été rouge.

Dès que je vis Ana dans son costume d'Ève, j'eus comme une révélation. Je connaissais son visage, mais pas son corps – bien qu'il n'y eût rien à redire de ce côté-là. On ne pouvait quand même pas déplacer une tête d'un corps à un autre, si ? A ma connaissance, on ne pratiquait pas encore de transplantation de tête.

Nous nous assîmes sur un banc ombragé et grignotâmes des biscuits tout en discutant. Nous fûmes d'accord pour souligner avec force enthousiasme les mérites des réserves naturelles, sans oublier ceux des habitants de Bouma dont nous étions, il faut le dire, les invités. Ana alla, de nouveau, chercher son appareil photo et me demanda de prendre plusieurs photos d'eux deux. Puis, tandis qu'elle photographiait à son tour, José commença à me faire parler sur les différentes théories de l'évolution, alors que j'avais compris, depuis notre conversation de la veille au soir, qu'il était loin d'être ignorant en la matière. Il avait, par exemple, utilisé sans la moindre hésitation des expressions techniques telles que « gradualisme » ou « ponctualités ».

Les Espagnols avaient conclu un arrangement avec un chauffeur qui devait les attendre en bas, à l'accueil. C'était mon tour d'avoir ce coin de paradis pour moi tout seul. Après m'être baigné, je continuai mon chemin pour découvrir les autres cascades.

Je revis Ana et José quelques heures plus tard dans la palmeraie à Maravu. Là encore, Ana insista pour nous prendre en photo. Si j'insiste sur ce point, c'est qu'on aurait dit que cette manie de photographier était une sorte de rituel – tout comme ces phrases énigmatiques qu'ils déclamaient l'un pour l'autre.

Je me promenais seul dans la palmeraie, quand j'entendis soudain des voix familières. Je compris que je me trouvais, en fait, devant le bungalow d'Ana et José et qu'ils étaient assis sur la terrasse. Ils ne m'avaient pas vu – il leur était tout à fait impossible de me voir de là où ils étaient. J'allais me retirer sur la pointe des pieds quand les maximes se mirent à tomber en pluie drue et serrée.

C'est José qui commença la récitation liturgique :

– *Qui pouvait se réjouir du feu d'artifice cosmique tant que les bancs de l'univers n'étaient occupés que par la glace et le feu ? Qui pouvait deviner que le premier amphibien assez téméraire pour sortir des basses eaux ne faisait pas un petit pas en rampant mais un pas de géant sur le long chemin qui mène jusqu'au fier regard en arrière du primate sur le point de départ de ce même chemin? Les applaudissements pour le big bang ont retenti quinze milliards d'années après la déflagration.*

Et Ana de répliquer :

— *Il y a quelque chose qui tend l'oreille et écarquille les yeux : jaillissant des langues de flammes, jaillissant de la lourde soupe originelle, jaillissant des cavernes, et jaillissant, toujours jaillissant loin là-bas, à l'horizon de la steppe.*

— D'accord, intervint José, mais on pourrait peut-être plutôt dire la « soupe originelle lourde comme du plomb » ?

— Pourquoi ça ? Une soupe n'est jamais lourde comme du plomb.

— Elle était lourde au sens figuré. Les chances étaient tellement minimes qu'un jour un organisme vivant puisse rejoindre la terre ferme.

— Est-ce que ça ne casse pas le rythme ?

— Au contraire : « Jaillissant de la soupe originelle lourde comme du plomb… »

— Bon, on verra.

C'était au tour de José de parler. Il réfléchit un moment puis lâcha :

— *Telle une brume ensorcelée, la vue d'ensemble se lève, à travers la brume, traverse le brouillard, émerge du brouillard. Le demi-frère choyé du Néandertalien porte la main à son front et sait que derrière l'os frontal du primate nage la masse cérébrale molle, le pilote automatique du voyage de l'évolution, l'oreiller de collision du festival de protéines entre la chose et la pensée.*

Ana, elle, ne prit guère le temps de la réflexion, elle enchaîna, comme prise dans la dramaturgie d'un rite :

*— Le grand bouleversement a lieu dans le manège du cirque cérébral du tétrapode. C'est ici que remonteraient les triomphes les plus anciens de l'espèce. Dans les cellules nerveuses des vertébrés explosent les premiers bouchons de champagne. Les primates postmodernes finissent par accéder à la grande vue d'ensemble. Et soyez sans crainte : l'univers se voit lui-même en grand angle.*

Il y eut une pause et je crus la lecture publique terminée, car on déboucha une bouteille de vin. Mais José reprit :

*— Le vertébré se retourne brusquement, aperçoit derrière lui la mystérieuse queue de l'espèce dans le miroir rétrospectif de la nuit des années-lumière. A cet instant seulement, le chemin mystérieux a atteint son but et ce but était précisément la conscience du long chemin pour atteindre le but. On ne peut qu'applaudir des deux mains, ces extrémités qui entrent dans le portfolio héréditaire de l'espèce.*

— « Le miroir rétrospectif de la nuit des années-lumière », répéta Ana. Ce n'est pas un peu lourd ?

— Non, pourquoi ? Et puis plonger son regard dans l'univers, c'est la même chose que regarder en arrière dans l'histoire de l'univers.

— On reviendra là-dessus. Tiens, prenons celle-ci : *Des poissons, des vertébrés et des petites musaraignes au goût sucré, le primate chic a hérité des yeux seyants avec vue en profondeur. Les lointains descendants du cœlacanthe étudient la fuite des galaxies dans l'espace et savent qu'il a fallu des milliards d'années pour ajuster le regard. Les lentilles sont polies par des macromolécules. Le regard se focalise grâce à des protéines et des acides aminés hyperintégrés.*

José de nouveau :

*— Dans les pupilles de l'œil entrent en collision la vue*

*et la finalité, l'œuvre du Créateur et la réflexion. Les fruits de la vue, telle la face de Janus, sont une porte à tambour magique où l'esprit créateur se rencontre lui-même dans ce qu'il a créé. L'œil qui plonge dans l'univers, c'est l'œil même de l'univers.*

Il y eut quelques minutes de silence. Puis il dit :

– Trèfle ou carreau ?

– Carreau, bien sûr !

J'entendis qu'on remplissait deux verres. Je m'attardai encore un moment, mais il ne se passait plus rien, et je me retirai le plus discrètement possible.

J'étais encore sous le choc, mais une partie du mystère était enfin résolue. Je venais d'avoir la preuve irréfutable que ces étranges phrases étaient quelque chose qu'Ana et José bricolaient ensemble chez eux, ou plus exactement sur leur terrasse. En tout cas, ils ne manquaient pas de culot, car les longues tirades que je venais d'entendre révélaient ce qu'on pourrait appeler une cleptomanie spirituelle, pour ne pas dire un piratage mental : ce ne pouvait pas être un hasard si leurs aphorismes commençaient à ressembler de plus en plus à ma propre vision de l'évolution. Non, ça ne pouvait pas être un hasard, pas après les discussions de la veille ni après la courte conversation que j'avais eue avec José quelques heures auparavant. Dès notre première rencontre, ils m'avaient cuisiné et m'avaient presque laissé exsangue de la moindre pensée.

Cependant, il restait plusieurs points à éclaircir. Je repensai à ce qu'avait dit Ana, « Carreau, bien sûr ! ». Carreau, Véra, et non trèfle ou pique. Que voulaient-ils dire ? Quel rapport y avait-il entre ces phrases et un jeu de cartes ? Et qui était « le Joker » et les « elfes en sucre » ?

Au fond peut-être avais-je assisté à une sorte d'atelier pour touristes célibataires de mon genre qui ne trouvaient rien de mieux à faire, l'après-midi, que de traîner dans la palmeraie ? Je ne pouvais exclure l'éventualité qu'ils avaient deviné ma présence, par exemple dans les minutes juste avant que j'arrive à proximité de leur terrasse.

Et puis il y avait Ana. Ah, si elle avait pu sortir de l'oubli où je l'avais plongée !

Je résolus de tirer l'affaire au clair. Je retournai d'abord dans mon propre bungalow, pris un stylo et du papier et m'assis sur le bord du lit. Je notai : *Plus le Joker se rapproche de l'extinction éternelle, plus il voit clairement l'animal qui le rencontre dans le miroir, quand il se réveille pour entamer une nouvelle journée. Il ne trouve aucun réconfort dans le regard désolé d'un primate qui a du chagrin. Il voit un poisson ensorcelé, un crapaud métamorphosé, un lézard malformé. Ceci est la fin du monde, pense-t-il. Ici, le long voyage de l'évolution se termine abruptement.*

Je me relus à haute voix, et j'entendis alors, sortant d'un pli du rideau :

— J'aime bien le passage avec « le lézard malformé ».

— Pourquoi ça ?

— Cela souligne en quelque sorte que c'est nous qui sommes à l'origine de tout.

— N'importe quoi ! Toi aussi, Gordon, tu es un poisson ensorcelé.

— Mais je ne suis pas malformé. Je n'ai pas une seule circonvolution en trop dans le cerveau, moi. J'ai un système nerveux qui correspond tout à fait à mon activité, ni plus ni moins.

— Alors, je pourrais peut-être remplacer par « lézard debout ».

— Je trouve que tu devrais garder « malformé », pas seulement à cause des replis inutiles de ton cerveau mais aussi compte tenu du rythme de la phrase. Sans parler de cette charmante association de termes.

– J'en ai une autre, dis-je, et je lus à haute voix, tout en écrivant :

– *Le Joker est un ange en détresse. Cela est dû à un affreux malentendu. Il devait revêtir un corps de chair et d'os et partager le destin des primates pendant quelques secondes cosmiques, mais il a retiré l'échelle céleste derrière lui. Si personne ne vient le chercher, l'horloge biologique va se mettre à tourner de plus en plus vite et il sera trop tard pour retourner dans le royaume des cieux.*

Je levai les yeux.

– Des sornettes romantiques, si tu veux mon avis.

– Je ne t'ai rien demandé.

– Et s'il n'y a pas d'éternité ?

– C'est précisément cette pensée qui m'exaspère tant. Et qui m'attriste aussi. Je suis un primate qui a du chagrin.

– Mais tu postules qu'il existe un ciel que les anges peuvent quitter pour s'incarner une petite journée, histoire de découvrir qu'ils sont si englués dans le marécage du monde temporel qu'ils n'arrivent plus à rentrer.

– Est-ce que je dois noter : « … si englués dans le marécage du monde temporel qu'ils n'arrivent plus à rentrer » ?

– Certainement pas. Il ne peut exister d'autre monde que celui-ci, et il se déroule à la fois dans le temps et dans l'espace.

– Comme si je ne le savais pas ! criai-je presque. C'est grâce à moi que tu le sais, d'ailleurs. Mais il y a un « comme si » sous-entendu, tu comprends ? Je suis *comme* un ange déchu, enfin, *à supposer* que les anges existent. Essaie seulement de te mettre à la place d'un ange déchu, perdu dans le marécage de la chair, qui découvrirait soudain qu'il a commis quelque chose d'irréparable et d'inéluctable, car il n'arrive pas à rentrer.

Tu imagines quelle terrible expérience ce doit être pour lui ? Faisant naturellement partie de la Création, il a la certitude que son existence ne prendra jamais fin. Il a toujours existé et a, pour ainsi dire, un contrat avec Dieu qui stipule qu'il en sera ainsi pour des siècles et des siècles. C'est là que se produit une faute, une *hamartia* — exactement comme ce drame avec la pomme dans le jardin d'Éden. Maintenant, l'ange se rend compte enfin que son statut a changé, et qu'il n'est plus qu'un ange biochimique, c'est-à-dire un homme, c'est-à-dire une machine mortelle à base de protéines tout comme le poisson et le crapaud. Il se tient devant la glace et comprend qu'à cause d'un simple malentendu il ne vaut désormais guère plus qu'un gecko.

— Nous ne nous sommes jamais plaints de notre statut ontologique, que je sache.

— Moi, oui !

— Parce que tu as une circonvolution de trop dans le cerveau.

— Je sais, d'accord. Alors que l'ange, non. Peut-être a-t-il exactement la même faculté de raisonner qu'un homme, suffisamment grande donc pour accueillir certaines représentations de cet univers, où il aurait dû, à la différence de nous autres, êtres humains, couler des jours heureux pour toute l'éternité. Voilà, la seule différence, elle est là. Vu sous cet angle, l'ange a une connaissance adaptée et correspondant à son statut cosmique. Moi, au contraire, j'en sais beaucoup trop pour quelqu'un qui ne fait que passer.

— Je ne vois pas à quoi ça sert de discuter de la faculté de raisonner des anges, alors que tu viens juste de reconnaître que tu ne croyais pas à leur existence.

Je fis celui qui n'avait rien entendu.

— Je suis de la race des salamandres, continuai-je. Si j'ai une ou deux circonvolutions en trop dans le cerveau, c'est précisément parce que cela ne fait pas longtemps que je suis ici. Le problème n'est pas tant d'ordre intellectuel qu'émotionnel, voire moral. Je trouve triste de devoir admettre la brièveté de la vie et de devoir accepter de laisser tout cela derrière moi. C'est une véritable provocation. Ce n'est pas juste.

– Tu pourrais peut-être utiliser ce temps qui t'est compté à autre chose qu'à te plaindre.

– Imagine que tu es parti pour un long voyage. En chemin, des gens que tu viens juste de rencontrer t'invitent à manger chez eux. C'est une invitation comme ça, en passant. Tu sais que tu ne reviendras jamais dans cette maison, ni dans cette ville d'ailleurs.

– Cela ne t'empêche pas de t'asseoir et de faire un brin de causette.

– Bien sûr. Mais tu n'as pas besoin de savoir comment tout marche dans la maison. Tu n'as pas besoin de savoir où se trouvent les passoires, les casseroles, les sécateurs ou les draps. Tu n'as pas besoin de savoir comment se débrouillent les enfants à l'école ou ce que les parents ont servi à leurs invités pour leurs noces d'argent, l'année précédente. J'aime visiter les lieux, et loin de moi l'idée de critiquer l'hospitalité des gens, mais me faire découvrir toute la maison de la cave au grenier, alors que je ne suis venu que pour une tasse de café, c'est trop.

– Comme les deux ou trois circonvolutions de ton cerveau.

Je repris, imperturbable :

– Si tu restes plusieurs mois, je ne dis pas ; ce sont des gens tout à fait sympathiques, sinon tu ne te serais même pas donné la peine de passer les voir, mais tu étais loin de te douter qu'ils parleraient autant d'eux pendant cette courte visite, qu'ils étaleraient, en détail, la perfection de leur vie, qu'ils décriraient leur villa avec chauffage par le sol et leur jacuzzi flambant neuf… En ce qui te concerne, tu as un avion à prendre, tu dois te rendre sur un autre continent. Tu es donc sur des charbons ardents, tu vas bientôt te lever et prendre congé, ton taxi doit arriver d'une minute à l'autre et tu ne reviendras jamais par ici... Ne me dis pas que tu ne vois pas à quoi je fais allusion ?

– Je commence en tout cas à comprendre que tu comprends trop.

– Trop, en effet, c'est ce que je n'arrête pas de te répéter. J'ai presque 99 % de mes gènes en commun avec un chimpanzé, et notre espérance de vie est à peu près la même, mais je ne crois pas que tu puisses imaginer tout ce que je comprends vraiment et tout ce à quoi il va falloir que je m'arrache. Je me représente, par exemple, très clairement l'infinité de l'univers et l'agencement des galaxies et de leurs bras, des étoiles – les étoiles en bonne santé, les fiévreuses géantes rouges, les naines blanches, ou les étoiles à neutrons –, des planètes et des astéroïdes. Je sais tout sur le Soleil et la Lune, sur l'évolution de la vie sur la Terre, sur les Pharaons et les dynasties chinoises, sans oublier tout ce que j'ai appris sur les fleurs, les animaux, les canaux, les lacs, les fleuves et les chaînes de montagne. Je peux te citer à brûle-pourpoint plusieurs centaines de villes. Je peux te donner le nom de presque tous les pays du monde, avec, en prime, une estimation de leur population respective. Je connais l'histoire des différentes civilisations, leur religion, leur mythologie, et même, jusqu'à un certain degré, l'histoire des langues et de certaines racines étymologiques communes, surtout à l'intérieur de la grande famille indo-européenne. Mais attention, j'ai aussi quelques notions de chinois, de japonais ou de diverses langues sémitiques. Et j'allais encore oublier tous les noms de lieux et de personnes que j'ai en tête. Ajoute à cela que je connais, sur le plan privé, des centaines de personnes : je pourrais sans hésiter te citer les noms d'un bon millier de mes compatriotes encore en vie sur lesquels je possède des informations, voire une biographie assez complète. Je ne vois pas pourquoi d'ailleurs je me limite aux Norvégiens, nous vivons à l'époque de la mondialisation et bientôt la place du marché sera à l'échelle de toute la galaxie. Il y a aussi beaucoup de personnes que j'aime sincèrement, et beaucoup de lieux, car nous ne nous attachons pas seulement aux individus mais aussi aux lieux. Songe un peu à tous les endroits de la Terre que je connais comme ma poche, et où l'on ne pourrait couper un buisson ou déplacer une pierre sans que je m'en aperçoive. Et puis il y a les livres, ceux dans lesquels j'ai puisé toutes mes connaissances sur la biosphère et l'univers, mais aussi les romans. J'ai l'impression d'avoir partagé la vie d'un grand nombre de personnages fictifs qui ont compté pour moi. Enfin, que serait la vie sans musique ? Dans ce domaine je suis presque omnivore ; j'avale tout, de la musique folklorique ou de la Renaissance à celle de Schönberg ou Penderecki, même si, je l'avoue – ce qui s'inscrit dans le tableau général que nous essayons d'esquisser –, j'ai un faible pour la musique romantique. Bien sûr, il y a Bach et Gluck, sans oublier Albinoni, mais la musique romantique a existé de tout temps. Platon déjà mettait en garde contre elle, car selon lui la mélancolie pouvait nuire à l'État. Il est clair qu'avec Puccini et Mahler la musique devient pure expression de ce que j'essaie de te faire comprendre, à savoir que la vie est trop brève et que l'homme est ainsi fait qu'il doit dire adieu à trop de choses. Si tu as déjà entendu *Abschied* ou *Le Chant de la Terre* de Mahler, tu vois très bien ce que je veux dire. J'espère par conséquent que tu as compris que la séparation, l'adieu proprement dit dont je parle, se déroule dans le même organisme exactement que celui qui a tout stocké.

Là-dessus j'ouvris ma valise de cabine, débouchai la bouteille de gin et la portai à mes lèvres. Rien là de bien répréhensible car je n'en bus qu'une gorgée et c'était bientôt l'heure du dîner, mais Gordon dit :

– Tu commences déjà ?

– Commencer ? Commencer quoi ? Je bois une gorgée parce que j'ai soif, ce n'est pas la peine d'aller chercher plus loin.

– Je me disais seulement que ton goût immodéré pour la boisson pouvait, dans le pire des cas, raccourcir encore un peu ta vie.

– C'est fort possible, je me rends bien compte du paradoxe, mais je ne te parle pas de devenir vieux, je te parle de l'éternité. Alors un an de plus ou de moins…

– Pour ma part, l'éternité est le dernier de mes soucis.

– Mais pas pour moi !

J'arrachai le bout de papier sur lequel j'avais écrit mes maximes personnelles, et sortis précipitamment du bungalow en claquant la porte derrière moi.

A grandes enjambées décidées, je me dirigeai vers la terrasse d'Ana et de José, mais je ralentis bientôt et quand je passai, enfin, devant leur bungalow, j'avais l'air de me promener là par hasard. J'avais plié mon bout de papier en quatre et l'avais fourré dans la poche arrière de mon pantalon.

– Tu veux un verre de vin blanc ? cria Ana.

– Oui, merci.

Elle alla chercher une chaise et un verre à l'intérieur. Quand chacun fut assis, son verre à la main, je laissai, songeur, mon regard errer dans la palmeraie en marmonnant quelque chose comme si je chantonnais une vieille comptine :

– *Plus le Joker se rapproche de l'extinction éternelle, plus il voit clairement l'animal qui le rencontre dans le miroir, quand il se réveille pour entamer une nouvelle*

*journée. Il ne trouve aucun réconfort dans le regard*
*désolé d'un primate qui a du chagrin. Il voit un poisson*
*ensorcelé, un crapaud métamorphosé, un lézard mal-*
*formé. Ceci est la fin du monde, pense-t-il. Ici, le long*
*voyage de l'évolution se termine abruptement.*

Silence total sur la terrasse, si total que j'en devins
nerveux. Je crus voir Ana et José échanger un regard,
mais sans un mot. Soudain Ana me demanda ce que je
pensais du vin.

J'étais sûr d'obtenir une réponse quelle qu'elle fût,
puisque mes propos devaient être considérés comme
une réaction à leur propre extravagance verbale de ces
derniers jours. Mais non, nous parlâmes des Fidji, de la
pluie et du beau temps.

Me frappa alors, je m'en souviens, l'horrible pensée
que toutes les paroles échangées entre Ana et José
étaient peut-être de même nature que mes longues
conversations avec Gordon. Ce qui équivalait à renverser toute la problématique ; dans ce cas, pourquoi
Ana et José ne commentaient-ils pas mon aphorisme
sur le poisson ensorcelé et le primate qui a du chagrin ? Les rôles se trouvaient d'un coup complètement
inversés.

Ou peut-être qu'ils se sentaient écoutés et espionnés,
alors qu'il n'était pas dans leur intention que je
comprenne ce qu'ils se récitaient ? Car ce que deux
amoureux se confient l'un à l'autre quand ils se bai-
gnent nus sous une cascade tropicale ne regarde personne ; il n'appartient à personne, en tout cas, de faire
de commentaires. D'ailleurs, je n'avais aucune raison
d'imaginer que les gens qui m'entouraient s'amusaient
à transformer en maximes plus ou moins poétiques les
conversations que nous avions ensemble.

Il me fallait en être sûr. Je venais de les remercier
pour le verre de vin quand une noix de coco tomba d'un

palmier. J'en profitai pour murmurer, assez fort quand même pour qu'ils soient obligés de m'entendre :

– *Le Joker est un ange en détresse. Cela est dû à un affreux malentendu. Il devait revêtir un corps de chair et d'os et partager le destin des primates pendant quelques secondes cosmiques, mais il a retiré l'échelle céleste derrière lui. Si personne ne vient le chercher, l'horloge biologique va se mettre à tourner de plus en plus vite et il sera trop tard pour retourner dans le royaume des cieux.*

De nouveau, grand silence. Une certaine gêne semblait régner sur la terrasse. Pas un mot, Véra, pas même un accusé de réception non verbal. Tu te doutes déjà que, cet après-midi-là, tout prit fin. Plus une seule fois, je n'entendis José et Ana déclamer quoi que ce soit, en ma présence. Quelque chose avait été détruit à jamais, et de manière tout aussi inéluctable que la déchéance de l'ange qui a perdu la clé lui ouvrant l'éternité.

Nous fîmes quelques pas ensemble dans la palmeraie. Ana prit son appareil photo et recommença à mitrailler. Ici aussi, je dus les photographier, en train de poser, par exemple, sous le palmier, avec la pancarte mettant en garde contre les chutes de noix de coco.

Dans le viseur, mon regard allait de leurs têtes aux noix de coco, de formes si similaires, et je me rappelle avoir pensé à la facilité avec laquelle on peut manipuler les images et faire circuler de fausses photos de nus sur Internet. Mais ce n'était pas sur une photo que j'avais vu le visage d'Ana. J'en étais sûr, même si je ne pouvais pas expliquer d'où me venait cette certitude.

# Rencontre au sommet
## sous les tropiques

En arrivant dans la salle de restaurant, ce soir-là, je découvris que toutes les tables avaient été rapprochées pour le dîner. La veille, dès la fin du service, nous avions discuté tous ensemble, et je supposai que le personnel avait voulu nous faire plaisir en nous mélangeant d'emblée. J'appris, plus tard, que cette disposition inhabituelle était une initiative de John Spooke ; comme le déclara Jochen Riess, le Maravu Plantation Resort se voulait une terre d'accueil pour voyageurs solitaires.

J'étais l'un des premiers et j'eus le temps de prendre une bière en compagnie de l'Anglais. Nous parlâmes des reptiles en Océanie, notamment des geckos, car John avait aussi quelques beaux spécimens dans sa chambre. Je ne soufflai mot de ma bouteille de gin, cela resterait un secret entre le propriétaire et moi. Je dois t'avouer que je lui parlai un peu de ma vie à Oslo et, donc, bien entendu, un peu de nous, et de Sonja aussi. Je lui dis que nous avions perdu un enfant dans un accident de la route.

Tôt ce matin-là, j'avais téléphoné au centre de conférences à Salamanque pour savoir si j'étais bien inscrit sur la liste des participants, et je n'ai pas pu m'empêcher de dire à John que j'avais ainsi appris que toi aussi, tu serais présente, mais que j'ignorais si cela te ferait plaisir de me revoir. De son côté, John me raconta qu'il

172

avait perdu sa femme Sheila, il y a quelques années, des suites d'une longue maladie. Visiblement, il lui avait été très attaché. Ah, la vie n'était pas toujours facile, là-dessus on était bien d'accord. Après plusieurs années de silence, l'Anglais avait fini par rassembler des notes pour un nouveau roman. Nous échangeâmes quelques généralités sur l'art et la culture, je confiai à l'écrivain que j'avais une prédilection pour les peintres espagnols, et tout particulièrement pour la somptueuse collection du musée du Prado. Il écarquilla les yeux comme si cela était de la plus haute importance.

Pendant que nous bavardions, les autres résidents étaient tous arrivés. Je me retrouvai assis à table entre Laura, à ma droite, et Evelyn, à ma gauche. Cette dernière avait, à sa gauche, Mark qui venait d'obtenir son diplôme d'avocat. En face de nous, il y avait Mario, John qui était donc en face de moi, Ana puis José. Bill présidait en bout de table, entre Mark et José.

Je vais essayer de m'en tenir à l'essentiel, concernant cette soirée, alors allons droit au but. Avant le dessert, John fit tinter son verre et se lança dans un long discours évoquant l'endroit où nous nous trouvions, les longues nuits tropicales si propices à l'inspiration – l'homme n'était-il pas aussi un animal tropical ? – et le plaisir qu'il avait eu à faire notre connaissance à tous, que nous ayons fait tout ce chemin depuis l'Europe, l'Amérique ou l'Australie. L'hôtesse de Maravu, Angela Kiess, déclara ensuite que c'était la première fois depuis des mois que les mêmes personnes se retrouvaient pour dîner deux soirs de suite, car il y avait toujours eu soit un départ, soit une arrivée dans le courant de la journée. En outre – et c'était là que l'Anglais voulait en venir –, nous avions tous, malgré nos différences, quelque chose en commun, oui, un dénominateur commun pour reprendre un terme mathématique. Bref, il avait réussi à échanger quelques

mots avec chacun d'entre nous en tête à tête et il ressortait de ces conversations que nous partagions tous, chacun à sa manière, un même intérêt pour ce qu'il avait
choisi d'appeler « le dilemme de l'homme moderne ».
Déjà, la veille, on avait un peu abordé ce sujet, encore
que les conversations soient parties un peu dans tous les
sens, ce qui, il espérait, ne serait pas le cas ce soir. Il se
proposait, en effet, de tenir le rôle du modérateur pour
notre petite réunion improvisée. Et de nous citer tous,
un par un, en faisant de son mieux pour qu'ensemble
nous ayons l'air d'une sorte d'échantillon représen-
tatif de l'humanité, réuni pour l'occasion sous le regard
des étoiles.

Après avoir, en conclusion, parlé de notre « rencontre
au sommet sous les tropiques », John put enfin laisser
libre cours à ses réflexions.

– Quand des hommes se rencontrent et qu'ils vont
passer quelques jours ensemble, que ce soit lors d'un
congrès professionnel ou sur une île du Pacifique Sud, il
est d'usage de décliner son identité, son lieu de résidence, et souvent quelques informations complémen-
taires comme son état civil, sa profession ou sa ville et
son pays d'origine. On découvre alors bien souvent
des amis, des centres d'intérêt, ou même des soucis
communs : un conjoint trop jaloux, un deuil récent, un
handicap physique ou une phobie particulière. Bon !

Je jetai un regard autour de la table. Sur la plupart des
visages se lisait un immense point d'interrogation.
Laura – qui ce soir-là portait un chemisier noir sans
manches et un jean au bas largement effrangé – posa une
main sur mon bras et me chuchota à l'oreille :

– Cet homme est un grand clown.

– Alors ! reprit l'Anglais. Dans ce genre de présentations, on essaie forcément de se mettre le plus possible
en valeur. Le physique, le statut social, l'aisance finan-

cière, le cercle de relations ou les dons artistiques, tout est bon pour se faire mousser. Tout l'art consiste en fait à se présenter sous son meilleur jour, avec le plus grand naturel, comme si ce n'était pas voulu, surtout pas ! Car l'homme n'est pas seulement un animal sociable, c'est aussi un animal vaniteux et je dirais même, le plus vaniteux des vertébrés qui soit. Regardez comme je suis beau et intelligent, voilà, pour résumer, ce que nous disons. N'allez pas croire qu'il y en a des dizaines comme moi. J'ai deux grands fils qui vont tous les deux à l'université et une fille de dix ans qui veut être actrice ou peintre. Ah, vraiment ? A propos, est-ce que je vous ai dit que notre fille venait de se marier avec le fils du maire de Liverpool ? Il est fou amoureux d'elle. Vous noterez au passage que j'ai une bonne petite situation. Eh oui, c'est le même nom que le consortium d'aciéries, c'est mon arrière-grand-père qui a fondé l'entreprise. Si j'ai lu Derrida ? Mais bien sûr, je me suis même passionné un moment pour un livre de Baudrillard. L'art, ah ! ne m'en parlez pas ! Nous avons un Monet dans la chambre à coucher, un Miró dans le salon, et nous venons d'acheter un miroir baroque que nous pensons accrocher au-dessus de la cheminée…

Il s'interrompit et s'exclama :

– Mais bon, ça suffit !

Je regardai encore une fois autour de la table et croisai d'autres regards. Personne ne voyait où il voulait en venir. En tout cas, c'est l'impression que j'eus sur le moment. Plus tard dans la soirée, je me demanderais s'il n'avait pas un complice.

– Il fait chaud, constata Bill. On pourrait peut-être commander quelques bouteilles de vin blanc ? Ou est-ce que j'offre le champagne ?

Mais John poursuivit :

– Tout cela mis à part, toutes ces robes, ces banquets,

cette poudre, ces épingles à cravate, ces revenus ban-
caires et ces miroirs baroques au-dessus des cheminées
– tout ce décorum purement social mis à part, donc –,
nous sommes tous conscients qu'il nous reste deux, dix
ans ou quelques dizaines d'années au maximum à vivre
sur cette planète. Sous cet éclairage, oui, sous cet éclairage, s'ouvrent à nous des perspectives, disons, existentielles, bien que nous abordions rarement le sujet. C'est
pourquoi je propose que, ce soir, nous essayions d'aller
au-delà de nos intérêts et buts arbitraires individuels
pour nous concentrer sur quelque chose nous concernant tous.

Je laissai échapper (sans doute à cause de ma conversation de la veille avec Gordon) :

– L'univers, par exemple.

J'avais juste murmuré cela pour moi, mais John prit la
balle au bond :

– Qu'a dit ce monsieur ?

– J'ai dit « l'univers, par exemple ».

– Parfait, absolument parfait. Il vient d'être fait une
proposition pour que nous choisissions ce soir le thème
de l'univers. Laissons de côté la politique partisane,
Linda Tripp et Monica Lewinsky, même si la question
reste posée : s'agissait-il, oui ou non, d'un havane ?
Nous ne sommes pas seulement, et par là j'entends
chacun d'entre nous, de purs produits de la société des
hommes. N'oublions pas que nous nous trouvons sous
un ciel incroyablement énigmatique, plein d'étoiles et
de galaxies, et que de nos propres satellites, il est
presque impossible de faire la différence entre un cigare
cubain interdit et un cigare brésilien inoffensif.

Je sentais que l'assemblée devenait nerveuse. Ana
et José, eux, étaient particulièrement attentifs, à moins
qu'ils n'aient été des membres associés au comité chargé
du programme. Je crois aussi que Laura commençait à se

prendre au jeu, bien qu'elle ait traité John de clown quelques minutes plus tôt. En revanche, Mark et Mario participaient visiblement à contrecœur à ce jeu de société, et Evelyn, qui faisait des études de pharmacie à Seattle, déclara tout de go qu'elle n'avait aucune notion d'astronomie et que, dans ce cas, elle ne voyait pas très bien l'intérêt pour elle de rester. Bill avait l'air tout à fait indifférent à ce qui se passait ; déjà, pendant le discours de John, il avait fait signe au garçon avec la fleur derrière l'oreille gauche et lui avait commandé je ne sais quoi. Quant à moi, je décidai de m'adapter à la situation et au Maravu Plantation Resort, qui se révélait être non seulement une terre d'accueil pour les individualistes mais aussi pour les grandes questions.

John, en bon professionnel, commença par chauffer son public en demandant à la ronde combien d'entre nous pensaient qu'il y avait de la vie ailleurs dans l'univers. Comme Evelyn refusait de répondre à cette question, l'assemblée se trouva divisée en deux groupes égaux, et John put tirer les premières conclusions de la soirée :

— Stupéfiant ! Je dois avouer que je suis impressionné par le jugement des personnes ici présentes. J'ai posé une question fondamentale sur les propriétés de cet univers et j'ai déjà récolté, au bout de quelques minutes, quatre bonnes réponses. Bien sûr, les quatre autres réponses sont complètement farfelues.

— Alors tu as les résultats ? lança Mario.

L'organisateur préféra l'ignorer et poursuivit :

— En effet, soit il y a de la vie ailleurs dans l'univers, soit il n'y en a pas. *Tertium non datur !* Penser que ça grouille peut-être littéralement de vie quelque part dans l'espace est susceptible de donner le vertige. Mais il se peut qu'il n'y ait de la vie que sur notre planète seule, ce qui, en fait, ne nous rend pas les choses plus faciles,

puisque cette pensée-là a aussi de quoi nous rendre per-
plexes. Quatre des participants ont donc donné une
réponse claire et précise à la question posée. Autrement
dit, les réponses aux grandes questions ne sont pas
nécessairement si compliquées que cela.

– Tu ne nous as toujours pas dit *qui* a gagné, dit Mario
d'un ton boudeur.

– Cela n'a absolument aucune importance, lui répondit l'Anglais. Ce qui m'importe, c'est de savoir que
quatre d'entre vous conçoivent correctement le problème de la vie extraterrestre.

Je ne pus m'empêcher d'intervenir mais regrettai
aussitôt mes paroles :

– C'est évident qu'il y a de la vie ailleurs dans l'univers, dis-je. Il existe des centaines de milliards de
galaxies, et dans chaque galaxie des centaines de milliards d'étoiles. Ce serait un incroyable gaspillage de
place si nous étions tout seuls.

– Intéressant comme remarque, fit José.

– Pourquoi ?

– Hier, tu as presque mis ta main au feu qu'il n'y avait
aucune intention derrière les processus naturels.

– Et je continue à le penser, dis-je.

Il balaya mon argument d'un geste de la main :

– Et aujourd'hui, cela serait un beau gaspillage de
place si nous étions tout seuls dans l'univers…

J'opinai de la tête. Je n'avais pas encore compris où il
voulait en venir. Puis le jugement tomba, Véra, car
maintenant il me tenait :

– Dans ce cas, tu pourrais peut-être nous dire comment
nous nous inscrivons, nous humains, dans ce gaspillage ?

Je ne pus m'en prendre qu'à moi-même, car il m'avait
piégé dans ma propre contradiction. Cela me frappa
brusquement que les premiers à utiliser l'argument du
« gaspillage d'espace » pour défendre la thèse de la vie

ailleurs dans l'univers étaient souvent les mêmes qui condamnaient toute idée d'intention dans les processus naturels. Mais si la vie sur Terre n'est due qu'au plus fou des hasards, il faut accepter que ce soit la même chose pour l'univers dans son entier.

John aborda ainsi toute une série d'autres problèmes d'ordre cosmologique en nous posant, chaque fois, une question qui divisait l'assemblée. Il voulut savoir si l'énergie cosmique avait toujours existé ou non, et dans ce dernier cas, si elle était apparue d'elle-même ou grâce à une quelconque forme d'acte créateur interne ou externe à elle. Il voulut encore savoir si l'univers allait continuer à s'étendre ou si la masse de l'univers était suffisante pour que celui-ci se rétracte à nouveau, ce qui entraînerait un nombre infini de grosses explosions donnant naissance à de nouveaux univers. Il nous demanda si, à notre avis, il existait une conscience transcendante ou si l'univers physique était le seul qui existât. Et l'homme avait-il une âme qui survivait d'une façon ou d'une autre à la mort cérébrale ou tout dans la nature était-il aussi éphémère ? Existait-il des formes de phénomènes supra-sensoriels ou ce genre de phénomènes n'étaient-ils qu'une pure invention, une simple survivance chez l'homme moderne d'un monde mythique ou en tout cas animiste ? A chaque fois, il notait soigneusement comment l'assemblée se partageait entre deux positions radicalement différentes, et prenait soin de nous rappeler que certains d'entre nous avaient donné la bonne réponse. Pas une seule fois, nous ne pûmes tous tomber d'accord.

– Eh bien, eh bien ! gémissait presque John avec son plus bel accent oxfordien avant de conclure systématiquement ses équations ontologiques du second degré par une locution latine : *Tertium non datur !*

Le serveur avec la fleur derrière l'oreille gauche nous apporta rapidement deux bouteilles de champagne, à la demande de Bill, et la conversation prit un tour nouveau. John voulait que nous fassions un tour de table où, l'un après l'autre, nous exposerions en quelques mots notre propre conception de la vie. Tous acceptèrent, même Evelyn qui s'était enhardie.

Ce fut José qui prit la parole en premier et toute son argumentation visait à défendre ce que j'appellerais une conception anthropocentrique du monde. Il pensait que l'univers n'aurait pas pu être plus petit que ce qu'il était – ou avoir d'autres propriétés que celles qu'il avait – pour créer un être humain. Ses conclusions étaient chaque fois plus que tirées par les cheveux, vu la faiblesse de ses arguments, mais il nous rappela que le cerveau de l'homme était peut-être la matière la plus complexe de tout l'univers, et qu'il était, au fond, beaucoup plus difficile à comprendre que les étoiles à neutrons et les trous noirs. En outre, le cerveau était constitué d'atomes qui avaient brûlé il y a fort longtemps dans des étoiles éteintes, et si l'univers n'avait pas été aussi grand, il n'aurait pas pu donner naissance aux étoiles et aux planètes, et même un micro-organisme n'aurait pas pu voir le jour. Sans Jupiter, par exemple, cette planète « stupide », nous ne serions pas là ce soir à discuter sérieusement. Car sans le champ de gravitation de cette planète géante, la Terre aurait été bombardée sans relâche par des météorites et des astéroïdes. Heureusement que le grand Jupiter agissait comme un aspirateur pour les forces du chaos ! Toute vie sans cela aurait été impossible sur Tellus, qui n'aurait pu développer ni la biosphère ni, en dernière instance, la conscience humaine. Il exposa tout ceci d'une manière qui me fit penser à la façon dont les anciens chefs des Fidji se comportaient avec leurs hommes-moustiques : la Terre était le chef de la tribu, les météorites le nuage de moustiques, et Jupiter, bien sûr, faisait office d'homme-moustiques. Il fallait bien admettre que ces derniers millénaires, Jupiter s'était attiré de sérieuses piqûres, et, aux dires de José, une seule d'entre elles aurait réduit à néant toute vie sur Terre.

– Prenons une planète vivante ! s'écria-t-il pour finir. La Terre est peut-être bien la seule, s'il n'existe pas d'instance pour éviter ce gaspillage de place. Mais on peut aussi penser que la masse de l'univers est juste suffisante pour créer une conscience capable d'avancer des théories comme celle-ci. Reconnaissez que cela prend du temps de fabriquer quelque chose d'aussi compliqué qu'un cerveau humain, ça ne se fait pas en quinze jours. Les applaudissements pour le big bang ne sont apparus que quinze milliards d'années après l'explosion.

Bill déclara que la science mettrait à jour tous les secrets de l'univers et de la matière, ce n'était qu'une question de temps. Mark souligna que la recherche serait de plus en plus financée par des multinationales et pour Evelyn qui avait une foi inébranlable, seul Jésus pouvait sauver l'homme et l'univers.

Puis ce fut au tour de Laura. Elle ne cacha pas que sa conception de la vie était largement inspirée de la philosophie indienne, en particulier des six écoles orthodoxes connues sous le nom de *vedanta*, ou plus précisément *keval-advaita*, pour reprendre le terme employé par Shankara, un philosophe indien du début du IXe siècle. *Keval-advaita* signifiait « l'absolu non-dualisme ». Elle proclama donc qu'il n'existait qu'une et seule réalité que les Indiens appelaient *brahman* ou *mahatma,* ce qui signifiait « esprit du monde » ou mot à mot « la grande âme ». *Brahman* était éternel, indivisible et immatériel. Cela apportait une seule et unique réponse à toutes les questions posées par John, puisque *brahman* était la réponse à chacune d'entre elles.

– Pitié, Dieu nous en garde, Laura, soupira Bill qui faisait montre d'un optimisme presque naïf vis-à-vis de la science.

Mais Laura garda son calme, répétant que toute diversité n'est qu'apparence. Quand nous avons l'impression chaque jour que le monde est multiple, cela est dû à un effet d'illusion, dit-elle, ou à ce que les Indiens, pendant des milliers d'années, ont appelé *maya*. Car ce n'est pas le monde extérieur, visible ou matériel qui est le vrai monde. Celui-ci n'est qu'une illusion semblable à l'illusion du rêve (comme un songe, il possède une certaine réalité pour celui qui en est captif), mais pour le sage seul *brahman*, ou l'esprit du monde, est réel. L'âme de l'homme est identique à *brahman*, poursuivit-elle, et c'est uniquement quand on comprend cela que disparaît l'illusion de la réalité extérieure. L'âme devient alors *brahman*, ce qu'elle a toujours été, mais sans en être consciente.

– Du coup, nous en avons tous pris pour notre grade, commenta John. Le monde extérieur n'existe pas et la diversité du monde n'est qu'apparence.

La taquinerie glissa sur Laura. Elle attrapa ses tresses noires et, nous regardant avec un sourire malicieux, elle continua sa démonstration :

– Quand vous rêvez, vous croyez vivre toute une série d'événements comme si vous étiez dans un monde extérieur. Mais tout, dans le monde enchanté du rêve, est produit par votre âme, oui, votre propre âme, et rien d'autre. Le problème, c'est qu'on ne s'en rend pas compte avant son réveil, et qu'alors le rêve a disparu. Il s'est entre-temps débarrassé de tous ses masques et apparaît comme il a toujours été, à savoir vous-même.

– Je ne connais pas bien cette philosophie, reconnut le modérateur, bien qu'elle soit aussi séduisante qu'extrême. Mais comme elle est, pour ainsi dire, impossible à contredire…

Il réfléchit un instant avant d'ajouter :

– Mais tu as employé le terme de *maya*, je ne me trompe pas ?

Laura acquiesça, et l'Anglais jeta alors un regard vers Ana, assise à sa droite. Je remarquai qu'elle baissait les yeux, tandis que José passait un bras autour de ses épaules pour la serrer contre lui.

– Nous croyons être huit âmes assises autour de cette table, reprit Laura, et cela repose sur la *maya*. En réalité, nous sommes huit facettes d'une seule et même âme. C'est l'illusion, *maya*, qui nous fait croire que les autres sont différents de nous. C'est pourquoi il est inutile d'avoir peur de la mort. Rien ne peut mourir. La seule chose qui disparaît, à notre mort, c'est l'illusion même d'être séparé du reste du monde – de même que ce que nous rêvons, nous le croyons séparé de notre propre âme.

John remercia Laura pour son intervention et se tourna vers Mario.

– Je suis catholique, se borna-t-il à dire et, d'un signe de la main, il fit comprendre qu'il ne souhaitait rien ajouter.

Mais l'Anglais ne comptait pas le laisser s'en tirer aussi facilement, et le marin italien dut s'exécuter :

– Vous pensez avoir défendu avec chaleur la réalité qui nous entoure, mais en vérité, vous êtes aveugles. Vous voyez toutes les étoiles et les galaxies, dites-vous, vous voyez l'évolution de la vie sur Terre, et vous prétendez voir l'héritage génétique. Vous voyez que l'ordre surgit du chaos et vous vous vantez même de voir, dans le passé, l'instant même de la création. Puis vous concluez en expliquant que vous détenez la preuve que Dieu n'existe pas ! Bravo !

Comme il ne disait plus rien, John l'encouragea à poursuivre et Mario céda une fois encore :

– Nous avons été un peu partout, maintenant, et nous n'avons pas vu l'ombre d'une divinité. Aucun dieu ne nous attendait au sommet de l'Éverest, aucune table n'était dressée sur la Lune en l'honneur de nos astronautes. Nous n'avons même pas réussi à établir de contact radio avec le Saint-Esprit. Mais pour jouer à cache-cache, ça, nous jouons à cache-cache. Ce que je veux dire, c'est qui a une conception naïve du monde ? Les théologiens ou les réductionnistes ?

Evelyn applaudit spontanément. L'Italien était lancé, maintenant. Il avoua qu'il avait été, dans sa jeunesse, professeur de physique et qu'il continuait à se tenir au courant grâce aux revues et à la littérature spécialisée. Puis il ajouta :

– Nous avons depuis longtemps analysé la biosphère, qui est composée uniquement de macromolécules, c'est-à-dire de protéines, en fait même pas, d'un cocktail d'acides aminés pour être précis. C'est désolant de constater le peu qu'il y a à dire sur la Terre en tant que corps céleste. Il y a juste eu une grande explosion qui a tout mis en branle. Il n'y a là rien de mystérieux, ni dans le décalage vers le rouge, ni dans le rayonnement cosmique en arrière-plan, ni dans l'espace courbe, ni dans quoi que ce soit d'autre. C'est de la physique, de la physique théorique. Il ne reste que la conscience, mais il n'y a pas lieu de s'en étonner davantage que du reste de la création. Elle aussi n'est qu'un assemblage d'atomes et de molécules mis bout à bout. Eh oui, elle aussi. La philosophie peut tranquillement prendre une année sabbatique, car il n'y a plus d'énigme à résoudre. Ou serait-ce la science qui aurait besoin d'une pause pour réfléchir ? Peut-être est-ce le chant du cygne pour elle ? La seule chose qui nous dérange actuellement – et quand je dis « nous », je dois préciser que nous constituons une minorité –, c'est le monde lui-même. Mais quelques arguments bien sentis, et lui aussi sera ébranlé. D'ici là, cependant, il est inamovible.

Evelyn battit des mains à tout rompre, José et Bill se contentèrent d'approuver de la tête.

Après Mario, ce fut au tour de John de prendre la parole.

– Vous l'avez compris, je crois qu'il existe des réponses simples à beaucoup des grandes questions que nous nous posons. Difficile de dire qui a raison. J'ai d'ailleurs essayé de vous démontrer, ce soir, que les questions d'ordre cosmologique se prêtent mieux à un jeu de société qu'à une analyse scientifique. La science nous a donné la loi de l'évolution, la théorie de la relativité, la physique quantique, sans parler de la théorie séduisante du big bang. Bon ! Tout cela est parfait. Reste à savoir si les sciences de la nature n'approchent pas bientôt de leur terme. Nous avons beau avoir établi la carte du génome humain – avec ses centaines de milliers de gènes –, nous ne sommes guère plus avancés. Cette carte donnera sûrement un nouvel élan aux biotechnologies et permettra peut-être de guérir un certain nombre de maladies, mais elle ne nous renseignera en rien sur ce qu'est la conscience ou pourquoi il existe une conscience. Et nous pourrions multiplier les exemples. Nous ne saurons jamais s'il y a, ou non, de la vie dans une autre galaxie à quelques centaines d'années-lumière, car nous ne serons jamais capables de franchir de telles distances. Et la théorie de l'évolution a beau progresser, nous ne pourrons jamais donner une explication scientifique à ce qu'*est* l'univers. Tenez, je vais emprunter à Laura une image, quand elle compare, en une allégorie remarquable, le monde extérieur à un rêve. Disons que si le monde est un rêve, ce que la science essaie d'analyser, c'est la matière dont est faite l'étoffe du rêve. On tente de mesurer les distances d'un bout du rêve à l'autre, mais tous les scientifiques s'accordent à reconnaître que le temps et l'espace disparaissent quand on regarde vers le bord extrême de l'univers ou bien quand on regarde dans le passé, vers le big bang, même si nous parlons en fait des deux faces d'une même chose, car plus nous voyons loin dans l'univers, plus nous plongeons en arrière dans son histoire. Nous essayons donc de nous orienter de notre mieux dans le rêve. Tout cela est fait avec ordre et méthode, et pourtant nous n'arriverons jamais à pénétrer de l'autre côté du rêve. Nous ne le verrons jamais de l'extérieur. Nous nous heurtons à la frontière du rêve, de la même façon qu'un autiste se cogne obstinément la tête contre un mur.

Je remplis de champagne la coupe de Laura.

– Tu décrètes donc qu'il nous est impossible d'aller un jour au fond des choses et de comprendre réellement ce monde dans lequel nous vivons ? demandai-je.

Il secoua la tête.

– Au contraire, je crois dur comme fer en l'intuition de l'homme. Mais si nous voulons briser l'énigme de l'univers, il faut nous mettre à l'œuvre mentalement, et pour ce que nous en savons, l'énigme est déjà légèrement brisée. Il est même possible – pourquoi pas ? – qu'elle soit déjà formulée sur un vieux parchemin rédigé en grec ancien, en latin ou en hindi. La solution à l'énigme universelle n'est pas forcément si compliquée que ça, peut-être se formule-t-elle en dix ou vingt mots. De même, je suis sûr que la théorie de la *maya* dont nous a parlé Laura est contenue dans quelques phrases. Vous avez apporté ce soir des réponses précises à une série de questions fermées n'admettant qu'une alternative. Simplement je ne crois pas qu'un quelconque instrument de mesure scientifique soit en état d'établir quelles réponses parmi celles que nous avons données sont correctes et lesquelles sont complètement farfelues. Et toi, Ana, quelle est ton opinion ?

C'était maintenant au tour de la jolie Espagnole. Elle resta silencieuse quelques secondes, les yeux perdus au loin, dans la nuit tropicale. Puis elle se redressa et dit d'une voix assurée :

— Il existe une réalité en dehors de celle-ci. Quand je mourrai, je ne mourrai pas. Vous me croirez tous morte, mais je ne serai pas morte. Nous nous rencontrerons tous ailleurs, bientôt.

Après cette déclaration s'acheva le jeu de société. La conversation prit tout d'un coup une autre dimension. Le malaise était perceptible autour de la table et je surpris José en train d'essuyer une larme.

— Vous croirez venir à un enterrement, poursuivit-elle, mais en réalité vous assisterez à une renaissance.

À présent, c'était moi qu'elle regardait avec insistance.

— Nous ne sommes que des esprits voyageurs en transit.

— N'en dis pas davantage, chuchota José en espagnol. Tu n'as pas besoin d'en dire davantage.

Toute l'assemblée avait les yeux rivés sur Ana pendant qu'elle parlait. Et puis il se passa quelque chose, Véra, qui te fera comprendre pourquoi je te parle tant de cette rencontre au sommet au Maravu Plantation Resort.

— Nous ne sommes que des esprits voyageurs en transit, répéta le modérateur.

Sur ce, il posa son doigt sur le front d'Ana en disant :

— Et le nom de cet esprit est Maya.

José eut un mouvement nerveux de la tête et passa un bras protecteur autour d'Ana. Il était clair qu'il n'appréciait pas cette dernière remarque. Ou peut-être n'appréciait-il pas, tout simplement, que l'Anglais se soit permis de toucher le front d'Ana ? Quoi qu'il en soit, sa réaction était difficile à comprendre.

– Bon ! Ça commence à bien faire, dit-il.

John se mordit la lèvre comme s'il se rendait compte tout à coup qu'il avait agi de manière irréfléchie. Malgré cela, jetant un regard furtif vers Ana, il ajouta comme s'il se parlait à lui-même :

– Il s'agit d'ailleurs d'une œuvre d'art.

José obligea Ana à se lever de sa chaise, et répondit sèchement :

– Merci ! Ça suffit !

Et, se tournant vers Ana, il lui dit en espagnol :

– On fout le camp !

Sur ce, ils disparurent dans la palmeraie et nous n'entendîmes plus parler du couple espagnol ce soir-là, il était plus de minuit.

Je crois me rappeler qu'il y eut une longue minute de silence avant que quelqu'un osât prendre la parole. Nous nous demandions tous ce qui s'était passé entre John et José. Ce fut Bill qui, se sentant trop oppressé, rompit le premier le silence.

– Vous savez ce que je crois ? dit-il avec un large sourire. Je crois qu'il y a quelque chose comme six milliards de causeurs sur cette planète qui vivent chacun en moyenne quatre-vingts ans. Cela fait beaucoup de blagues et de bons mots, mais aussi beaucoup de conneries.

Laura se leva lentement de sa chaise et fit quelques pas dans le restaurant. Près de nous, sur une desserte qui avait servi pour le dîner, plus tôt dans la soirée, se trouvait une carafe d'eau glacée. Elle s'en saisit, vint se placer juste derrière l'Américain, et tranquillement renversa le demi-litre d'eau, glaçons compris, sur sa nuque.

Bill resta sans réaction pendant au moins deux secondes, puis il bondit de sa chaise, agrippa le bras gauche de Laura, l'attira vers lui et la gifla.

Ce n'était pas un coup violent, mais il avait commis l'irréparable et je sentis disparaître l'élan de sympathie que j'avais eu pour lui. Il était clair que désormais l'Américain avait toute l'assemblée contre lui, et ça ne servait à rien de regarder les deux bouteilles vides de veuve-clicquot. Laura se contenta d'aller se rasseoir à sa place, sans dire un mot.

John voulut nous remercier tous pour cette soirée, et ajouta :

– Demain, nous n'avons peut-être pas besoin de prendre les choses tant à cœur.

Bill se leva de table, suivi de Mark et d'Evelyn, et je crois que le jeune couple américain prit presque la fuite, craignant qu'on n'en vienne encore aux mains. Mario avait déjà pris congé avant l'épisode de la carafe d'eau.

Je posai ma main sur la joue gauche de Laura.

– Ça fait mal ? demandai-je.

Elle secoua la tête.

– Ça n'avait pourtant pas l'air d'une petite gifle.

Elle dit :

– Il faut que tu acceptes de te perdre toi-même, Frank.

– Pardon ?

– Car ce que tu perds n'est rien comparé à ce que tu gagnes.

A la lumière des bougies sur la table, je fixai son œil marron. Tout au fond, une fine traînée de vert luttait pour ne pas être dévorée par le brun.

– Et qu'est-ce que je gagne ? demandai-je.

– Tu gagnes tout ce qui est.

– Tout ce qui est…, répétai-je.

– Ce que tu perds, dit-elle en acquiesçant, peut te paraître grand et important. Mais ce n'est qu'une illusion convulsive.

– Le « soi », tu veux dire. C'est ça qui est une illusion ?

– Seul le petit « soi », uniquement le soi illusoire. De

189

toute façon, c'est comme si on l'avait déjà perdu. Mais tu as un « toi » plus grand.

J'entendis quelqu'un qui s'approchait de nous dans l'obscurité, et quelques secondes plus tard, nous reçûmes, à notre tour, une pleine carafe d'eau sur la tête. Nous étions assis très près l'un de l'autre quand cela se produisit et j'en reçus donc au moins autant que Laura. Le temps de comprendre ce qui nous arrivait, le petit plaisantin avait disparu.

– Quel imbécile ! dit Laura, débordante de mépris.

Je me levai et secouai la tête. Ma chemise était trempée. Le chemisier de Laura aussi ; j'en étais presque gêné tant il moulait son corps.

– Mais nous avons peut-être toute la nuit devant nous, dis-je.

Elle leva les yeux et me fixa de son œil vert :

– Tu crois ?

– J'en suis sûr, dis-je.

Ce n'est qu'une fois rentré chacun chez soi que je me rendis compte que sa dernière question devait être une sorte d'invite.


J'avoue qu'il me tardait presque ce soir-là de retrouver Gordon. Il me donnait du fil à retordre, mais après tout il n'avait peut-être pas tout à fait tort quand il disait ne pas comprendre l'utilité de descendre tant de gin au moment de regagner son lit pour la nuit.

Il s'était installé sur le grand miroir à droite de la table de nuit, et à peine avais-je fermé la porte derrière moi que je l'entendis glisser d'un bord à l'autre du cadre. Je ne pouvais pas être sûr qu'il s'agissait bien de Gordon, car il y avait certainement d'autres geckos dans la pièce, mais je n'avais aucune envie de recommencer les présentations depuis le début. Dès que j'eus allumé la lumière, pas de doute, c'était lui. J'ai toujours été assez doué pour repérer les traits caractéristiques propres à chaque vertébré, et il y a, bien entendu, autant d'individualité chez les geckos que chez les êtres humains. Ils sont tous uniques à leur manière, voilà en tout cas, pensai-je, une réflexion qui aurait reçu l'assentiment de notre représentante du Wild World Fund. Gordon était un gecko catégorie poids lourds qui pouvait facilement envoyer au tapis tous ses congénères.

– Bon, je vais juste aller dormir, dis-je. Je préfère te prévenir tout de suite, comme ça tu ne seras pas vexé si je ne passe pas toute la nuit à discuter avec toi.

J'ouvris ma valise de cabine et sortis la bouteille de gin. J'en pris une bonne rasade : cela devrait suffire pour m'endormir.

– Je serais toi, je n'y croirais pas trop, fit Gordon.

– Hein ?

– Que tu vas directement aller te coucher. Je parie que tu vas en reprendre une autre gorgée.

– Ce n'est pas du tout dans mes intentions.

– As-tu passé une bonne soirée ?

– Je n'ai pas envie d'en parler. Si je commence à discuter avec toi, je ne suis pas sûr de savoir m'arrêter et ce sera comme hier. Tu sais très bien ce que je veux dire.

– Je t'ai juste demandé si tu avais passé une bonne soirée.

– Laura est panthéiste, capitulai-je, une sorte de moniste intégriste. Elle est ce qu'on pourrait appeler une vulgaire moniste.

– Une dame réveillée, autrement dit. Pas le genre à chanceler toute la journée dans un demi-sommeil comme certains. Et pas non plus le genre à se brosser les dents avec du gin.

– Elle nous a parlé de la *maya*. Ça va, je sais, tu peux garder tes commentaires.

– *Maya* est l'illusion même du monde, dit Gordon.
C'est elle qui fait apparaître, comme par enchantement,
l'illusion amère que nous ne sommes qu'un pauvre
« ego » séparé du Grand Soi, à qui il ne reste que
quelques mois, ou au mieux quelques années à vivre.
C'est également le nom d'un peuple d'Amérique centrale, mais nous nous éloignons de notre sujet…

– Je t'ai dit que tu pouvais me faire grâce de tes
commentaires. Mais José a eu une drôle de réaction
quand l'Anglais a posé un doigt sur le front d'Ana en
révélant qui elle était vraiment. « Le nom de cet esprit
est Maya », a-t-il dit et il a parlé d'une « œuvre d'art ».
C'était bizarre, vraiment bizarre. Mais elle aussi a réagi
d'une manière étrange. C'était comme si elle ne supportait pas d'en prendre pour son grade.

– *Maya* a une telle emprise sur certaines personnes
qu'il peut être douloureux pour elles de se réveiller.
C'est comme se réveiller d'un cauchemar.

– Bêtises. Tu n'as aucune idée de ce dont je parle.
Tu n'y étais pas, que je sache.

– Je suis partout, Frankie. Il n'y a qu'un « je ».

– Arrête de dire des idioties, tu veux ?

– J'exprime seulement l'affirmation la plus évidente
et la plus simple de l'univers.

– Qui est ?

– Il n'existe qu'un seul et unique monde.

– Là-dessus je suis d'accord. Il n'existe qu'un seul et
unique monde.

– Et c'est toi.

– Tu ne vas pas recommencer !

– Il faut que tu brises le cercle du « moi ». Ne peux-tu
pas regarder un peu plus haut que ton nombril, pour une
fois, et observer la nature autour de toi, cette cascade de
réalité magique où tout se tient ?

– J'essaie.

– Et que vois-tu ?

– Je vois une palmeraie dans l'hémisphère sud.

– C'est toi.

– Puis je vois Ana sortir nue du bain sous le torrent de Bouma.

– C'est toi.

– Je reconnais sa tête, mais pas son corps.

– Concentre-toi à présent.

– Je vois une planète vivante.

– C'est toi.

– Ensuite, je vois un univers terrifiant avec des milliards de galaxies et d'amas galactiques.

– Tout ça, c'est toi.

– Mais en sondant l'univers, je remonte aussi dans l'histoire de cet univers. J'étudie en réalité des événements qui, pour certains, ont eu lieu il y a plusieurs milliards d'années. Beaucoup parmi les étoiles que je regarde – à l'heure où je les regarde – sont depuis longtemps devenues des géantes rouges ou des supernovae. D'autres sont devenues des naines blanches, des étoiles à neutrons ou des trous noirs.

– Tu regardes ton propre passé. C'est ce qui s'appelle la mémoire. Tu essaies de te souvenir de quelque chose que tu as oublié. Mais tout ça, c'est toi.

– Je vois un système chaotique de lunes, de planètes, d'astéroïdes et de comètes.

– Tout ça, c'est toi, car il n'existe qu'une seule et unique réalité.

– Mais oui, je t'ai déjà dit que j'étais d'accord avec toi sur ce point.

– Le monde entier est fait d'une même matière, il n'existe qu'une seule matière essentielle.

– Et c'est moi ?

– C'est toi.

– Alors je ne suis pas un moins que rien ?

193

– Si seulement tu pouvais t'en convaincre ! Il faudrait que tu acceptes cette idée.

– Très juste. Pourrais-tu me dire pourquoi diable c'est si difficile ?

– Parce que tu ne veux pas renoncer à ton petit « moi », c'est aussi simple que ça.

– Les solutions simples ne sont pas toujours les plus faciles à appliquer. Vois comme il est difficile de se suicider, par exemple.

– C'est parce que ce n'est pas aussi primitif que ça.

– Primitif ?

– Cela suppose qu'on ait un « je » à perdre.

– C'est vrai, et le paradoxe est que je pourrais me suicider uniquement pour accélérer cette rupture trop difficile avec ce que je quitte. Il arrive qu'un enfant mange un morceau de chocolat simplement par peur qu'un autre ne le mange à sa place. Mais nous en avons déjà parlé. Toi, tu peux te débarrasser de ta queue si elle est attaquée. Moi, je ne peux pas pratiquer l'autotomie des deux ou trois circonvolutions en trop de mon cerveau. Je ne peux pas entrer en clinique et demander à être lobotomisé de la peur cosmique !

– Cela ne résoudrait rien de toute façon. Tu régresserais complètement, et tu n'aurais jamais l'occasion de te réveiller à nouveau, car à mon avis, tu as besoin de toutes les circonvolutions de ton cerveau pour mener à bien ce processus.

– Et c'est toi qui me dis ça ?

– En un sens, tu dois mourir. A toi d'oser franchir le pas.

– Mais ne viens-tu pas de dire que ce n'était pas la solution ?

– Si tu dois mourir, c'est au sens figuré. Ce n'est pas toi qui dois mourir. C'est seulement cette représentation bien trop complexe d'un « moi » qui doit mourir.

– Je commence à ne plus m'y retrouver avec tous tes pronoms.

– Tu as raison. Peut-être faudrait-il en inventer un nouveau ?

– Tu as une idée ?

– Tu as certainement entendu parler du pronom qu'on appelle *pluralis majestatis* ?

– Évidemment. Par exemple quand un roi ou un empereur parle de son éminente personne en disant « nous ». Le pluriel de majesté, ça s'appelle.

– Eh bien je pense que nous aurions besoin d'un singulier de majesté.

– Pour quoi faire ?

– Quand tu dis « je », tu ne fais que t'accrocher à une représentation de ton ego, qui d'ailleurs est fausse.

– Tu commences à radoter.

– Et si tu essayais plutôt de penser à cette planète et à l'univers dont cette Terre est une partie organique ?

– J'essaie.

– Pense à tout ce qui est.

– Je pense à tout ce qui est.

– Et à toutes les galaxies, à tout ce qui a explosé il y a quinze milliards d'années.

– A tout ça, d'accord.

– Et puis, dis « je ».

– « Je ».

– Est-ce que c'était difficile ?

– Un tantinet. Mais c'était drôle aussi.

– Pense à tout ce qui est. Puis dis à haute voix : « Ceci, c'est moi ! »

– « Ceci, c'est moi ! »…

– Est-ce que tu as senti l'effet libérateur ?

– Un peu.

– C'était parce que tu as employé le nouveau pronom *singularis majestatis*.

– Ah bon ?

– Je crois que tu approches du but, Frank.

– Vraiment ? Je te suis reconnaissant pour la leçon, de toute façon.

– Je crois que tu peux devenir comme moi. En d'autres termes, sauvé. Et tout particulièrement sauvé des névroses ontologiques.

– Mais c'est que je n'y tiens pas, moi. Excuse-moi, mais là, tu deviens un peu lourd.

Je rouvris la valise et bus une bonne rasade d'alcool. Je savais qu'il m'attendait au tournant, et, bien sûr, ça n'a pas loupé :

– Avoue que tu te connais mal.

– Ça dépend à quel type de pronom tu penses maintenant.

– Il n'y a pas si longtemps, tu m'as assuré que tu irais te coucher sans reprendre une goutte d'alcool.

– Oui, mais après, tu t'es mis à parler. Tu as presque réussi à me faire tomber dans le panneau. Tu m'as presque donné envie d'être un gecko.

– Entends-tu ce que tu dis ?

– J'ai dit que tu t'étais mis à parler.

– Non, je veux parler du pronom que tu as employé. Qui s'est mis à parler ?

J'étais coincé. Encore une fois il m'avait eu. *Stricto sensu*, j'avais mené toute cette conversation tout seul.

– Tu te connais vraiment trop mal, poursuivit-il. Sans compter que tu ne sais même pas ce que tu veux.

– Je reconnais sur ce point une certaine faiblesse de ma part, concédai-je.

Je sentais que cet aveu ne m'entraînerait pas trop loin. Tout bien considéré, il n'était pas si nécessaire que cela de chercher à dissimuler quoi que ce soit à un gecko.

– Mais il y a aussi autre chose.

– Va, je t'écoute.

– Tu te parles à toi-même.

– Tu es vraiment obligé de me le rappeler ?

– Tu te mords la queue, Frank. Je te recommande vivement une autotomie.

– Alors tais-toi !

– Tu te parles à toi-même.

– Hein ?

– L'esprit du monde aussi.

– Pardon ?

– L'esprit du monde se parle à lui-même. Car il n'y a qu'un seul et unique esprit du monde.

– Et comment s'appelle cet esprit ?

– Toi-même.

Je méditai un moment sur ce qu'il venait de me dire. Puis je dis :

– Dans une prochaine vie, j'étudierai peut-être la grammaire. Que penses-tu du titre suivant pour une thèse : « Identité et statut ontologique. Tentative d'analyse du tout nouveau pronom *singularis majestatis.* »

– Et pourquoi pas ? Cela voudrait dire que la science du langage aurait atteint son stade positif. En effet, tous les autres pronoms sont purement et simplement de la *maya*.

– Et Ana est *maya*.

– Elle aussi, oui.

– Car elle se parle à elle-même.

– Et qui conversait, par exemple, au V<sup>e</sup> siècle avant Jésus-Christ ?

Je répondis :

– Tout au début il y eut Socrate et ses disciples, puis Platon et ses élèves, et enfin Aristote et Théophraste, qui, sur l'île grecque de Lesbos, avaient certainement d'allègres et passionnantes discussions sur les geckos à demi-doigts…

– Crois-tu ?

– Ne me dis pas que l'histoire aussi est une illusion ?

– L'histoire est l'esprit du monde qui se parle à lui-même. Dans l'Antiquité aussi, bien que ce fût en délirant. Elle venait juste de se réveiller.

– Tous ces gens se promenaient sur l'agora d'Athènes. Socrate était un être de chair et de sang, un être qui fut condamné à mort parce qu'il recherchait la vérité. Des amis en larmes l'entouraient. Serais-tu complètement dépourvu d'empathie ?

– Je n'ai pas dit que l'esprit du monde a été de tout temps aussi réconcilié avec lui-même. Je n'ai pas dit, non plus, qu'il a toujours été aussi heureux.

– Balivernes !

– Tu peux encore remonter plus loin dans le temps. Qui se réunissait sur l'agora, il y a des centaines de millions d'années ?

– Tu le sais très bien. Les dinosaures évidemment.

– Peux-tu me citer le nom de quelques-uns d'entre eux ?

– Évidemment. De beaucoup, même.

– Eh bien, vas-y !

– Tu veux savoir le nom de l'espèce ou le nom de la famille ?

– Tu n'y es pas du tout, je veux connaître leur nom propre.

– Mais ils n'en avaient pas, tu oublies que c'était la préhistoire.

– Au fond, cela n'a pas grande importance, car ils n'étaient rien d'autre qu'un coin paumé de l'esprit du monde qui s'est trouvé projeté sous les feux de la rampe. C'était avant que l'emprise de *maya* soit totale, avant que ces deux ou trois circonvolutions dans le cerveau soient de trop, en d'autres termes avant l'illusion mentale de l'homme qui pose un « moi » et un « toi ». A cette époque-là, l'esprit du monde était un et indivisible, tout était *brahman*.

– Les dinosaures étaient *brahman,* et n'étaient pas aveuglés par *maya* ?

– C'est ce que j'essaie de te faire comprendre.

– Aujourd'hui, en tout cas, ils s'appellent Shell et Texaco. Les tétrapodes sans nom sont désormais en orbite, ils sont le sang noir de l'esprit du monde. As-tu songé à cela ? As-tu songé que nos voitures roulent avec le sang du carbonifère ?

– Tu es un incorrigible réductionniste. Mais tu touches du doigt quelque chose de juste.

– Va, je t'écoute. Moi aussi j'aime bien aller au fond des choses.

– Si tu t'étais trouvé sur cette planète il y a cent millions d'années, tu aurais eu – à cause de ces extra-circonvolutions du cerveau – l'illusion mensongère que tous les vertébrés sur la place du marché étaient une flopée d'individus isolés. Tu aurais considéré les plus grands d'entre eux comme d'énormes bêtes à ego.

– J'ai un vrai don pour repérer les traits individuels de chacun, c'est vrai. Mais pour ce qui est de ces énormes bêtes, je te laisse seul juge.

– Mais aujourd'hui elles se sont fondues en un seul ensemble pour donner naissance aux grandes compagnies pétrolières. Elles s'appellent Shell ou Texaco. Le plein, s'il vous plaît !

– Ça, je l'ai déjà dit !

– Voilà ce qui t'attend. Le plein, s'il vous plaît !

– Compris. A moins que je ne me réveille et trouve une autre issue.

– A moins que, en effet.

– Il ne me reste plus tellement de temps. Ce n'est pas chez moi, ici. Je suis un ange en détresse bien trop profondément incarné.

Je me dirigeai encore une fois vers ma petite valise noire.

– J'espère que demain sera un autre jour, dis-je.

Pour la troisième fois de la soirée, je portai la bouteille à mes lèvres et bus un ou deux décilitres. Cette fois, je me montrai fort généreux et n'éprouvai aucune mauvaise conscience. Avec les perspectives que Gordon venait d'esquisser, je n'avais plus le choix. D'ailleurs qu'était une petite gueule de bois à l'échelle de tous ces millions et milliards d'années ? Le seul moyen d'échapper aux perspectives compliquées de cette nuit, c'était de dormir. Après, c'était une toute nouvelle journée qui commençait, avec ou sans gueule de bois.

Je m'étais préparé à une engueulade en bonne et due forme, mais Gordon dit seulement :

– Je suis déçu, Frank. Ou plus exactement, tu t'es déçu. Tu t'es déçu toi-même.

– Eh bien, si ce n'est que ça, soyons déçus. Et partageons-en la responsabilité.

– Tu avais dit que tu allais directement te coucher. Et tu avais aussi dit que tu laisserais ta bouteille de gin là où elle était, sans te resservir.

– C'est vrai, oui. Et toi tu avais avoué que, sincèrement, tu n'y croyais pas.

– Je suis quand même déçu.

– C'est facile à dire, pour toi. C'est sacrément facile de faire la morale aux autres quand, soi-même, on n'a aucune inclination pour les excès et que, de toute façon, on ne pourrait pas y avoir accès. Ce n'est pas toi qui as eu le big bang en cadeau de baptême. Ce n'est pas toi qui es condamné à mesurer les années-lumière de l'univers à l'aide d'une caboche poussée trop vite et bourrée de neurones. Ce n'est pas toi qui sens les distances de l'univers presser dans ton petit cerveau comme un chameau qui tenterait de passer dans le chas d'une aiguille.

J'ôtai ma chemise et me mis au lit. Puis je continuai :

– Crois-tu que le ciel me récompensera si je vends

toutes les galaxies et en distribue les bénéfices aux pauvres ?

— Je ne sais pas, répondit-il. Ce n'est peut-être pas plus facile pour un primate postmoderne de prendre congé de ce monde que ça ne l'était, en son temps, pour un rabbin juif de le sauver.

— Bon, bon. Et blablabla… En tout cas, pour moi, c'est l'extinction des feux.

— Mais tu ne t'endors jamais vraiment.

— J'en ai bien l'intention, pourtant. J'avais pensé limiter ma consommation à un décilitre et demi. Mais ce soir, avec trois, ça va. Le compte est bon.

— Tu sais que je suis réveillé même quand tu dors.

— Fais comme chez toi.

— Donc ce n'est pas tout toi qui dors.

— Peuh !

— Car il n'y a pas quelque chose comme un « moi » et un « toi ». Tous les deux, on ne fait qu'un.

— Très bien, alors n'oublie pas de me réveiller pour le petit déjeuner.

— Comme il vous plaira, monsieur. Mais, en réalité, tu te réveilleras toi-même.

Sur ce, escaladant le miroir, il remonta à toute vitesse le long du mur pour se réfugier au plafond, juste au-dessus de mon oreiller.

— Qu'est-ce qu'il y a encore ? demandai-je.

— Tu ne m'avais pas demandé de te réveiller pour le petit déjeuner ?

Je me retournai simplement de l'autre côté. Je trouvais que la journée avait été longue. Et puis je n'aimais pas l'idée que l'esprit du monde pouvait me chier dessus.

# Le pigeon à gorge orangée

Je dois t'avouer, Véra, que je songe encore parfois, avec nostalgie, aux incroyables joutes oratoires que nous avons eues, Gordon et moi. Pourtant, je n'ai pas rompu tout contact avec lui, puisque même ici, à Madrid, j'ai parfois, avec un plaisir mitigé, l'impression de renouer le fil de nos longues conversations. C'est souvent le cas avec les amis qui, un jour, ont exigé que vous donniez davantage de vous-même. Longtemps après qu'on les a perdus de vue et alors qu'il n'y a plus eu le moindre contact physique depuis des années, ils réapparaissent brusquement.

J'ai veillé toute la nuit pour écrire. Puis j'ai dormi quelques heures et j'ai fait une petite promenade matinale, passant devant le Ritz et remontant jusqu'au parc du Retiro avant de revenir prendre mon petit déjeuner en bas, à la Rotonde. Le personnel me connaît bien. Il suffit que je me place devant le passe-plat de la cuisine – le chef est renommé pour ses omelettes – pour qu'on me serve illico deux œufs sur le plat cuits des deux côtés avec des tranches de bacon et une louche de haricots blancs à la tomate.

Ma dernière journée à Taveuni fut surtout marquée par mon agréable rencontre avec les anciens du village de Somosomo. Je n'avais pas tout à fait renoncé à mes recherches et désirais mieux connaître les dispositions qui avaient été prises ces dernières années pour préserver l'habitat ancien ainsi que certaines espèces végétales et animales endémiques. On me raconta, tout à fait incidemment, que le premier gouverneur anglais aux Fidji avait été le légendaire Sir Arthur Gordon, qui fut en poste de 1875 à 1880. J'avais déjà sûrement entendu ce nom, mais, sur le moment, cela me fit un choc : « the Garden Island » (l'île-jardin) ressemblait de plus en plus à « the Gordon Island ». La tendresse toute particulière que je porte au Gordon's London Dry Gin est, comme tu le sais, beaucoup plus ancienne que cela. Je sais, Véra, que tu ne me crois pas, mais je bois presque uniquement quand je suis en déplacement. Je n'ai jamais été doué pour la vie en solo. De toute façon, tu t'étais débrouillée pour déléguer à Gordon une partie de tes responsabilités. J'avais parfois l'impression de t'entendre, toi.

J'avais un peu le vertige et je me précipitai à l'épicerie du village en demandant s'ils vendaient des vitamines. A la vue d'Ana et José qui faisaient déjà la queue à l'intérieur de la modeste boutique pleine à craquer, je crus bien tomber dans les pommes. Nous en sortîmes ensemble et, comme c'était peut-être la dernière fois que nous étions tous les trois, je pris mon courage à deux mains et tentai une dernière confrontation avec les deux Espagnols. Fait curieux, ils se parlaient presque à voix basse cet après-midi-là. Peut-être était-ce la conséquence du comportement inqualifiable de l'Anglais la veille, mais tant pis, je n'avais pas le choix. Je partais le lendemain dans la matinée et je ne reverrais probablement jamais plus Ana et José.

José alluma une cigarette et Ana déboucha une bouteille d'eau en plastique. J'interprétai cela comme une invitation à bavarder avant que chacun reparte de son côté. J'attaquai d'entrée de jeu. Regardant Ana droit dans les yeux, je dis avec l'air le plus dégagé possible :

– C'est drôle, mais j'ai vraiment l'impression qu'on s'est déjà vus quelque part.

José réagit immédiatement en la serrant contre lui, ce qui me rappela la scène de la veille au soir. Elle leva les yeux vers lui, comme si elle devait lui demander la permission de répondre.

– Tu ne te souviens plus où ? demanda-t-elle.

– J'ai vécu un certain temps en Espagne.

– L'Espagne compte cinquante-deux provinces.

– Comme le nombre de circonscriptions pour les élections de l'Assemblée nationale des Fidji, commentai-je.

Elle dit d'un ton moqueur :

– Tu étais aux Canaries ?

– Je suis surtout resté à Madrid. Est-ce que j'aurais pu te voir là-bas ?

José devait trouver que la conversation virait un peu trop à l'interrogatoire, car il intervint :

– Les brunes sont légion en Espagne. Tu le sais bien, Frank, et Madrid ne fait pas exception à la règle.

Je ne détachai pas mon regard de celui d'Ana. Il me sembla y voir comme l'amorce d'une réaction. Ne venais-je pas de voir passer comme une lueur dans son iris, qui paraissait confirmer que ma mémoire n'était pas si défaillante que cela ?

– Tu as l'habitude d'être reconnue ? dis-je.

Elle regarda à nouveau José. On aurait dit qu'elle lui demandait l'autorisation de me confier un secret, mais sans avoir besoin de faire le moindre geste, il lui fit comprendre qu'il refusait. Elle répondit alors en me souriant gentiment :

– Tu as dû me voir à Madrid. Je ne peux vraiment pas t'en dire plus.

C'était une manière d'éluder ma question avec diplomatie. Elle savait parfaitement pourquoi je l'avais posée.

Ils avaient une voiture et devaient se rendre à Vuna Point, à la pointe sud-ouest de l'île. Ils proposèrent de me déposer en passant à Maravu, mais je déclinai leur offre et dis que je préférais faire les quatre kilomètres à pied en me promenant.

A la sortie du village de Niusawa, je rattrapai une jeune femme aux tresses brunes, vêtue d'un pantalon kaki trop grand, et d'un pull à manches longues moulant. Laura portait également un sac à dos en toile et arborait une sorte de casque tropical. Elle était crasseuse et en nage. Je compris qu'elle revenait de l'ascension du Des Vœux Peak, la deuxième plus haute montagne de Taveuni, qui culmine à près de douze cents mètres. Elle était visiblement à bout de souffle. Quand j'arrivai à sa hauteur, elle me gratifia d'un large sourire et la première chose qu'elle dit fut :

– Je l'ai vu !

Elle sautillait sur place, avec l'expression d'une enfant qui vient de voir une apparition. Avait-elle rencontré la vérité ? Ou une espèce locale de buisson ardent ?

– C'est complètement fou, m'expliqua-t-elle. Je l'ai vu là-haut sur la montagne juste après le lever du soleil.

Je ne savais toujours pas de quoi elle parlait, mais elle ajouta :

– J'ai vu le pigeon à gorge orangée !

– Tu en es sûre ?

– Je suis formelle.

– Au sommet du Des Vœux Peak ?

Elle fit oui de la tête et dit d'une voix entrecoupée :

– Et puis… je l'ai photographié… avec le zoom.

Je comprenais mieux à présent son excitation. Si elle disait vrai, c'était vraiment une prouesse, car le pigeon à gorge orangée, auquel se rattachaient tant de mythes, était extrêmement rare et j'avais lu qu'on n'avait jamais réussi jusqu'ici à le prendre en photo.

– Il n'est pas impensable que tu sois la première, dis-je d'un ton envieux.

– Je sais.

– Et peut-être aussi la dernière.

– Je sais, je sais.

– En tout cas, il faudra absolument m'envoyer un double de la photo.

Pour toute réponse, elle me tendit la main, ce que je pris pour une promesse, mais qui, plus prosaïquement, signifiait qu'elle avait besoin de mon adresse. Je donnais très rarement mes coordonnées aux gens que je rencontrais pendant mes voyages…

Nous reprîmes notre chemin.

– Tu aurais dû me demander hier si j'avais envie de t'accompagner, dis-je.

Elle rit.

– Je n'en ai guère eu le temps ! Tu t'es empressé de quitter la table pour regagner ton lit.

Laura m'expliqua qu'elle s'était réveillée bien avant l'aurore et était directement partie pour le village de Wairiki, au volant d'une voiture de location qu'elle avait pris soin de réserver la veille. Elle avait commencé l'escalade, longue de six kilomètres, une bonne heure avant que le jour se lève, avec pour tout équipement une machette et une lampe frontale. Car, si elle avait fait tout le voyage jusqu'ici, c'était pour voir le pigeon à gorge orangée, un point c'est tout.

Du sommet de Des Vœux Peak, elle avait aperçu en bas le lac de Tagimaucia au fond d'un volcan éteint situé au beau milieu de l'île. Le lac était plus ou moins recouvert de végétation flottante, et c'est seulement là que poussait la fleur nationale des Fidji, la tagimaucia, encore appelée *Medinilla waterhousei*, une fleur rouge avec des pétales blancs. Tandis que nous cheminions sur le sentier poussiéreux en évitant de marcher sur tous les crapauds écrasés, elle dit :

— Sais-tu comment est née la fleur de tagimaucia ?

Je l'ignorais, aussi me raconta-t-elle le mythe de Tagimaucia. Il était une fois, il y a bien longtemps, une princesse qui vivait à Taveuni. Son père, le chef du village, avait décidé qu'elle se marierait avec l'homme qu'il aurait choisi pour elle. Mais la princesse en aimait un autre, et, de désespoir, elle s'enfuit de son village et se réfugia dans les montagnes. À bout de forces, elle finit par s'endormir sur les rives du grand lac. Elle pleurait amèrement dans son sommeil, et les larmes qui ruisselaient sur ses joues se transformèrent en belles fleurs rouges. Ainsi furent créées les premières fleurs de tagimaucia, dont le nom signifie « pleurer dans son sommeil ».

Je croyais qu'elle me disait cela pour le simple plaisir de raconter une jolie histoire, mais elle ajouta :

— Il m'est arrivé exactement la même histoire.

— De pleurer dans ton sommeil, tu veux dire ?

Elle secoua la tête.

— Un mariage arrangé.

— Tu as été mariée ?

Elle fit un bref signe de tête.

— Mais il existe aussi une autre version du mythe de Tagimaucia.

Elle se remit à raconter. Il était une fois, il y a bien longtemps, une jeune fille qui vivait à Taveuni. Elle n'était pas très obéissante car elle jouait toujours au lieu de travailler. Un jour, sa mère perdit patience et se mit à battre sa fille avec une botte de feuilles de palmier. Elle lui ordonna de partir et lui dit qu'elle ne voulait plus jamais la revoir. Le cœur brisé, la jeune fille s'enfuit en courant le plus loin possible de la maison. Au plus profond de la forêt, elle trouva un arbre ivi entouré de pampres. Elle voulut l'escalader, mais se trouva vite prisonnière de ses branches. Elle pleura et pleura. Les larmes qui ruisselaient sur son visage se transformèrent en sang qui tomba sur les pampres et donnèrent naissance aux plus belles fleurs qui soient. Après un temps interminable, elle parvint à se libérer et se précipita chez elle. Sa mère s'était calmée entre-temps, et l'histoire finit bien. Mais les habitants de Taveuni pensent que la fleur rare est née des larmes de la jeune fille.

– As-tu aussi vécu la même chose ? demandai-je d'un ton moqueur.

Elle acquiesça, le visage grave, sans la moindre ironie.

– Être emprisonnée par les pampres ?

Elle secoua à nouveau la tête.

– Être rejetée par ma mère.

Sur ces mots, elle s'arrêta et se tourna vers moi.

– Je vais te confier quelque chose, Frank, dit-elle.

– Quoi ?

– Je n'étais pas une enfant désirée.

N'est-ce pas le cas de la moitié de la population mondiale, au moins ? pensai-je.

Je ne pus m'empêcher de noter qu'une petite larme jaillissait de son œil gauche. Je m'approchai d'elle. Elle posa la tête dans le creux de mon cou, et, au bout de quelques secondes, elle se redressa un peu pour me regarder droit dans les yeux. Je passai un doigt sur ses lèvres et quand elle toucha mon index avec le bout de sa langue, je me penchai vers elle et l'embrassai. Je la tins serrée contre moi et ne relâchai mon emprise que lorsque la manifestation de mes pulsions naturelles m'enjoignit, par pudeur, de me détacher d'elle.

Nous continuâmes notre chemin et, à mon tour, je lui racontai quelques mythes océaniens. L'un en particulier, qui avait de multiples variantes, mettait en garde les femmes contre les geckos : si l'une d'elles s'approchait trop près d'un gecko, elle risquait de donner naissance à un saurien. Je lui racontai aussi le mythe profondément tragique de Vérana.

Vérana était une belle jeune femme qui avait tant de prétendants qu'elle n'arrivait jamais à se décider. Elle passait son temps à se plaindre qu'il lui fallait plus de temps pour choisir. Un jour, un sorcier lui parla d'un philtre magique. Il suffisait qu'elle en boive la moitié pour avoir la vie éternelle, lui expliqua-t-il. Elle aurait ainsi tout le loisir de trouver l'homme avec qui elle souhaitait partager sa vie. Quand elle le rencontrerait, elle n'aurait qu'à lui faire boire le reste du philtre magique, et lui aussi aurait droit à la vie éternelle. Vérana se hâta de boire la moitié du breuvage et vécut de longues années sans parvenir à choisir un mari. Cent ans passèrent, Vérana restait toujours aussi jeune et belle, mais avec le temps il lui était de plus en plus difficile de décider à qui elle allait se donner. Elle comprit que la potion magique n'avait fait que lui compliquer la tâche. Non seulement elle avait trop de prétendants, mais elle avait trop de temps pour réfléchir, et savoir que l'élu de son cœur ne resterait pas à ses côtés pendant seulement une vie d'homme mais pour toute l'éternité rendait les choses encore plus difficiles ! Au bout de deux cents ans, Vérana avait eu tellement de soupirants qu'elle n'était plus capable d'en aimer un seul. Mais elle était condamnée à vivre éternellement et c'est ainsi qu'elle erre encore aujourd'hui de par le monde. Quand un homme tombe amoureux d'une femme qui n'arrive pas à se décider, il devrait se méfier, car il pourrait bien être tombé sous le charme de la froide Vérana tellement inapte au mariage. Beaucoup d'hommes ont donné leur cœur et leur jeunesse à Vérana, mais jamais personne ne l'aura.

Laura leva les yeux vers moi.

– La vache ! dit-elle seulement.

– Oui, comme tu dis.

Nous étions arrivés à la Prince Charles Beach. Nous descendîmes sur la plage, nos chaussures à la main, et alors que nous ramassions des coquillages l'un pour l'autre, nous tombâmes en arrêt devant une étoile de mer bleu marine. Pour Laura, c'était cette espèce qui avait donné son nom à la famille des échinodermes *Asteroidea*, car elle avait vraiment l'air d'une étoile. Peut-être existait-il un mythe parlant d'une étoile qui serait tombée du ciel et se serait transformée en étoile de mer. Sinon il suffisait d'en inventer un, car, me dit-elle, il n'est jamais trop tard.

Ce jour-là, il n'y eut pas beaucoup de place pour *maya* ou l'illusion du monde. Je trouvai que l'esprit de Laura était aussi divisé que la couleur de ses yeux. Elle avait dû voir le pigeon à gorge orangée avec son œil vert et lire la philosophie indienne avec son œil marron. Et c'était sans conteste son œil vert qui avait remarqué l'étoile de mer bleue, et l'autre qui niait toute valeur à l'être humain.

Nous remontions l'allée pentue qui menait à la palmeraie, lorsque Laura m'apprit qu'il y aurait ce soir une grande fête à Maravu avec plus de cent personnes invitées. C'était ce qu'on appelle un *gunusede*, c'est-à-dire un banquet à frais partagés dont les bénéfices sont reversés à une œuvre sociale. Dans le cas présent, l'argent devait permettre aux enfants pauvres des villages de faire des études. Les hôtes de Maravu étaient bien sûr conviés à la fête.

– Il faut que tu sois assis à côté de moi, dit Laura.

Quelques heures plus tard, je me retrouvai attablé en compagnie de Laura, John et Mario. On avait dressé quantité de petites tables dans la salle de restaurant et beaucoup d'autres invités étaient attendus dans le courant de la soirée.

En voyant Bill arriver, Laura avait précipitamment proposé la place libre à côté d'elle au marin italien. Le joyeux luron d'Américain dut, à contrecœur, se rendre à l'évidence, et alla s'asseoir à côté de parfaits inconnus. Mais cette défaite se transforma vite en victoire, car il ne fut pas long à se rendre compte que ses compagnons d'un soir n'étaient autres que le fameux Kapena, originaire de Hawaï, sa femme Roberta et un type amusant qui répondait au nom de Harvey Stolz.

Kapena, un homme imposant au visage musclé et bronzé, aux pommettes hautes et au sourire blanc et carnassier, était l'un des héros de la fête. C'était un célèbre pêcheur au gros qui, à l'âge de vingt-trois ans à peine, avait remporté le tournoi de Lahaina Jackpot en attrapant un énorme marlin de 1 202 livres. Il affichait à présent une quarantaine épanouie et avait pris sa retraite à Taveuni : il emmenait des touristes à la pêche dans le détroit de Somosomo à bord de son bateau high-tech, le *Makaira*. Le matin même, il était sorti pêcher les poissons pour la soirée ; c'était sa contribution à lui au *gunusede* de Maravu. Kai, le cuisinier de l'hôtel avait embarqué avec lui et son coéquipier Harvey, et avait préparé tous ces poissons dans les règles de l'art. Pendant le repas, Bill nous présenta à Kapena, Roberta et Harvey, et nous fûmes donc entraînés, malgré nous, à débattre de questions techniques auxquelles seuls un ingénieur géologue et un pêcheur en eaux profondes pouvaient trouver un quelconque intérêt.

Ana et José étaient assis à l'autre bout du restaurant, en compagnie, ce soir-là, de Mark et Evelyn. Dès qu'il avait fallu prendre place, les Espagnols avaient fait comprendre au jeune couple américain qu'ils aimeraient partager leur table ; peut-être était-ce une manière pour eux de se tenir à l'écart.

Après le dîner proprement dit, il y eut un petit chœur et un orchestre avec guitares et ukulélés. Ce dernier était composé des employés de Maravu – les jardiniers Sepo, Sai et Steni, le barman Enesi et les femmes de chambre Kay et Vere –, mais aussi de musiciens venus d'autres villages. Ils interprétèrent des chansons entraînantes à plusieurs voix sur divers sujets, la fleur Tagimaucia, Maravu ou encore sur ceux qui, surgissant des nuages, étaient venus sur l'île des différents coins du ciel. Nous eûmes droit aussi à plusieurs *meke*. Un *meke* est une sorte de danse traditionnelle au cours de laquelle des interprètes assis évoquent les vieilles légendes des Fidji avec force chants, mimiques appuyées et grands mouvements de bras.

Après le spectacle, Jochen Kiess s'approcha de notre table pour nous inviter à la cérémonie du *kava*. Le *kava* – ou *yaqona* – est une boisson enivrante, faiblement narcotique, fabriquée à partir de la racine du poivrier *Piper methysticum* et servi dans un grand bol en bois. On la boit dans des demi-noix de coco évidées. John, qui avait déjà goûté au *kava*, déclina l'offre, mais Laura avait lu dans son Lonely Planet qu'on ne pouvait pas refuser, que c'était le comble de l'impolitesse. Nous fûmes donc trois, Laura, Mario et moi, à nous retrouver assis par terre devant le bol de *kava*. Chaque fois que c'était notre tour de boire dans la demi-noix de coco, les autres tapaient dans leurs mains en criant : « *Bula !* »

Le *kava* n'a pas bon goût. On dirait de l'eau boueuse et, en y réfléchissant bien, cela en a aussi le goût. Après deux tasses, je ne sentais plus mes lèvres ; au bout de trois, je me sentais plus détendu qu'avant, mais aussi plus somnolent. Je me souviens avoir remarqué le manège de Bill qui tournait autour des buveurs de *kava* et qui parvint à glisser à Laura que le *kava*, c'était une saleté, et que les jolies filles comme elles ne devraient pas y toucher.

Laura me regarda dans les yeux, de son œil marron, je crois.

– Ça a quel goût ? demanda-t-elle.

J'allais dire que ça avait le goût de cinq milligrammes de valium, ni plus ni moins, mais elle ne m'en laissa pas le temps.

– Est-ce que tu sens que les illusions se brisent ?

– Peut-être un peu, répondis-je d'un ton moqueur. Il n'existe qu'un seul monde.

– Il n'existe qu'une seule conscience, *purusha*…

– C'est de la biochimie, dis-je, de la « religion instantanée ».

Je ne savais pas si elle comprenait ce que j'entendais par là, mais elle répondit :

– C'est aussi le cas pour la conscience quotidienne. De la pure biochimie. C'est ce qui nous fait croire à l'illusion de la matière, à *prakriti*.

– Drôle de mot.

– C'est un peu comme *maya*. Heureusement que certaines substances chimiques arrivent à anesthésier les parties du cerveau qui nous font croire à l'illusion du monde.

Il doit s'agir des deux ou trois circonvolutions du cerveau qui sont en trop, ajoutai-je pour moi-même.

Laura parla de beaucoup d'autres choses encore, mais je serais incapable de te rapporter précisément ses paroles. Je crois me souvenir qu'elle me confia éprouver, après celui qu'elle ressentait pour la philosophie védique, un attachement particulier pour la pensée *samkya*.

Je ne tardai pas à sentir l'effet diurétique du *kava*, aussi efficace d'ailleurs chez les femmes que chez les hommes, puisque c'est Laura la première qui avoua qu'elle avait un besoin urgent d'aller aux toilettes.

Nous reconnûmes d'un commun accord qu'il était assez comique de constater que l'esprit du monde, à peine avait-il retrouvé le chemin vers lui-même, devait se précipiter au petit coin pour vider sa vessie.

Un peu plus tard, nous reprîmes notre place à table, où John était resté boire une bière. Il aurait bien aimé, nous dit-il, que les clients de Maravu participent aussi à la fête.

– Ana est une célèbre danseuse de flamenco, dit-il. J'ai un peu surfé sur Internet, et même sans être un as en espagnol, il n'est pas difficile de comprendre qu'elle est la plus grande star de flamenco de Séville, *la Estrella de Sevilla*.

Je ne sais si c'est le *kava* qui me fit perdre la notion du temps, mais j'ai l'impression de m'être retrouvé, à peine une demi-seconde plus tard, devant la table du couple espagnol. Laura était notre porte-parole : est-ce qu'Ana accepterait de nous offrir une petite démonstration de flamenco ? Ce serait une grande joie pour nous, mais aussi une façon de remercier les danseurs fidjiens pour cette soirée.

– La réponse est non, dit José.

– *La Estrella de Sevilla...*, hasarda John.

Mais José, malgré l'espagnol, resta de marbre.

– J'ai dit que la réponse était non, répéta-t-il en aboyant presque.

Et Ana, Ana avait une expression si blessée, si douloureuse. Pourquoi réagissait-elle ainsi lorsque, gentiment, on lui demandait si elle avait envie de danser du flamenco ? Ou était-ce le refus catégorique de José en son nom à elle qui l'avait blessée ? Il me faudrait attendre plusieurs mois avant de connaître la réponse à ces deux questions.

Nous échangeâmes quelques plaisanteries pour détendre l'atmosphère, puis regagnâmes notre table.

Commença alors la danse en couple. Au fond cela ressemblait assez à ce qui se danse chez nous, dans les hôtels, au fond des fjords. Le chanteur interprétait des versions arrangées de grands tubes internationaux, dans ce qui était en réalité une sorte de karaoké. Les villageois étaient nombreux sur la piste de danse, il était clair que le *gunusede* de ce soir était un grand succès. Et quand on en vint aux mains, je me crus presque chez moi à Tønsberg, par une soirée d'été un peu animée. La seule différence, c'était qu'en Norvège il aurait fait clair toute la nuit, alors qu'à Taveuni il faisait nuit noire.

Nous étions donc attablés, John, Mario, Laura et moi. Mark et Evelyn ne tardèrent pas à nous rejoindre avec leurs propres chaises. Ana et José s'étaient assis par terre devant le bol de *kava*. Bill s'approcha bientôt, une bouteille de vin rouge à la main.

– Offert par la maison ! lança-t-il.

Il était près de minuit quand Laura se tourna vers moi.

– Viens, on se tire ! fit-elle.

Je n'avais rien contre. J'étais encore un peu dans les vapes à cause du *kava* – il faut dire aussi que j'avais beaucoup marché dans la journée – et je ne voyais pas bien l'intérêt de m'attarder plus longtemps au milieu de cette foule bruyante ; sans oublier que je devais reprendre l'avion le lendemain matin pour l'Europe. Nous nous levâmes en exprimant nos remerciements pour cette agréable soirée.

– Vous partez ? demanda Bill.

– Eh oui, dit Laura. On s'en va.

– Où ça ?

Inattendu comme question, non ? Et nous aurions été bien en peine de répondre, d'ailleurs. On ne sait pas toujours où l'on va quand on quitte un endroit. Allions-nous faire un tour dans la palmeraie ? Allions-nous prendre un bain de minuit sur la Prince Charles Beach ? Ou juste boire un dernier verre sur la terrasse, chez Laura ou chez moi ? De toute façon, ce n'était pas ses oignons, à cet homme ! C'était tout à fait sympathique de sa part de nous offrir constamment du vin, encore que quelqu'un comme lui qui avait travaillé avec Red Adair et aidé Apollo 13 à regagner notre Terre devait en avoir largement les moyens, mais de là à croire qu'on pouvait s'acheter des amis, pensai-je, ou quelqu'un comme Laura…

– Frank va me montrer son herbier, dit-elle.

– Je trouve que tu ne devrais pas, répliqua Bill.

– Je ne vois pas en quoi ça te regarde, rétorqua Laura.

Elle ne l'avait pas dit sur un ton provocant, plutôt en bonne camarade, avec quand même une pointe de moquerie.

– Vous pouvez très bien continuer à discuter ici, insista-t-il.

– On discute où l'on veut, protesta Laura, qui paraissait sur le point d'éclater de rire devant l'incroyable outrecuidance de ce type.

– Le vin, lui, est ici, poursuivit l'Américain. Délicieux, d'ailleurs, ce rioja.

– Une seule bouteille fera amplement l'affaire, dit Laura qui s'empara de l'une d'entre elles et s'enfonça dans la palmeraie.

– Tu n'as qu'à la mettre sur mon compte, lançai-je avant de rejoindre Laura en courant.

Nous nous retrouvâmes bientôt sur ma terrasse. Bill avait raison, le rioja était très bon. L'air tropical nous entourait comme une étoffe légère.

– C'est vraiment un drôle de type, commençai-je.

Elle secoua la tête :

– Bah, je connais ce genre d'individus par cœur.

– Vous vous êtes rencontrés à l'aéroport de Nadi ?

– Je n'ai pas envie de parler de lui, Frank. Il n'en vaut pas la peine.

– En tout cas, c'est quelqu'un qui n'a pas froid aux yeux.

Elle réfléchit un court instant. Puis elle lâcha :

– Bill est mon père.

Je posai mon verre et émis un sifflement.

– Bien sûr que c'est ton père, m'exclamai-je, quel imbécile je fais !

Elle ne répondit pas, mais elle tourna soudain la tête vers moi, et je pus voir dans son œil vert. Je pensai brusquement qu'elle avait dû naître avec deux yeux verts et qu'en grandissant, l'un avait viré progressivement au marron. Peut-être que l'autre œil allait connaître un sort identique.

J'étais vexé de ne pas avoir deviné que Bill et Laura étaient tout simplement un père et sa fille en vacances ensemble en Océanie. Du coup, tout s'expliquait : la passion de Laura pour son Lonely Planet, le fait qu'il se soit assis à sa table le premier soir, qu'il paie le vin, qu'il ait réussi à la calmer, rien qu'en posant une main sur sa nuque, qu'elle l'ait poussé dans la piscine, qu'il se soit assis sur la chaise longue où était posée sa serviette, qu'elle ait osé renverser toute une carafe d'eau sur sa tête parce qu'il en avait assez de l'entendre faire son exposé sur *maya* et l'âme du monde. Et bien sûr, c'était pour cela qu'il l'avait mise en garde contre le *kava* et avait essayé de la dissuader de partir avec moi.

– C'est lui qui t'a obligée à te marier ?

– Disons que c'est lui qui a tout arrangé. Il a dirigé ma vie depuis que je suis toute petite. Il a trouvé pour moi un bel homme d'affaires, un collègue à lui, d'ailleurs. Et j'étais une gentille fille, bien obéissante. Je me suis mariée en blanc avec deux cent soixante invités, pour la plupart des employés de sa société.

– Je croyais que ça n'existait plus, ce genre de choses.

– J'étais une gentille fille, je ne voulais pas décevoir papa.

– Même si tu n'étais pas une enfant désirée ?

– Je n'ai jamais eu de mère. Je n'avais que papa.

– Mais cet après-midi, tu m'as bien parlé de ta mère, tu m'as dit qu'elle t'avait rejetée – exactement comme dans le mythe de Tagimaucia ?

– C'est pour ça que je dis que je n'ai jamais eu de mère.

– Elle vit encore ?

Elle fit signe que oui.

– Avec ton père ?

Nouveau signe de tête affirmatif.

– Ça fait combien de temps que tu as divorcé ?

– Quinze jours.

– Depuis que tu es divorcée ?

– Depuis que je l'ai quitté. Je suis partie pour l'Australie. Puis papa est venu à Adelaïde, il trouvait que nous devions faire un voyage ensemble.

– Il voudrait que tu retournes auprès de ton mari ?

– Évidemment. Il m'a vendue à lui.

– C'est ton père qui t'a donné la bourse ? La fondation, c'est lui ?

Elle fit oui de la tête.

– Tu l'aimes, ton père ?

Elle prit son verre et but une gorgée de vin. Puis elle déclara avec force :

– Énormément.

Elle but une autre gorgée et ajouta :

– Mais c'est un imbécile. Un abruti de première.

Pas de doute, elle l'aimait passionnément. Bill et Laura offraient l'exemple d'un lourd cas de surprotection, d'attachement paternel et de complexe d'Électre dans les grandes largeurs. Au fond, avec mon image du tigre et du dompteur, je n'étais pas si loin de la vérité que ça.

Tout en finissant la bouteille de rioja, nous reparlâmes de l'âme du monde. Son œil marron ne me lâchait pas.

Il était clair que ni son engagement pour la défense de l'environnement ni sa philosophie de l'unité n'étaient profondément ancrés en elle. D'un œil, elle était une sorte de philosophe intégriste, de l'autre une jeune femme sensuelle et pleine de vie qui savait apprécier les oiseaux rares, les vieilles légendes et les étoiles de mer bleues. Mais le vert et le brun, chacun à sa façon, m'avaient apporté quelque chose.

Quand la bouteille fut vide, nous allâmes à l'intérieur. Et… bon… Laura passa la nuit chez moi.

Dès que j'avais poussé la porte pour aller chercher des verres dans le réfrigérateur, j'avais vu Gordon en faction sur le mur. Pendant que Laura était dans la salle de bains, je me dirigeai vers lui, et dit, en lui adressant un regard sévère :

– Et cette nuit, tu fermes ta gueule, compris ? Cette nuit, tu me lâches les baskets.

Je ne touchai pas à la bouteille de gin, et ce n'était pas seulement pour montrer à Gordon de quoi j'étais capable.

J'imagine que tu te demandes pourquoi je te raconte tout cela à propos de Laura. Je te rappelle que c'est toi qui as insisté sur le fait que nous ne devions plus nous sentir liés l'un à l'autre. Moi, je pensais, au contraire, que nous devions attendre un an avant de nous engager éventuellement dans une autre relation.

Après les terrifiants abîmes de réflexion que Gordon avait ouverts sous mes pieds, cela me fit un bien fou de m'abandonner dans les bras d'un autre être humain. La seule pensée de devoir passer encore une nuit en compagnie de Gordon m'était insupportable. C'est cela, entre autres, dont je voulais te parler à Salamanque, mais tu as éclaté de rire : je devais avoir l'air comique, à te montrer du doigt ce couple sous le pont de Tormes en te disant qu'il s'agissait d'Ana et de José et que je les avais déjà rencontrés aux îles Fidji.

Quand j'ouvris les yeux le lendemain matin, Laura était déjà partie et je ne l'ai plus jamais revue. Au petit déjeuner, j'appris qu'elle et Bill s'étaient envolés au petit matin pour Tonga. J'avais eu le temps de lui communiquer mon adresse postale et mon e-mail, et, quelques jours avant de partir pour Salamanque, je reçus une photo au piqué extraordinaire, représentant le pigeon à gorge orangée si rare. Je dois t'avouer que je l'ai en face de moi, en ce moment, sur mon bureau au Palace. Dans la lettre qui l'accompagnait, elle me disait être retournée chez son homme d'affaires ; il avait apparemment changé du tout au tout, et s'était même mis à lire la *Bhagavad-gîta*.

Mon avion pour Nadi devait décoller vers les deux heures de l'après-midi. J'avais ensuite une correspondance pour Los Angeles à huit heures et demie du soir. Je fis ma valise avant de sortir prendre le petit déjeuner. Bien sûr, Gordon ne put s'empêcher de se rappeler à mon bon souvenir, sans doute parce que, voyant la bouteille de gin que j'avais oublié de ranger dans ma valise, je m'étais laissé tenter. Il semblait ne pas avoir bougé de la nuit et était posté exactement au même endroit sur le mur que la veille au soir.

– C'est bien ce que je pensais, commença-t-il.

Je voyais bien à quoi il faisait allusion, et l'idée qu'il était resté là toute la nuit, l'œil grand ouvert, et avait assisté à cet autre genre de « débats » me déplaisait au plus haut point. Non seulement parce qu'il voyait mieux la nuit que le jour, mais parce que la nature l'avait ainsi fait qu'il ne pouvait fermer les yeux sur rien.

– Pourrais-tu être un peu plus précis ? dis-je malgré tout.

– C'était exactement comme nous.

– Je n'ai jamais dit le contraire. J'ai toujours dit et

répété que je n'étais qu'un vertébré. J'ai toujours été très clair sur ce point. Je suis un primate vieillissant.

– Non, ce que je veux dire, c'est : est-ce que tu la connaissais vraiment ?

– J'ai appris à la connaître.

– Est-elle mariée ?

– Elle l'a été, mais ça n'a pas marché.

– Vous avez le chic, vous les humains, pour répondre à côté.

– Tu dis n'importe quoi !

– Non, vraiment, vous êtes doués pour vous mettre des habits.

– Je croyais qu'on parlait justement du contraire.

– Tu comprends très bien ce que je veux dire.

– Je comprends tout ce que tu veux dire.

– Ce qui vous différencie le plus de nous, c'est que presque tout ce que vous entreprenez est une forme de déguisement.

– Écoute, si tu veux que nous parlions sérieusement, il va falloir être plus précis.

– Vos habits ne sont qu'une tentative pour camoufler ce que vous êtes naturellement. C'est nus que vous êtes venus au monde, tout comme nous, et vous ne resterez pas sur Terre si longtemps que ça. Vous redeviendrez poussière.

– Je ne t'ai pas demandé d'être aussi précis...

– Vous avez été pétris dans le ventre de Gaïa et vous finirez par engraisser les serpents et les cafards.

– Merci, je crois que je n'ai vraiment pas besoin qu'on me rappelle ce genre de détails !

– Mais vous passez presque tout votre temps à éviter d'en parler !

– Les autres peut-être, mais pas moi.

– Il faut quand même être un peu cinglé pour parler de soi comme d'un « singe nu », non ?

– Ce n'est pas faux, pourtant…

– Tu parles ! Vous êtes l'espèce animale la plus habillée au monde, vous vous permettez tout, de la robe de gala et du smoking blanc jusqu'aux titres plus ou moins ridicules et aux miroirs ringards au-dessus des cheminées. Sans oublier les diplômes et les distinctions, l'étiquette et les étiquettes, les rites et les rituels. Ah, il est beau votre vernis, ce vernis beaucoup trop épais de culture, de « civilisation », de non-nature !

– D'accord, tu as gagné.

– Tu as déjà entendu parler des habits neufs de l'empereur ?

– N'essaie pas de faire de l'humour.

– Même un gecko voit que tout ça, c'est du bluff. Pour nous, la chose est entendue : mais ils sont tout nus ! Ils sont aussi nus que nous. Mais vous parlez et vous savez vous conduire, monsieur. Et malgré cela, malgré cet accoutrement, la montre biologique avance inexorablement jusqu'à ce que le monde entier connaisse un arrêt brutal.

– Tu as une façon de présenter les choses…

– Dans les circonstances actuelles, dites-vous, en tout cas au jour d'aujourd'hui, ajoutez-vous, c'est important de le souligner… Oui, bien sûr, encore que, dans les tableaux du Picasso de la maturité, on retrouve nombre de traits caractéristiques de ses premières œuvres. Il y a çà et là des éléments qui peuvent faire penser à du Schönberg, d'ailleurs c'est un vrai scandale que Puccini n'ait pas pu achever son *Turandot*, c'est en effet le meilleur opéra qu'il ait composé… Saviez-vous que Verdi a écrit *La Traviata* en quelques semaines à peine… Comparé à Puccini je dirais plutôt que c'est de la musique de variétés…

Il m'avait bien eu, aussi interrompis-je sa logorrhée

– Nous naissons dans une culture et nous n'en sortons

— Véra et moi, nous ne vivons plus ensemble.

— Tu as enfin tourné la page, alors ? En rentrant de ton long voyage dans le Pacifique, tu aurais définitivement tourné la page, disais-tu. Tu n'as pas oublié que tu t'es fait cette promesse à toi-même ?

— Bien sûr que non.

— Tout est donc terminé entre Véra et toi.

— Je n'ai pas dit ça.

— Ah bon ? N'as-tu pas déclaré qu'à partir de maintenant, la seule personne qui comptait pour toi était une exaspérante moniste, trop attachée à son père, avec des tresses brunes et des yeux vairons ?

— Non.

— C'est bien ce que je pensais.

— Quoi donc ?

— Vos mœurs sont aussi relâchées que les nôtres.

— N'importe quoi ! Tu tires des conclusions bien hâtives.

— Il faudrait que tu saches, une bonne fois pour toutes, si tu veux retrouver ou non Véra.

— Ce n'est pas si simple. La vie affective des êtres humains se passe à un niveau légèrement supérieur aux instincts des reptiles. Elle ne se laisse pas réduire à une logique binaire.

— Alors je vais essayer de t'aider. C'est toujours mieux d'avoir quelqu'un avec qui discuter, non ?

— Je préférerais parler d'autre chose.

— Si tu avais le choix entre Véra et Laura, laquelle choisirais-tu ?

— Tu veux dire, pour toute la vie ?

— Pour la vie, oui. Ou as-tu déjà revu à la baisse tes exigences ?

— Véra ou Laura ?

— Oui, je t'écoute ! Le choix vous appartient, monsieur !

qu'à notre mort. Nous ne sommes que des invités sur Terre. Nous sommes les invités de ces espaces qui ont pour nom Bach, Mozart, Shakespeare, Dostoïevski, Dante ou Shankara. Nous entrons et nous sortons de l'Antiquité, du Moyen Age, de la Renaissance, du rococo, du romantisme et de l'époque moderne. En cela nous sommes radicalement différents de vous, car, corrige-moi si je me trompe, il n'existe pas la moindre université pour geckos, ni de cours du soir pour geckos du troisième âge.

— Ne sois pas perfide.

— Quand nous disparaissons, nous perdons non seulement le cosmos — ce qui en soi est déjà une perte douloureuse — mais nous disons aussi adieu aux milliers d'âmes humaines avec lesquelles nous avions lié connaissance. S'il existe un si grand nombre d'âmes individuelles, c'est peut-être que nous sommes vraiment les facettes d'un seul et unique esprit du monde...

— Merci, j'espère bien que tu n'es pas devenu toi aussi un de ces vulgaires monistes. C'est peut-être contagieux ? Sexuellement transmissible, je veux dire. Je voulais juste te faire remarquer que nous, les geckos, sommes davantage en harmonie avec notre environnement. Nous nous contentons d'être ce que nous sommes, c'est-à-dire de la nature, tout simplement de la nature. Nous mangeons des moustiques, nous chions et nous nous reproduisons. Et nous faisons tout cela avec le plus grand plaisir. Nous savons que tout ce qui brille n'est pas or ; nous ne nous lançons pas dans de grands discours sur l'art ou le contrepoint en musique uniquement parce que nous approchons de l'âge de la retraite et que nous n'avons pas de petits-enfants.

— Tu es vraiment très disert aujourd'hui, poétique même, par moments.

— Tout ce que tu dis te retombe dessus, mon cher.

– Je me demande si les poètes boivent parce que ce sont des poètes ou s'ils deviennent poètes parce qu'ils boivent.

– Tu penses trop, voilà ton problème. Tu ne pourrais pas simplement arrêter de penser ? Je veux dire, fermer le robinet ?

– Ce n'est pas si simple. Toute sa vie, l'homme est condamné à penser à quelque chose. Nous pouvons peut-être diriger nos pensées jusqu'à un certain point, mais nous ne pouvons pas arrêter le processus lui-même, ou alors il faudrait suivre les cours d'une école de méditation ou quelque chose de ce genre, avec tout ce que cela comporte d'allégations pseudo-religieuses farfelues. Même la nuit, on ne nous laisse pas en paix. Nous sommes alors à la merci de tout ce qui nous arrive sous forme de rêves. Car non seulement nous vivons dans une société bruyante qui ne pense qu'à s'amuser, mais la nature a fait de nous, pendant notre sommeil, le théâtre de véritables psychodrames.

– Tu as quand même fini par t'endormir, ce qui n'a pas été le cas de la primate femelle. Pardonne-moi d'être aussi direct, mais elle a foutu le camp dès que tu t'es endormi.

– Je ne la critique pas.

– Tu te souviens de ce que tu as rêvé cette nuit ?

– A vrai dire, oui. J'ai rêvé que je n'arrivais pas à me souvenir si j'avais seize ou vingt-quatre ans, et cela m'embêtait, cela m'embêtait de ne plus me souvenir de mon âge. J'ai fini par conclure que cela ne devait pas avoir d'importance, puisque dans les deux cas j'avais la vie devant moi. Puis je me suis réveillé en sursaut et j'ai réalisé que j'avais presque quarante ans.

– Et que tu avais perdu soit seize, soit vingt-quatre ans de ta vie ? C'est ça que tu veux dire ?

– Bon, je crois que j'ai eu mon compte, dis-je seulement.

J'étais furieux, je m'étais de nouveau fait avoir. J'aurais dû refuser avec mépris de me laisser entraîner dans ce genre de réflexions pour geckos après la nuit que je venais de partager avec Laura. Je payais bien cher ma petite gorgée de gin, mais je continuai :

– Tu ne crois pas qu'il peut y avoir dans une rencontre amoureuse comme une dimension de réconciliation ?

– Comment ça ?

– C'est un peu difficile à expliquer. Je ne crois pas que les geckos aient réellement une vie amoureuse. Je pense que les êtres humains, ou en tout cas les primates supérieurs, sont les seuls à connaître ça.

– Je ne sais pas si ce à quoi j'ai assisté cette nuit mérite l'appellation de « supérieur »…

– La seule chose, selon moi, qui soit capable de dominer les deux ou trois circonvolutions en trop de notre cerveau – et donc de refouler la conscience de la mort –, c'est l'amour. Il a, en quelque sorte, le même effet analgésique que le gin et le *kava*, sauf qu'il est beaucoup plus fort et varié.

– Tu touches peut-être du doigt quelque chose. L'amour est l'opium du peuple.

– Tu comprends bien qu'être un ou être deux, ça n'[a] rien à voir.

– Ah bon ? S'agirait-il d'une nouvelle et subtile for[me] de mathématique ?

– Pas du tout.

– Elle était mariée, d'ailleurs, m'as-tu dit, do[nc] fait déjà trois personnes concernées.

– Laura est séparée.

– Et toi, tu n'es pas séparé ?

– Si, moi aussi.

– Bien, nous en sommes donc à quatre. Y a-t[il] d'autres personnes impliquées dans votre s[...] duo ?

— Laura, c'est un flirt de vacances.

— Et Véra ?

— Véra, je vais la revoir bientôt lors de cette conférence à Salamanque.

— Peut-être deviendra-t-elle un flirt de conférence. Qu'est-ce qui est considéré comme ayant le plus de valeur ?

Durant tout le temps qu'avait duré notre entretien, je m'étais affairé à faire mes bagages. Je donnai un bon coup de poing sur ma valise que j'avais finalement réussi à fermer. Je m'en voulais à mort d'avoir bu cette gorgée de gin. Je savais pourtant où cela risquait de m'entraîner.

— Maintenant ça suffit ! dis-je. Je vais prendre mon petit déjeuner.

— Moi, je reste ici à t'attendre. J'ai tout mon temps.

— Mais je pars dans quelques heures.

— Tordant, ce que tu viens de dire. Depuis quand un homme peut-il se quitter lui-même ?

— En tout cas, je rentre chez moi.

— Je fais partie du voyage. Je crois que je n'ai pas eu le temps de me présenter. T'ai-je dit que j'étais le frère jumeau de ta propre pudeur ?

— Certainement pas.

— Nous autres, jumeaux, sommes extrêmement mobiles. Nous sommes presque aussi mobiles que l'ombre d'un homme qui essaie de se fuir lui-même.

Au petit déjeuner, je croisai l'Anglais et les deux Espagnols. C'est John qui me raconta que Bill et Laura étaient partis. Je fis celui qui était déjà au courant. John avait compris qu'ils étaient père et fille, le comportement de l'Américain la veille au soir, quand Laura et moi nous étions retirés, avait confirmé ses soupçons. Mais aucun d'entre nous ne fit le moindre commentaire sur le sujet, et il eut le bon goût de me faire grâce de ses blagues de potache d'école privée britannique sur notre tête-à-tête, à Laura et à moi, autour de la bouteille de rioja.

Les Espagnols étaient de bien meilleure humeur ce matin-là, peut-être à cause de mon départ. Ils plaisantaient et riaient, évoquaient les épisodes les plus amusants de la fête qu'ils n'avaient quittée que vers les deux heures du matin. Je décidai de leur parler sérieusement, une dernière fois avant de partir, et cette fois en espagnol. C'était quitte ou double.

Mais les choses n'allaient pas se passer comme je l'avais prévu. Alors que José avait une seconde le regard tourné ailleurs, je vis le visage d'Ana pâlir. Reposant son coquetier sur l'assiette, la danseuse dont la peau était devenue d'un gris blafard s'effondra sur la table en renversant une tasse de café.

José se leva d'un bond.

– Ana ! hurla-t-il, et son cri était aussi déchirant que lorsque Rodolphe implore Mimi de revenir à la vie dans la dernière scène de *La Bohême*.

Il la souleva de sa chaise, lui donna d'abord une légère tape sur la joue, puis encore une.

– Ana ! Ana !

Après quelques secondes, elle retrouva ses couleurs, mais pour mieux fondre en larmes. Elle s'appuya contre José et il la conduisit, encore chancelante, dans la palmeraie. Puis, comme au ralenti, ils naviguèrent entre les cocotiers jusqu'à leur bungalow.

Ce fut la dernière fois que je les vis aux Fidji. Au moment de régler ma note à la réception, j'aperçus John attablé en train d'écrire. Je lui demandai s'il avait des nouvelles d'Ana, il me dit qu'un médecin était venu et qu'apparemment elle allait beaucoup mieux.

– Trop de *kava* ? hasardai-je.

– Qui sait ? fit-il.

On vint me prévenir que ma voiture était arrivée.

— Où vas-tu ? demanda John.

— Je rentre chez moi.

Je lui décrivis toutes les correspondances qui devaient m'amener de Nadi à Oslo.

— Dans quelques mois, tu assisteras à une conférence à Salamanque, si je ne me trompe ?

— C'est exact.

Je ne voyais pas pourquoi il me demandait ça.

— Et Véra, dans tout ça ?

Je haussai les épaules.

— Tu passeras certainement par Madrid ?

— Sûrement, oui.

Il ne voulait plus me lâcher.

— Et quand tu seras à Madrid, tu iras peut-être faire un tour au Prado ?

J'étais surpris du tour que prenait la conversation, puis je me souvins que je lui avais dit que j'étais un amateur d'art, que Madrid possédait des collections parmi les plus importantes du monde et que j'aimais tout particulièrement le Prado.

— C'est possible.

— Il faut absolument que tu y ailles, insista-t-il. On ne peut pas passer par Madrid sans visiter le Prado.

— Je ne savais pas que nous avions une passion commune, remarquai-je. Pourquoi ne pas me l'avoir dit plus tôt ?

— Tu préfères le Greco ou Bosch ? Vélasquez ou Goya ?

Je trouvais étrange cette demande presque obsessionnelle juste au moment des adieux, alors que nous n'aurions sûrement jamais l'occasion de nous revoir. Et puis, deux vols long-courriers m'attendaient et le chauffeur était en train de charger mes bagages dans le coffre. Je pensais à ma petite conversation de ce matin avec

Gordon. Je pensais aux habits neufs de l'empereur, je pensais au malaise d'Ana et à la gifle que lui avait donnée José.

– Je préfère la collection dans son ensemble, répondis-je.

– Alors, prends bien le temps d'apprécier tous les tableaux.

Le chauffeur me fit signe que le temps pressait. Il ne restait plus qu'une demi-heure avant le décollage.

– Tu pourras dire au revoir à Ana et José de ma part ? lui demandai-je.

– Avec plaisir, mon cher. Et si jamais tu passes par Londres…

– De même. Je suis dans l'annuaire. Mais tu me promets de leur transmettre mes amitiés ? Et tous mes vœux de prompt rétablissement à la malade !

Le chauffeur klaxonnait et, quelques heures plus tard, j'étais au bar du 747, en route pour Honolulu et Los Angeles.

# Tu as choisi de partager
## le chagrin en deux

Une fois rentré à Oslo, je me jetai à corps perdu dans la rédaction de mon rapport et, quinze jours plus tard, je repartais pour Salamanque. Je me demandais si tu allais vraiment être là et, surtout, si tu savais que je participais, moi aussi, à cette conférence. J'ignore toujours qui de nous deux s'est inscrit le premier. Je m'étais pré-inscrit avant mon voyage dans le Pacifique, et quand j'appelai de Taveuni pour confirmer ma venue, tu étais déjà sur la liste des participants. Puis, à mon retour à Oslo, on me demanda de présenter un exposé sur la migration et la biodiversité.

Était-il possible que tu te sois aussi inscrite à la conférence pour nous donner une occasion de nous revoir ? Ou avais-tu décidé de venir pour des raisons purement professionnelles, malgré le risque que tu courais de m'y croiser ? En tout cas, tu aurais très bien pu te décommander si tu avais voulu à tout prix m'éviter.

Je ne sais pas si je suis vraiment clair, mais ce que je veux dire, c'est que je n'ai pas voulu voir, dans ta présence à cette conférence, le signe que tu désirais vraiment qu'on se retrouve. Je me rappelais bien la brève lettre que tu m'avais écrite en novembre et je me rappelais aussi la conversation téléphonique qui avait suivi. Cela avait été notre dernier contact.

Mais tu es venue. Tu n'avais pas su que, moi aussi, j'y serais avant d'avoir eu en main le programme définitif. Tu avais alors pensé la même chose que moi. A défaut de pouvoir vivre ensemble, nous étions deux à porter une grande douleur, et nous étions à jamais condamnés à la partager. Condamnés, disais-tu, mais à partager. Cela faisait huit mois que nous avions perdu Sonja et six mois que tu avais fait tes valises pour rentrer dans ta famille à Barcelone.

Nos chemins devaient de nouveau se croiser lors d'une conférence scientifique, c'était écrit d'avance. La boucle était bouclée. Il y a presque dix ans de cela, nous nous étions rencontrés pour la première fois au grand congrès de Madrid et quelques mois plus tard nous avions emménagé ensemble à Oslo.

Quand je t'ai aperçue dans le hall du Gran Hotel, tu m'as paru plus rayonnante que jamais. Différente en tout cas du souvenir que j'avais gardé de toi pendant ces tristes semaines à Oslo. Nous sommes d'abord restés un moment sans rien dire, puis tu m'as fait remarquer comme d'habitude que je m'étais mal rasé. Ensuite tu m'as entraîné dans un coin et là nous nous sommes jetés dans les bras l'un de l'autre en pleurant. Je crois que ce n'était pas uniquement à cause de Sonja.

Tu m'as raconté que tu avais obtenu une bourse de recherche, et à cause de cela peut-être, ou tout simplement parce que tu me paraissais si jolie, j'ai pensé que tu avais un autre homme dans ta vie. Tout de suite, tu as voulu que les choses soient bien claires entre nous. C'est bon de te revoir, m'as-tu dit, mais pas question de parler d'éventuelles retrouvailles. Tu étais convaincue que plus jamais nous ne pourrions revivre ensemble. Je me suis rangé à ton avis, je m'en souviens : j'étais si heureux de te revoir. Moi aussi, j'étais arrivé à la conclusion qu'il n'y avait pas de retour en arrière possible, ai-je affirmé en te mentant.

Je ne sais pas si l'on peut dire que les choses étaient bien arrêtées, car que signifie « arrêtées » lorsque deux personnes sont d'accord pour ne pas s'engager sur un certain chemin ? La question est plutôt de savoir si l'un de nous deux, au moins, était sincère. La situation aurait-elle été différente si toi et moi avions eu le courage de ne pas jouer la comédie ? Mais à supposer que nous ayons une qualité en commun, ce doit être une certaine fierté.

Tu n'as pas besoin que je te fasse un compte rendu de la conférence, bien sûr, mais je crois que je n'ai pas vraiment eu l'occasion de te remercier pour ton soutien lorsque ce biologiste américain si libéral est intervenu en disant qu'il ne voyait pas très bien l'utilité d'endiguer la migration des espèces animales et végétales. Laissez faire la nature, a-t-il dit, elle a toujours su mettre de l'ordre dans ses propres affaires ! Alors tu as pris la parole. Les hommes aussi font partie de la nature, as-tu rappelé, donc, en tant qu'élément naturel, tu souhaitais mettre un peu d'ordre dans le débat. Le Dr Gibbons n'avait pas compris le sens de mon exposé, il tirerait le plus grand profit à réviser le programme d'écologie du bac. L'homme, as-tu souligné, a suspendu la sélection naturelle. Avait-il oublié que les long-courriers n'existaient pas au Jurassique ou au Crétacé, ni les liaisons maritimes entre le Gondwana et la Laurasie ? Et lui se contentait de répéter : « Laissez faire, laissez passer ! »

De nombreuses personnes dans la salle savaient que nous avions été mariés et aussi pourquoi nous nous étions séparés. Ce nombre dut encore s'accroître après ton intervention énergique. Quelques mois après notre séparation, nous avions tous deux senti qu'il valait mieux qu'on ne nous vît pas trop ensemble. Autant éviter les bruits de couloir. Plus on nous voyait ensemble, plus on parlait de nous et plus on revenait, encore et encore.

sur les circonstances de l'accident. Nous avons su habilement filer à l'anglaise durant ces journées. J'aimerais juste te raconter, si tu le veux bien, comment j'ai vécu le dernier après-midi et la dernière soirée.

J'avais déjà été plusieurs fois à Salamanque, mais toi non, et tu as insisté pour que je te fasse visiter la vieille ville. Tu sais que je suis resté quelques jours de plus que toi et je dois t'avouer que, le lendemain de ton départ, j'ai refait exactement la même promenade. Nous avons commencé par la plaza Mayor, qui, selon toi, est l'une des plus belles et des plus anciennes places d'Espagne, puis nous sommes descendus vers le palais Monterrey qui appartient aujourd'hui à la duchesse d'Albe. Dès la modeste place, entre le palais Renaissance et l'église de la Purisima, nous avons commencé à évoquer de petits épisodes de la vie de Sonja. Nous n'avons pas pu nous en empêcher. Nous n'avions pas grand-chose à dire sur les monuments anciens, en grès, qui avaient pris une douce couleur rouge dans la lumière dorée de cette fin d'après-midi. Tous ces vieux palais empreints de culture ont seulement servi de décor à une conversation entre des parents qui cherchaient à atténuer la douleur d'avoir perdu un enfant.

Je me souviens qu'une image m'a traversé l'esprit : sans l'accident, nous serions peut-être en train de visiter Salamanque en tenant chacun par la main notre petite fille de cinq ans. Car nous serions venus à la conférence, de toute façon, et nous aurions probablement emmené Sonja avec nous.

Nous aurions continué notre route jusqu'à la casa de las Conchas avec sa façade décorée de quatre cents coquilles Saint-Jacques, Sonja aurait gambadé dans le patio, aurait escaladé la fontaine tandis que tu aurais jeté un coup d'œil à la bibliothèque et à la salle de lecture. Plus tard, elle aurait peut-être traversé la rue en sautillant et aurait gravi les marches qui mènent au cloître jésuite Clerecia, et, en traversant la plaza de San Isidoro, elle aurait peut-être levé la tête et montré du doigt les hautes tours avant que nous l'entraînions dans l'étroite calle de los Liberos pour nous diriger vers la vieille université. Elle aurait aimé le patio de las Escuelas et sans doute aurait-elle demandé qui la statue de la place représentait. Tu aurais dit que c'était Fray Luis de León, qu'il avait enseigné dans cette université il y a longtemps, fort longtemps, mais qu'il avait dû passer cinq années en prison parce qu'il croyait en autre chose que ce que l'Église professait. Quand il fut libéré et put recommencer à enseigner, il reprit son cours comme si de rien n'était, par ces mots : « Comme nous le disions hier… »

Alors, Sonja n'aurait pas manqué d'éclater de rire, car cela faisait cinq ans qu'il n'avait pas parlé à ses élèves, et il faisait comme si c'était hier ; cinq ans, c'est-à-dire presque aussi longtemps que ce que Sonja avait vécu, c'était en effet un temps non négligeable, un temps qui semblait avoir duré toujours. Et toi, Véra, tu aurais peut-être posé une autre question à Sonja, c'est ce que tu faisais toujours quand elle ne comprenait pas quelque chose. Tu lui aurais peut-être demandé : « Pourquoi crois-tu qu'il a commencé son cours par "comme nous le disions hier…" alors qu'il venait de passer cinq ans derrière les barreaux ? » Sonja aurait peut-être répondu qu'il cherchait à oublier toutes ces années de prison, ou elle aurait à son tour posé une autre question, à moins qu'elle n'ait préféré montrer du doigt les médaillons, les écussons et les statues d'animaux sur la façade imposante de l'université. Bien avant nous, elle aurait remarqué la tête de mort avec la grenouille dessous, tu ne lui aurais probablement pas expliqué que ce motif représentait symboliquement le contraste entre la mort et le désir sexuel, tu ne lui aurais pas dit, non plus, que cette sculpture devait mettre en garde les jeunes étudiants contre les débordements sexuels ; tu te serais bornée à lui dire que les grenouilles sont gaies, vivantes, que beaucoup d'hommes aussi sont comme ça, mais qu'un jour le jeu prend fin. Avant que, toi et moi, nous ayons pu admirer la somptueuse façade plateresque, Sonja se serait précipitée pour découvrir le patio du XIVe siècle de Las Escuelas menores. Nous serions peut-être restés un peu à la traîne, toi et moi, en prenant le temps de discuter, alors, comme une grande, elle serait entrée toute seule dans le Museo de las Universidades et nous l'aurions retrouvée pensive, le nez en l'air, sous la voûte étoilée. Et, qui sait, nous aurions peut-être réussi à la faire entrer dans l'amphi ; nous aurions alors, sûrement, manqué la salle avec les tapisseries des Gobelins et le portrait de Charles Quint par Goya, sans oublier la célèbre bibliothèque avec les précieux incunables. Mais je crois qu'avec une mine solennelle elle nous aurait fait entrer dans les deux cathédrales, et aurait ensuite exigé une glace. Enfin, la famille aurait attendu la dernière journée pour visiter le couvent de San Estebán avec les grands nids d'oiseaux tout en haut de la façade, le couvent de las Dueñas avec son ravissant jardin et le palais Renaissance Monseca, dont le patio au style si pur servait autrefois aux combats de taureaux...

Nous avons tous les deux reconnu que cela nous avait fait du bien de reparler longuement de Sonja, cet après-midi-là, à Salamanque, et je crois que cette liberté de parole a été favorisée par le décor, par tous ces vestiges des siècles passés, témoins muets d'une autre vie. Tu désirais aussi visiter la vieille ville et, même si nous n'arrêtions pas de parler de Sonja, tu as vraiment insisté pour que je joue le guide. Ainsi Sonja aura quand même été à Salamanque. Non, elle n'est plus en vie, Véra, je ne le sais que trop, et ne crois pas que je puisse jamais l'accepter, mais si tous les souvenirs que nous avons gardés de notre pauvre petite fille doivent avoir une chambre de résonance, un espace pour vivre, il n'y a que toi et moi qui puissions la créer.

Tu m'as raconté plusieurs anecdotes à propos de ma propre fille que je n'avais jamais entendues auparavant et cela m'a fait mal parce que j'ai regretté ne pas avoir passé chaque instant de sa vie avec elle. Je ne me suis pas rendu compte que tu m'offrais encore une chance de rattraper ce retard et de mieux la connaître. Plusieurs fois tu as détourné la tête pour sécher tes larmes, je l'ai vu, Véra, et toi aussi tu as compris que ce n'est pas pour regarder de plus près un des bas-reliefs que j'ai approché mon visage des murs vénérables de l'université. Oui, tout au long de notre promenade, j'ai été frappé de voir à quel point tu restais la mère de Sonja. Peut-être que je te blesse par ces mots, mais c'est vraiment avec la mère d'une petite fille que j'ai marché, cet après-midi-là. La petite fille n'aura jamais plus de quatre ans et demi, seuls son père et sa mère sont condamnés à vieillir, d'abord quarante, puis cinquante et soixante ans, mais toute leur vie ils vivront avec une petite Sonja de quatre ans et demi. Tu étais toujours maman, Véra, et moi j'étais toujours le papa de ton enfant.

Le soir, nous avons assisté au dîner de clôture, mais nous sommes partis assez vite ; c'est encore toi qui as insisté pour faire une promenade, tu te souviens ? Tu voulais absolument me montrer le fleuve. Tu m'as dit que tu t'étais promenée seule sur les bords du Tormes le jour de ton arrivée. Du haut de l'ancien pont romain, tu avais observé les oiseaux, les cygnes et les oies, et tu avais cru avoir le syndrome de Stendhal en entendant chanter le rossignol alors que le soleil se couchait et que Salamanque jetait ses derniers feux de rubis.

237

Il faisait nuit noire quand nous avons quitté l'hôtel où avait lieu le dîner de gala et la conversation n'a plus tourné autour de Sonja. Au début, nous n'avons pas su trop quoi dire, et puis j'ai commencé à parler de toi, de ta vie – et toi de moi et de ma vie. Tu m'a posé plein de questions sur mon voyage en Océanie, je t'ai un peu parlé de Taveuni, je crois en tout cas t'avoir raconté, non sans une certaine ironie envers moi-même, que je n'avais pas osé un soir chasser un gecko posté sur une bouteille de gin de peur qu'il ne la renversât. Je t'ai interrogée sur ton projet de recherche et je me rappelle t'avoir dit, en conclusion, que tu étais sans doute la plus grande experte d'Espagne en anthropologie paléontologique, en tout cas pour les migrations préhistoriques. Cela t'a fait sourire, Véra, mais tu n'as pas protesté. Tu étais si fière d'avoir obtenu cette bourse !

Une fois arrivés au bord du fleuve, nous avons emprunté le vieux pont romain. Est-ce que ce sont les cygnes qui t'ont de nouveau fait penser à Sonja ? Tu as recommencé à évoquer notre vie de famille, là-bas, à Oslo, et à t'entendre, c'était comme une sorte de passé mythique. Tu as parlé de toutes nos balades au lac de Sognsvann et à Ullevålseter, de la première fois où Sonja avait mis ses flotteurs sur la plage de Huk, du jour où il lui avait fallu presque une heure pour sortir du grand labyrinthe du parc Frogner. Elle avait exigé d'être récompensée et elle avait eu droit à une grande coupe de glace sur la terrasse du café Herregårdskro.

Je t'écoutais raconter tout cela, et je repensais à ce pacte que nous avions conclu de ne jamais reparler d'une éventuelle réconciliation entre les deux tiers restants de la famille. Peut-être qu'il était trop tard pour revenir en arrière, mais c'était lâche de notre part de ne pas essayer ensemble autre chose. Je me sentais très partagé : tu n'étais pas la seule à envisager avec réticence l'idée de reprendre la vie commune. Mais alors que tu m'expliquais en détail les efforts de Sonja pour sortir du labyrinthe, je me suis dit que nous devrions essayer de réfléchir sérieusement à tout cela.

Tu as dû remarquer mon silence, car tu m'as demandé à quoi je pensais. Tu me connaissais assez pourtant pour savoir que si je restais silencieux, c'était sûrement parce que je pensais à quelque chose de triste. Je t'ai répondu que je pensais à nous, et tu m'as dit que je ne devrais pas, que si nous étions sur la même longueur d'ondes à Salamanque, c'était uniquement à cause de Sonja. C'est justement Sonja qui me faisait penser à nous, ai-je dit, mais tu étais déjà occupée à me raconter comment, au moment où tu sortais de la maternité, on avait failli te donner le bébé d'une autre. Au moins comme ça, as-tu conclu, mon enfant à moi ne serait pas mort. Il serait encore de ce monde.

Ah, combien de fois m'as-tu raconté ce qui s'était passé rue Sognsveien, décrivant la scène au ralenti, alors que tout n'avait duré qu'une fraction de seconde. Deux ou trois fois, tu avais dû expliquer à la police comment c'était arrivé. Depuis, le déroulement de l'accident proprement dit était tabou, c'était devenu « ça » ou « ce qui s'est passé ». Je crois que nous avions tous les deux peur de revivre ici, à Salamanque, ces scènes horribles, de rouvrir d'anciennes blessures, et, en disant cela, je ne pense pas seulement à la mort de Sonja, mais aussi à toutes ces blessures que nous nous sommes faites l'un à l'autre.

« Ce qui s'est passé » était si simple, si banal que c'en était encore plus affreux : tu étais allée chercher Sonja au jardin d'enfants, tu l'avais installée dans la voiture et tu avais mis le moteur en marche. Puis te rendant compte que tu avais oublié ses chaussons, tu avais éteint le moteur et retiré la clé de contact. Mais tu avais oublié de mettre le frein à main alors que le levier de vitesse, lui, était au point mort. Le temps d'aller au vestiaire et de revenir, la voiture avait commencé à dévaler la pente, car comme tu en fis la remarque, le destin avait pris un malin plaisir à ce que tu *voies* tout, histoire de bien te faire sentir ton impuissance. Nous savons ce qui est arrivé, trois cents mètres plus bas, dans le virage. Nous savons ce qui est arrivé, trois jours plus tard. Et nous savons tous les deux que jamais, plus jamais, nous ne reparlerons du déroulement de l'accident.

Je te l'ai dit et répété cent, mille fois, mais je vais te le redire encore et par écrit, cette fois, comme ça tu en auras une trace pour toujours : il n'est plus question de pardon, tu es tellement pardonnée et depuis si long-temps ! Tout cela, c'est du passé, c'est derrière nous. Je sais, je t'ai traitée de tous les noms, tant j'étais fou de chagrin. Je t'ai même demandé une fois de faire ta valise et de foutre le camp. Puis, j'ai éclaté en sanglots, je t'ai demandé de me pardonner, je ne voulais pas te détruire avec ma douleur. Finalement c'est toi qui as choisi de me quitter. Je n'arrêtais pas de te harceler avec mes questions, ces mêmes questions que la police t'avait déjà posées. Pourquoi avais-tu laissé Sonja seule ? Pourquoi n'avais-tu pas mis le frein à main ? Comment avais-tu pu oublier d'enclencher une vitesse ? Pourquoi avais-tu décidé d'aller chercher ces chaussons ? Qu'est-ce que tu en avais à foutre de ces chaussons d'abord ?

Il y avait aussi autre chose. Tu sortais de la fête de fin d'année de l'Institut où tu avais bu trois ou quatre flûtes de champagne, et quand tu as pris le volant, tu avais 0,52 g d'alcool dans le sang. On n'engagea aucune poursuite contre toi, car la police jugea que tu avais été assez sévèrement punie comme ça. C'est exactement ce qu'ils ont dit, « assez sévèrement punie comme ça ». La police s'est montrée plus humaine que ton propre mari. Si tu continues à te faire des reproches pour ce qui s'est passé, pour avoir oublié, l'espace de quelques secondes, de serrer le frein à main, sache que moi aussi, de mon côté, je m'en fais encore pour n'avoir eu de cesse de verser du sel sur tes plaies à vif. « Ça », c'était délibéré, et en partie même prémédité.

Mais cette période-là a pris fin. Ce que j'essaie de te dire, c'est qu'on avait fini par être à égalité. Ce n'est pas parce que je ne t'avais pas pardonné que tu es partie à Barcelone. J'aurais très bien pu être celui qui avait commis l'irréparable, quel homme n'a jamais eu quelques minutes de fébrilité dans sa vie ? Et parfois cela suffit pour réduire à néant le bonheur d'une petite famille qui se trouve comme frappée par une foudre aveugle.

Non, nous avons fini par nous réconcilier, ce n'est pas pour cela que tu m'as quitté. C'est mon chagrin que tu as voulu fuir, c'est lui que tu ne pouvais plus supporter, tu avais déjà assez de mal à vivre avec le tien. Quand j'étais malheureux, tu n'arrivais pas à faire la part des choses et tu prenais tout pour toi. Je n'ai pas su m'y prendre non plus, ces semaines-là. Si j'avais eu de la famille à l'étranger, sans doute que je serais parti. Puis on m'a proposé ce long voyage en Océanie, c'était peut-être notre chance, mais tu as considéré qu'il y avait trop de chagrin à la maison. Il y avait trop de chagrin rassemblé sous un seul et même toit, et tu as choisi de le partager en deux.

Nous étions debout sur le vieux pont à regarder l'eau entraînée par un fort courant. Tu me racontais la fin de cette histoire, quand Sonja était rentrée à la maison avec un billet de cent couronnes qu'elle avait trouvé, t'avait-elle expliqué, dans la poche du manteau d'une des dames au jardin d'enfants, et moi, j'étais à deux doigts de rompre la solennelle promesse que nous nous étions faite à l'hôtel. Nous n'avions pas besoin d'en parler maintenant, voilà ce que je voulais te dire, mais peut-être qu'un jour, il faudrait quand même se poser la question de savoir si nous ne pourrions pas essayer de nous retrouver l'un l'autre. Ce serait différent, nous n'étions pas obligés de refaire les mêmes erreurs que par le passé, nous n'étions pas obligés de revivre ce chemin de croix qui avait abouti à notre séparation.

Tout ce qui était arrivé après la mort de Sonja nous avait paru sur le coup inéluctable. Mais y a-t-il un seul sens, une seule direction ? Pourquoi ce qui se passe ici et maintenant ne pourrait-il pas apporter un nouvel éclairage aux événements passés ? Je sais combien c'est difficile mais peut-être toi et moi pourrions-nous chercher à donner un sens à la mort de Sonja ?

Tout ce que j'ai réussi à te demander sur le pont, c'est si tu avais un ami. Tu n'as pas eu le temps de me répondre, car, à cet instant, j'ai aperçu deux silhouettes sur les rives du fleuve. Tendrement enlacées, elles marchaient comme fondues en un seul personnage double, et, alors qu'elles entraient dans la lumière des projecteurs qui illuminaient le pont, leurs longues ombres se sont étirées vers nous : la femme était en rouge, l'homme en noir. J'étais sûr que c'était Ana et José, je reconnaissais leur manière d'être ensemble. Je me suis cru transporté à la palmeraie de Maravu.

J'ai mis une main sur ton épaule et je te les ai montrés du doigt :

– C'est Ana et José, ai-je murmuré tout excité.

Tu m'as regardé avec ton sourire moqueur. Je me suis bien des fois demandé depuis si tu avais souri parce que je te parlais de gens que tu ne connaissais pas, ou parce que je t'avais interrogée sur ta vie amoureuse.

Je t'avais surtout écouté, jusque-là, mais brusquement, je me suis mis à te raconter tout ce que je savais sur ce couple étrange que j'avais rencontré à Taveuni ;

plus j'avançais dans mon récit, plus tu souriais. Tu as même fini par éclater de rire.

C'était merveilleux de t'entendre rire à nouveau ; c'était la première fois depuis ce matin où tu te réjouissais tant de participer à la fête de fin d'année de l'Institut. Je t'ai parlé des maximes énigmatiques qu'ils se récitaient l'un à l'autre tout en se promenant, de la fois où je les avais surpris nus dans la cascade de Bouma, d'Ana qui était une célèbre danseuse de flamenco et qui s'était soudain trouvée mal... J'ai dû te raconter encore plein de choses, par exemple qu'Ana et José avaient un don de voyance et que, pour cette raison, ils gagnaient à tous les jeux de cartes. D'ailleurs, j'étais prêt à mettre ma main au feu que j'avais déjà vu Ana quelque part, mais impossible de me souvenir où. Et pendant tout ce temps, Véra, tu riais, tu riais tellement... On aurait dit que tu t'étais retenue tant que tu pouvais, et qu'enfin tu ouvrais grand les vannes de ton rire. Tu étais tellement sûre que je te racontais des blagues ! Tu as d'abord cru que j'avais montré ce couple du doigt parce que je regrettais ma question sur ton éventuel petit ami et que je n'avais pas le courage d'entendre la réponse. Ensuite, tu as pensé que je plaisantais pour prolonger notre tête-à-tête sur les bords du fleuve. Tu as aussi imaginé que, en attirant ton attention sur un couple amoureux, je voulais, en fait, préparer le terrain avant de t'annoncer que je renonçais à ma promesse solennelle. Tu avais même une quatrième explication – c'était ta préférée et tu l'as gardée pour toi jusqu'au moment d'aller nous coucher : j'avais inventé ces histoires de toutes pièces dans le seul but de te faire rire. Et ton rire, pour en terminer avec ça, ton propre rire te faisait du bien. Tu rayonnais de joie d'avoir retrouvé un trésor que tu croyais perdu pour toujours. Tu remarqueras, soit dit en passant, que tes explications ont toutes un trait en commun : elles sont plus empreintes de coquetterie les unes que les autres.

Je me souviens avoir pensé suivre Ana et José, mais ils étaient déjà loin, et puis tu étais avec moi… Il y avait du vrai dans ton analyse numéro deux, j'avais envie de te garder le plus longtemps possible sous la voûte étoilée qui scintillait doucement au-dessus de Tormes. C'était notre dernier soir ensemble et j'étais sur le point de commencer une des conversations les plus importantes de toute mon existence. J'allais trahir une promesse. Plus encore : je refusais de te pousser à bout comme cela était arrivé si souvent. Si je m'étais précipité à leur poursuite, tu n'aurais pas manqué d'interpréter ce geste d'au moins quatre façons différentes et tu aurais proba- blement piqué une nouvelle crise de fou rire.

Ce que tu as pu rire, Véra ! Je devais vraiment avoir l'air complètement effaré. Une fois, une seule, j'ai réussi à passer la barrière de ton rire, quand Ana et José ont disparu en direction de la ville et que je t'ai répété que je les avais clairement reconnus. Tu m'as alors répondu :

– Ce n'étaient que des gitans, Frank.

Nous avons repris le chemin de l'hôtel et, désormais, il y avait deux sujets de conversation tabous : l'un était Ana et José, l'autre était Frank et Véra.

Le lendemain, tu es repartie pour Madrid et Barcelone par le train du matin. Je crois t'avoir dit que je resterais encore une nuit à Salamanque pour tenter de retrouver le couple espagnol. Tu ne me croyais toujours pas et tu as sûrement échafaudé mille hypothèses pour expliquer ma décision soudaine.

Ce soir-là, je t'ai raccompagnée jusqu'à ta porte. Il y a encore quelques mois nous dormions dans le même lit, et c'était infiniment douloureux et absurde de ne plus par- tager la même chambre. Cela nous rendait plus étrangers l'un à l'autre que si nous ne nous étions jamais connus.

Le lendemain, je dormis une bonne partie de la matinée, puis je partis à la recherche d'Ana et de José. Je commençai par errer dans les rues, demandant parfois si quelqu'un avait entendu parler d'un certain José et d'une certaine Ana, respectivement journaliste de télévision et célèbre danseuse de flamenco, mais cela ne servait à rien puisque je ne connaissais pas leur nom de famille.

Je n'avais pas pris de petit déjeuner ce matin-là, aussi entrai-je dans un café de la plaza Mayor, celui-là même où nous étions allés manger après ta prise de bec avec Gibbons. J'étais en train de commander une tortilla et une pression, quand, chance incroyable, Ana s'engouffra soudain dans le café. Elle ne me vit pas et se dirigea vers le fond de la salle où José l'attendait, attablé derrière une colonne. Lui non plus n'avait pas dû remarquer ma présence.

Je dressai l'oreille et je les entendis chuchoter avec animation, mais j'étais trop loin pour comprendre ce qu'ils disaient. Je décidai de finir mon omelette avant d'aller les saluer ; c'était vraiment une drôle de coïncidence de les rencontrer ici, à des milliers de kilomètres de Maravu. A cet instant, une musique de flamenco envahit le café et je me rappelle avoir pensé que c'était peut-être en hommage à Ana. La voix rauque parlait en tout cas d'amour et d'abandon, de vie et de mort. Je voyais le corps d'Ana frémir, elle se dominait sans doute pour ne pas se laisser entraîner par le rythme envoûtant.

Puis elle se leva, mais ce n'était pas pour danser. Elle ressortit en trombe du café et se tourna vers José en criant :

– Je veux rentrer ! Tu entends ? Je veux rentrer à Séville !

Le temps de me dire que, décidément, aucun couple n'est à l'abri d'une dispute, José sortait à son tour précipitamment. Je bondis de ma chaise et lui barrai le chemin.

– José ?

– Frank !

Il me lança un regard fulgurant et écarta les bras comme pour dire « Il ne manquait plus que ça ! ». Je tombais vraiment mal.

– Il faudra que l'on se voie un de ces jours, Frank ! Tu vas parfois au Prado ?

Et ce fut tout, Véra. Je passai le reste de la journée à arpenter les rues de Salamanque, mais je ne les revis pas.

« Il faudra que l'on se voie un de ces jours, Frank. Tu vas parfois au Prado ? » Qu'est-ce que cela voulait dire ? Que venait faire le musée du Prado là-dedans ? J'avais l'impression d'avoir déjà entendu ça quelque part. Soudain, je me souvins de ma dernière conversation avec John au Maravu Plantation Resort. Au moment des adieux, lui aussi m'avait enjoint d'aller faire un tour au Prado. Pourtant, il savait que je connaissais particulièrement bien ce musée, je le lui avais dit deux jours plus tôt... Et, maintenant, c'était au tour de José...

Je finis par trouver une explication. Avant de quitter Maravu, le lendemain du jour où Ana avait eu ce malaise, j'avais prié John de saluer le jeune couple de ma part. Il avait dû leur dire que j'aimais la peinture espagnole en pensant que cela leur ferait plaisir. Jusque-là, rien que de très normal... Mais pourquoi le Prado ? Pourquoi pas le musée Thyssen ou celui de la reine Sophie ? Et pourquoi John m'avait-il demandé si je préférais Goya ou Vélasquez, le Greco ou Bosch ? Sans oublier qu'il m'avait conseillé de bien prendre le temps d'admirer chaque tableau.

Je pris le train pour Madrid, tôt le lendemain matin. Alors que le train s'avançait dans les hauts plateaux, je regardais, fasciné, les murets de pierre qui défilaient.

Il y avait dans ce paysage quelque chose qui me faisait irrésistiblement penser aux pâturages de haute montagne, chez moi, en Norvège.

En apercevant les extraordinaires murailles qui entourent la ville d'Avila, je pensai à sainte Thérèse, et par association d'idées à Laura et à son mysticisme religieux – donc à son œil marron –, bien que, je dois l'avouer, mon corps gardât plutôt le souvenir de son œil vert et de sa douceur. Ma tendre rêverie fut interrompue par une vision que je ne suis pas près d'oublier. La dernière fois que j'avais été à Salamanque, j'en avais profité pour visiter le cloître d'Alba de Tormes où sont encore conservées les reliques, un peu macabres, de sainte Thérèse. J'avais vu son bras derrière une porte à gauche de la sacristie – et son cœur derrière une porte à droite. L'index de saint Jean de la Croix, l'autre grand mystique espagnol, m'attendait, lui, dans le cloître du centre Sainte-Thérèse. Tous deux avaient eu des pensées et des visions célestes, et avaient été portés en terre, « *Rest in pieces* », pensai-je, un peu honteux quand même de ce mauvais jeu de mots[4].

En arrivant à l'*estación* de Chamartin, je sautai dans le premier train qui descendait vers Atocha. De là, je remontai jusqu'à l'hôtel Palace et je réservai une chambre pour une durée indéterminée. Je sentais que je ne pouvais pas rentrer en Norvège avant de savoir où j'en étais. Et puis, il était difficile de quitter l'Espagne en sachant que toi, tu étais à Barcelone. A la maison, je n'aurais fait que penser à moi-même – autant dire à rien.

---

4. L'expression consacrée est *«Rest in peace»*, qui signifie « repose en paix ». *«Rest in pieces»* signifie « repose en morceaux » *(NdT)*.

## Bellis perennis

Je suis moi-même une énigme, car, une fois à pied d'œuvre, je mis presque deux semaines pour me décider à aller au Prado. Je trouvais qu'on avait accordé beaucoup trop d'importance à une simple réplique lâchée dans le courant de la conversation, et puis je n'ai jamais aimé qu'on me dise ce que j'ai à faire, je ne suis pas le genre à me laisser mener par le bout du nez. Comme cela faisait des années que je n'étais pas allé au musée Thyssen et à celui de la reine Sophie, je profitai de ces quinze jours pour les redécouvrir.

J'avais pris avec moi une grande partie de la documentation qui m'avait servi pour mon exposé à Salamanque, et je décidai de continuer un peu à travailler sur le sujet de recherche qui m'occupait déjà depuis des mois. Je rendis également visite à quelques-uns de mes collègues de l'université Complutense, passai plusieurs matinées à la Bibliothèque nationale et enfin visitai, pour la première fois, le jardin zoologique de Casa de Campo.

Le soir, j'allais parfois faire un tour du côté des cabarets de flamenco, non pas dans l'espoir de voir Ana sur scène, mais pour essayer de trouver une affiche ou une brochure avec son nom dessus. Je me disais que je finirais bien par les rencontrer un jour, mais je ne voulais pas partir à leur recherche, en tout cas pas encore, alors

248

autant visiter Madrid. Qui sait, peut-être rencontrerais-je, un jour, le blond journaliste de télévision sous la coupole du Palace ?

Mon salaire fut vite englouti au Palace, mais si je tenais tant à séjourner dans cet hôtel de luxe, ce n'était pas parce que j'y avais mes habitudes ou parce que nous y avions tous deux de tendres souvenirs, non, ce qui m'importait, c'est que c'était le seul hôtel de la ville où tu pouvais – chance infime mais non nulle – demander si j'étais là. J'avoue que je n'avais pas encore abandonné l'espoir que tu me téléphones un jour à Oslo, surtout après ce qui s'était passé le dernier soir à Salamanque où j'avais réussi à te faire rire à nouveau. Si tu ne me trouvais pas à la maison, tu finirais sans doute par appeler l'Institut, même s'il t'en coûtait beaucoup, et là, on te dirait que j'avais décidé de rester à Madrid quelque temps. A la fin de la première semaine, j'avais communiqué le nom de mon hôtel au secrétaire de l'Institut.

Et, un beau matin, je me réveillai de ce que l'on pourrait appeler une longue torpeur. Je me rendis compte que j'étais un imbécile, que je m'étais complètement fourvoyé. On m'avait pourtant clairement conseillé d'aller au Prado, non pas pour errer de salle en salle, mais à la recherche de quelque chose de bien particulier. Il y avait eu John, d'abord, puis José qui m'avait presque supplié. Le Prado était une vraie piste, et pas simplement le reflet de mes propos enthousiastes quant à la richesse de cette collection… « Nous avons un Monet dans la chambre à coucher, un Miró dans le salon, et nous venons d'acheter un miroir baroque que nous pensons accrocher au-dessus de la cheminée… »

Mardi dernier donc, il y a deux jours de cela, je me dirigeai d'un pas décidé vers la plaza Canovas del Castillo, communément appelée « plaza Neptuno », car l'une des fontaines représente le dieu au trident. Alors que j'approchais de l'entrée du musée, je levai les yeux vers la statue de Goya, avec le somptueux Ritz en arrière-plan, et je sentis, oui, je sentis que je touchais au but. Je brûlais !

Je commençai la visite par le rez-de-chaussée. Je pris tout mon temps, comme me l'avait conseillé John – il faut dire que je dévisageais également tous les visiteurs un par un. Je finis par m'arrêter devant *Le Jardin des délices*, ce tableau-kaléidoscope de Jérôme Bosch. Si je devais choisir une œuvre pour résumer mon sentiment que l'homme est juste un vertébré parmi d'autres, ce serait indiscutablement celui-ci. L'artiste, en effet, a mêlé personnages enchanteurs et vertébrés en proportions à peu près égales. Dans un jeu d'associations d'idées, pour « imagination » je répondrais *Le Jardin des délices*. A *Jardin des délices*, j'associerais le mot « misérable », et si j'avais droit à une phrase entière pour exprimer ma pensée – ou mieux encore à une petite allocution – je dirais quelque chose du genre : « La vie est merveilleuse et mystérieuse, mais ah ! comme elle est fragile et éphémère ! »

Je restai une bonne demi-heure devant le chef-d'œuvre du peintre flamand, ce qui n'a rien d'un exploit, car on pourrait l'admirer pendant une semaine. Bref, j'étais en train d'étudier certains détails minuscules, m'écartant de temps en temps pour laisser passer quelqu'un devant moi, lorsque j'entendis dans mon dos une voix, Véra, qui m'était familière.

– *Il faut des milliards d'années pour créer un être humain. Et juste quelques secondes pour mourir.*

Je me retournai lentement vers José, et sus que ces paroles ne s'appliquaient pas seulement au tableau que Bosch avait peint, cinq siècles plus tôt, mais qu'Ana était morte.

Ana était morte, Ana qui n'avait pas voulu me dire
où je l'avais déjà vue, Ana qui ne voulait pas danser
le flamenco, Ana qui, à table, avait été prise d'un
malaise, Ana qui avait quitté précipitamment le café à
Salamanque en criant qu'elle voulait rentrer chez elle,
à Séville.

Ce n'est pas seulement l'aphorisme qui me le fit
comprendre. Je vis un visage pâle et défait qui revenait
de très loin, à supposer qu'il en soit vraiment revenu.
Une vision fugitive me traversa l'esprit et je revis José
à Salamanque en train de me dire : « Il faudra que l'on se
voie un de ces jours, Frank ! Tu vas parfois au Prado ? »
A présent il se penchait vers le tableau et, me montrant
du doigt un couple d'amoureux dans une bulle de verre,
il chuchota d'une voix qui tremblait d'émotion :

– Le bonheur est aussi fragile que du verre.

Il y eut un long silence, mais j'étais sûr qu'il savait que
je savais. Nous déambulâmes un moment à travers les
salles, puis montâmes au premier étage. Soudain, il dit :

– Nous étions inséparables.

Je ne sus pas quoi répondre, je lus la résignation dans
son regard, et sans doute hochai-je la tête d'un air
entendu et compatissant. Mais je sentais que je brûlais
de plus en plus. Je suivis José qui me conduisait vers les
salles consacrées à Goya et brusquement je me retrouvai
face aux tableaux de *La Maja nue* et de *La Maja vêtue*.
Je crus défaillir, José le remarqua et saisit énergiquement mon bras gauche. C'était Ana !

C'était Ana, Véra ! C'était ici que je l'avais vue pour
la première fois, et revue si souvent. Moi qui m'étais
demandé si je ne l'avais pas aperçue dans un film ou en
rêve ! J'avais fini par croire que je l'avais rencontrée
dans une autre réalité et voici qu'elle était devant moi !
Ana était là, allongée sur une chaise longue dans
l'atelier de Goya, elle était ici, accrochée aux cimaises

du Prado, nue et habillée. Devant ces deux tableaux se pressait une foule de touristes curieux.

Alors que José me tenait encore par le bras, je revis l'espace de quelques secondes la scène de la cascade de Bouma où j'avais aperçu le corps d'Ana. C'était là que je m'étais rendu compte que je ne reconnaissais que son visage ; je comprenais mieux pourquoi maintenant : Ana était beaucoup plus fine, plus élancée que la *maja* de Goya, peut-être était-ce pour cela que je n'avais pas fait le rapprochement et que j'étais parti sur une fausse piste. La première fois que j'avais vu Ana dans sa robe rouge, je m'étais fait deux réflexions : la première, c'était que j'étais sûr de l'avoir déjà rencontrée quelque part, la deuxième, c'était que quelque chose ne collait pas.

Maintenant, tout s'expliquait. John avait parlé d'Internet. Rien de plus simple, en effet, que d'avoir accès par ce biais aux tableaux les plus célèbres de Goya. Puis il m'avait fait comprendre que je devais me rendre au Prado… Pourquoi alors n'avait-il pas éclairé ma lanterne ?

José et moi fîmes quelques pas en arrière pour observer les œuvres avec un peu de recul. J'étais estomaqué, bouleversé, effrayé. Si je n'avais pas su que Goya avait peint ces tableaux il y a exactement deux cents ans, j'aurais juré qu'il s'était servi d'Ana comme modèle, pour le visage en tout cas.

Il y avait aussi autre chose. Ana n'avait pas aimé qu'on l'interroge ; quant à José, cela l'avait visiblement contrarié. « Les brunes sont légion en Espagne. Tu le sais bien, Frank, et Madrid ne fait pas exception à la règle. » Cette phrase m'avait marqué. Désormais, je comprenais à quel point Ana avait dû souffrir d'être reconnue sans arrêt. Tu imagines, être identifiée à une femme qui avait vécu en Espagne deux cents ans plus tôt !

Le geste de John, posant un doigt sur le front d'Ana et disant : « Et le nom de cet esprit est Maya ! » n'avait rien arrangé, bien sûr. L'Anglais pensait à la philosophie védique, au mirage, à l'illusion, à la tromperie des sens, mais qui sait s'il n'avait pas aussi pensé à la *maja* de Goya, puisque, ensuite, il avait parlé d'« œuvre d'art » ? Et moi, j'étais au musée du Prado, à Madrid, et j'étais témoin de la plus belle illusion qu'il m'ait jamais été donné de voir.

Une idée monstrueuse me traversa soudain l'esprit. Pourquoi Ana avait-elle été prise d'un malaise à Maravu ? Et pourquoi était-elle morte quelques mois plus tard ? Est-ce que sa mort prématurée pouvait être liée à sa ressemblance avec la *maja* de Goya ?

– C'est son portrait craché, dis-je.

José secoua la tête et rectifia :

– Non, c'est vraiment elle.

– C'est impossible, voyons.

– Bien sûr que c'est impossible, mais c'est Ana.

Nous discutions à voix basse dans le fond de la salle.

– Connais-tu l'histoire de ce tableau ? me demanda-t-il.

J'avouai que non, je devais encore avoir l'air complètement ahuri.

– Personne ne la connaît entièrement, poursuivit-il, on a juste quelques éléments.

Je sentis grandir mon impatience.

– Et que sait-on ?

– *La Maja nue* est mentionnée pour la première fois par Agustín Ceán et le graveur Pedro Gonzáles de Sepúlveda qui décrivirent le tableau en 1800, lorsque celui-ci fut accroché au mur d'un cabinet privé dans le palais du Premier ministre de l'époque, Manuel Godoy. Godoy possédait déjà des tableaux de nus plus classiques comme le *Vénus et Cupidon* de Vélasquez et une peinture italienne du XVIe siècle, qui étaient des cadeaux de la duchesse d'Albe.

– Godoy était donc un amateur de nus féminins ?

– En effet. Dans ce même cabinet se trouvait également la copie d'une Vénus peinte par Titien. Il faut se rappeler qu'à l'époque les représentations de la nudité féminine étaient rarissimes, même si les nus quelque peu idéalisés de personnages mythiques comme Vénus étaient mieux acceptés que des tableaux du genre de *La Maja nue*.

– Pourquoi ?

– La *maja* de Goya n'est pas une déesse grecque ou romaine. C'était une femme de chair et de sang, et, naturellement, elle était le portrait d'un modèle vivant. C'était beaucoup plus troublant, donc décadent, que la Vénus de Vélasquez ou de Titien. On considérait cela comme de la pornographie.

– Je comprends.

– Charles III et Charles IV songèrent plusieurs fois à détruire certains tableaux de la collection royale, mais Godoy ne fut pas inquiété : il reçut l'insigne privilège de garder ses peintures, à condition qu'il les conserve dans ses propres appartements.

– Possédait-il aussi *La Maja vêtue* ?

Il fit signe que oui :

– *La Maja vêtue* a vraisemblablement été peinte après *La Maja nue*, car l'on parle pour la première fois de cette toile en 1808 seulement, dans un catalogue établi par le peintre français Frédéric Quilliet qui était l'agent de Bonaparte. *La Maja vêtue* est mentionnée à côté de *La Maja nue*.

Puis, baissant la voix pour que les autres visiteurs ne puissent pas l'entendre, il ajouta :

– Tu sais peut-être ce qu'est une *maja* ? Goya en a peint plusieurs.

– Une villageoise ?

– Ou une jolie fille du peuple, une ravissante jeune femme en habit de fête. L'équivalent féminin du *majo*.

254

– Aurais-tu dit qu'Ana était une *maja* ?

Il secoua énergiquement la tête.

– Ana était une *gitana*, une gitane. D'ailleurs rien ne prouve que, à l'origine, le tableau ait eu pour titre *Maja*. Lorsque, en 1813, Ferdinand VII confisqua les biens de Godoy, on décrivit la femme représentée comme une *gitana*, et non une *maja*. En 1808 déjà, Quilliet avait parlé des deux portraits de gitanes peints par Goya. Il ne faut pas oublier qu'il s'agissait d'œuvres récentes d'un peintre qui connaissait une ascension fulgurante – c'était bien avant son départ pour la France. Ce n'est qu'en 1815 que l'on utilisa pour la première fois le terme de *maja* qui fut toujours, depuis, attaché à ces deux portraits.

José marqua une pause, mais je lui fis comprendre qu'il pouvait poursuivre. J'avoue que je ne comprenais pas bien l'importance de savoir si la femme du tableau était une *maja* ou une *gitana*. Cela ne changeait rien au fait que Goya avait peint deux cents ans plus tôt le visage de la *Estrella de Sevilla*.

– Au mois de mars 1815, continua-t-il, Goya fut convoqué par l'Inquisition à cause, précisément, de ces deux tableaux. Il dut reconnaître que c'était lui qui les avait peints, expliquer ses motivations, dire pour qui il les avait faits et dans quel but. Mais ces réponses, si elles existent, ne sont pas parvenues jusqu'à nous et l'on ignore encore aujourd'hui qui était le commanditaire de ces œuvres.

Il y avait un peu moins de monde devant les *majas*, j'en profitai pour les examiner de nouveau.

– Il est facile de comprendre, dis-je, pourquoi tu t'intéresses tant à l'histoire de ces tableaux…

– Il y a plusieurs éléments qui tendent à prouver que la version nue a été peinte la première. Les deux toiles étaient accrochées dans le palais de Godoy, qui, lui aussi, devait compter avec l'Inquisition. Peut-être que *La Maja vêtue* servait à recouvrir *La Maja nue*. On a pensé à une sorte de jeu visuel où l'on aurait d'abord vu la femme habillée, avant qu'un mécanisme ne la fasse apparaître dénudée. Déshabiller les femmes est un sport vieux comme le monde, non ?

Je revis la scène de la cascade de Bouma où, de façon tout à fait délibérée, j'avais écarté les doigts pour regarder Ana dans son costume d'Ève.

— De 1836 à 1901, les tableaux sont restés à l'académie San Fernando, mais la version dénudée n'a jamais été montrée là-bas. En 1901, ils ont été transférés au Prado mais, ici aussi, *La Maja nue* a d'abord été exposée dans une salle à part avec un accès limité.

Je voulais en savoir davantage. Tout en l'écoutant, je n'avais cessé de penser à Ana.

— Sait-on quelle est la femme qui a servi de modèle à Goya ? demandai-je.

Il haussa les sourcils.

— Les femmes, tu veux dire.

Je comparai de nouveau les deux toiles.

— Mais elles sont tout à fait semblables.

— Approche-toi encore et observe-les bien.

J'obéis. On pouvait voir que les tableaux étaient de facture fort différente, *La Maja vêtue* était aussi plus maquillée. On avait l'impression que *La Maja nue* avait été peinte en premier et que Goya s'était ensuite dépêché de dessiner la version habillée pour recouvrir la *maja* originale. Mais c'était la même femme, c'était Ana dans les deux cas, enfin pour la tête. Seuls le visage et les cheveux appartenaient à la jeune danseuse. Et là résidait précisément le problème. Je commençais à voir clairement que Goya avait d'abord peint le corps seul et qu'il avait, par la suite, ajouté le visage d'une autre femme. Il n'y avait pas besoin d'être un expert en peinture pour se rendre compte que les *majas* étaient composées de deux parties bien distinctes, la tête et le corps ; c'était particulièrement flagrant pour *La Maja nue*.

C'était bien la tête d'Ana que je voyais, mais pas son corps. C'était le visage d'Ana sur un corps inconnu.

Je retournai près de José.

– Il s'est servi de deux modèles, dis-je. Un pour le corps et un pour la tête.

José approuva de la tête, mais sans sourire. Il prenait toute cette histoire très au sérieux, visiblement.

– Le modèle qui a posé nu était sans doute une femme honnête dont Goya ne pouvait pas décemment peindre le visage.

Alors à sa place, il a peint le visage d'Ana, pensai-je.

– Et l'on ne sait rien sur cette femme honnête ? demandai-je.

– Oh, il y a plusieurs théories. On dit, par exemple, que les tableaux ont été exécutés pour Godoy, le favori de la reine, et que le modèle – le modèle qui a posé nu – était sa maîtresse, Pepita Tudó. Dans ce cas, on comprend qu'il ait fallu impérativement dissimuler son identité. Mais il existe aussi une autre théorie.

– Laquelle ?

– Nous savons que la duchesse d'Albe a été très proche, à un certain moment, de Goya. De 1796 à 1797, époque à laquelle fut peinte *La Maja nue*, il habitait chez elle, dans sa résidence de Sanlúcar de Barrameda à l'embouchure du Guadalquivir. Dès le début du XIXe siècle, la rumeur courut que la duchesse d'Albe elle-même avait servi de modèle pour *La Maja nue*. C'est ce que l'on disait, semble-t-il, dans l'entourage proche de la duchesse, et puis ne dit-on pas que plus une rumeur est ancienne, plus elle a de chances d'être fondée ?...

– Évidemment, évidemment.

– Si tu connais les autres portraits que Goya a peints de la duchesse – je pense au célèbre tableau de 1797 ou au dessin de la duchesse occupée à sa coiffure, qui date lui aussi de 1796 ou 1797 –, tu constateras que rien dans la silhouette de la duchesse ne vient infirmer cette théorie.

– Est-ce qu'ils ont eu une liaison ?

– C'est justement ce que l'on ne sait pas, bien qu'on puisse penser que Goya ne s'y serait pas opposé, au contraire. Dans une lettre de 1785, il raconte que la duchesse lui a rendu visite dans son atelier pour se faire maquiller. Et il ajoute : « Cela me plaît davantage que de la peindre sur une toile. » Sur le tableau à l'huile qui la représente à Sanlúcar, il l'a peinte en noir avec une mantille, et elle porte deux bagues avec l'inscription « Alba-Goya ». Mieux encore, la duchesse, d'un air sévère et décidé, pointe son doigt vers le sable où l'on peut lire « Solo Goya ». La duchesse d'Albe était sans conteste une femme belle et attirante, devenue veuve assez tôt, puisque le duc d'Albe, qui était beaucoup plus âgé qu'elle, est mort à Séville le 9 juin 1796.

– Pourquoi, dans ce cas, ne sont-ils pas devenus amants ?

– Le tableau représentant la duchesse appartenait à Goya lui-même, mais il est sûrement plus juste de parler de rêves, de désirs que de véritable liaison. Certes, la duchesse était une femme très libérale, mais de là à poser nue ! Et puis, quelles étaient les chances qu'une beauté de trente-quatre ans tombât sous le charme d'un homme d'une cinquantaine d'années, plutôt décrépit, et au demeurant sourd comme un pot ?

– Oui, c'est vrai, il a été frappé par cette maladie…

– Cela dit, rien n'interdit de penser que la duchesse a servi de modèle pour *La Maja nue*. Les dessins que Goya a faits d'elles prouvent que le peintre pouvait librement se déplacer dans sa sphère, disons, privée

Concernant la nature exacte de leur relation, le voile n'a pas encore été levé, mais cela n'a plus grande importance. Ils ont été très proches pendant quelques années, voilà tout.

Depuis un bon moment, je regardais fixement le visage de la femme, je n'arrivais pas à me sortir Ana de la tête.

— Jusqu'ici nous n'avons parlé que du modèle qui a servi pour le corps, dis-je. Que sait-on sur celle qui a prêté son visage ?

Il me sembla voir un sourire fugitif se dessiner sur ses lèvres :

— C'est une histoire beaucoup plus longue, déclarat-il, plus compliquée et autrement difficile à comprendre. On s'en va ?

Je hochai la tête.

— Tu en as assez vu ?

Je m'approchai une dernière fois des deux toiles, et regardai Ana droit dans les yeux. Elle me dévisagea à son tour, exactement comme elle l'avait fait tant de fois à Taveuni — en pinçant les lèvres et en me jetant un regard oblique de ses yeux sombres.

José était déjà parti. Je le suivis, quittant à regret la collection Goya, redescendant l'escalier jusqu'au rez-de-chaussée et sortant sur la plaza de Murillo. Je vis l'Espagnol traverser la place d'un pas décidé et se diriger vers l'entrée du Jardin botanique. Il sortit deux cents pesetas de sa poche et acheta un billet ; je m'empressai de l'imiter, sans le rejoindre.

Dans le parc, nous fûmes rapidement enveloppés dans une symphonie de parfums ; toutes les plantes, tous les arbres étaient en pleine floraison en ce début mai. Les oiseaux aussi s'en donnaient à cœur joie, impossible de distinguer le chant de l'un ou l'autre tant ils étaient mêlés.

Au début, José marchait quelques pas devant moi, puis il se laissa rattraper.

– Ana adorait cette oasis, me lança-t-il sans même se retourner. Chaque fois que nous étions à Madrid, elle insistait pour venir se promener ici, au moins une fois par jour, hiver comme été. Quand je travaillais, elle pouvait très bien passer la moitié de la journée ici, toute seule ; je venais la chercher pour déjeuner, et à chaque fois elle avait fait de nouvelles découvertes. C'était comme une sorte de jeu : je devais partir à sa recherche dans l'enceinte du jardin. Où allais-je la retrouver aujourd'hui ? Combien de temps cela allait-il me prendre pour la trouver ? Et surtout : qu'est-ce qu'elle aurait de beau à me raconter ? Quand elle me voyait la première, elle s'amusait parfois à me suivre à la trace en se cachant, alors que moi je continuais à la chercher. Avec le temps, elle avait fini par connaître le nom de tous les arbres et arbustes, elle savait même quel était l'arbre préféré de chaque oiseau.

– Mais vous habitiez surtout à Séville, n'est-ce pas ?

Il acquiesça avant de dire, en secouant un peu la tête :

– Tout a commencé il y a sept ou huit ans. Je travaillais sur une série de programmes pour la télévision qui devait retracer l'histoire des gitans en Andalousie. Je voulais mettre l'accent sur des éléments plus ou moins ignorés de la culture flamenco, au croisement des traditions andalouse, grecque, romaine, celte, maure, juive et aussi chrétienne. C'est comme ça que j'ai fait la rencontre d'Ana à Séville. Elle dansait le flamenco dans un café, elle s'était fait remarquer comme *bailaora*, c'est-à-dire danseuse, dès l'âge de seize ans. Au bout de quelques semaines, nous étions devenus inséparables et, dès lors, nous ne nous étions jamais quittés, pas même une nuit.

J'étais encore tellement sous le choc de la ressemblance entre Ana et la *maja* de Goya que j'avais du mal à suivre ce qu'il me disait. Mais José, imperturbable, continua, sans m'accorder le moindre regard :

– Elle s'appelait Ana María. C'était son nom sur l'affiche et c'était ainsi que toute sa famille l'appelait. Ana, c'était le petit nom affectueux que je lui donnais moi, qui n'appartenait qu'à moi.

– Mais elle avait bien un nom de famille ?

– Bien sûr, me répondit-il comme s'il s'était attendu à ma question.

Et il ajouta :

– Maya.

– Qu'est-ce que tu viens de dire ?

– Son vrai nom était Ana María Maya.

Je restai muet d'étonnement. D'abord elle ressemblait trait pour trait à la *maja* de Goya et voilà qu'elle s'appelait Maya ! Je revis la scène où John Spooke avait posé un doigt sur le front d'Ana en disant que le nom de cet esprit était Maya. Sur le coup, José n'avait pas apprécié, c'était le moins qu'on pût dire.

– Ce n'est pas possible, fis-je enfin.

Il hocha de nouveau la tête.

– Ce nom est assez fréquent en Andalousie parmi les artistes de flamenco. Le danseur le plus célèbre est naturellement le *bailaoren* Mario Maya. Mais sa fille Belén Maya aussi a réussi à se faire un nom, ainsi que son neveu Juan Andrés Maya. Cette dynastie de danseurs de flamenco est en fait connue comme « Los Maya ». Ana appartenait à une autre famille Maya, ou en tout cas à une autre branche.

– Est-ce que cela veut dire quelque chose ?

– Maya est le nom d'une herbe médicinale de la famille des pâquerettes ou *Bellis perennis*. Je ne sais pas pourquoi cette jolie fleur s'appelle *maya* en espagnol, peut-être que cela vient de *mayo*, le mois de mai ; je crois que, dans d'autres pays, la pâquerette se dit aussi

« fleur de mai ». Le nom latin renvoie, lui, sans doute, au fait qu'elle fleurit presque toute l'année. Enfin, *maya* signifie aussi une jeune fille, une reine du mois de mai, une femme parée ou masquée.

– Ce qui est très proche, au fond, de *maja*, remarquai-je.

– Vu sous cet angle, oui. Les deux mots ont la même racine indo-européenne. On retrouve cette dernière dans le mot « mai » ou dans Maia, la déesse romaine, mais aussi dans tous les dérivés du latin *magnus* ou *major*, comme dans la plaza Mayor, dans tous les dérivés du grec *megas*, et enfin dans toute une série de langues indo-européennes : en norvégien, par exemple, elle a donné *mye* et *meget* qui tous deux signifient « beaucoup », en anglais *much* et en sanscrit *maha*

– Comme dans *mahatma*, l'âme du monde ?

Il fit signe que oui.

– Laura en avait beaucoup parlé à Maravu, rappelai-je, elle avait parlé de *Gaïa* et de *maya*, et ici en Espagne, on retrouve *Goya* et *maja*. Est-ce vraiment un hasard ?

– Il n'y a pas de hasard, énonça José.

J'avais l'impression d'entendre la voix de Laura. Il ne m'avait toujours pas accordé un regard. Nous étions en train de faire le tour d'une des fontaines en marbre quand il me dit :

– Ana María était la cadette d'une famille gitane riche en traditions qui s'était installée à Triana, l'un des quartiers de Séville, au début du siècle dernier. Ses parents, ainsi que deux de ses grands-parents, vivent encore là-bas. Une branche de la famille remonte probablement au légendaire chanteur de *canto jondo* El Planeta, à qui l'on doit le chant si particulier de l'école de Triana. Originaire de Cadix, El Planeta vécut de 1785 à 1860 environ. On lui aurait donné ce surnom car il croyait à l'influence des étoiles et des planètes, il est en tout cas souvent fait allusion aux corps célestes dans ses chansons. El Planeta lui-même était un peu « une étoile voyageuse » : au début du XIXe siècle, il s'établit à Séville et travailla dans les forges de Triana, un travail fort répandu parmi les gitans, à cette époque. A en croire la famille d'Ana, il serait l'arrière-arrière-arrière-grand-père de la jeune femme. Je n'ai trouvé nulle part la confirmation de ce lien de parenté en dehors de la tradition ésotérique familiale, mais au fond, après sept générations, il a sans doute plusieurs centaines de descendants, des milliers, qui sait ? Alors pourquoi Ana ne serait-elle pas l'un d'entre eux ?

— Continue !

— Il a suffi de quelques semaines pour que nous nous sentions fortement liés l'un à l'autre. Elle m'a également fait découvrir une incroyable tradition familiale qui m'a beaucoup amusé, et dont je comptais me servir pour le programme de télévision sur lequel je travaillais. Bien sûr, celui-ci n'a jamais vu le jour.

— Pourquoi cela ?

— Je suis moi-même devenu un gitan andalou. En tout cas un *aficionado*, c'est-à-dire un adorateur dévoué corps et âme, et initié aux mystères de la culture flamenco. Ces gens si fiers de leur patrimoine artistique m'avaient adopté, comment aurais-je pu tourner une émission sur ma propre famille ? Et puis j'en savais trop, car, comme je te l'ai dit, leurs traditions touchaient à l'ésotérisme et ne pouvaient pas être révélées à n'importe qui. S'il y a quelque chose que les gitans d'Andalousie ont su préserver pendant plus de cinq cents ans, c'est bien le secret. Dès le départ, ils avaient appris à se cacher de l'Inquisition. Dans la famille d'Ana, donc, une histoire surtout circulait de génération en génération, une histoire incroyable qui remontait à El Planeta et avait aussi un rapport avec la mort de l'arrière-grand-père d'Ana lors d'une rixe en 1894.

La question est de savoir si cette histoire de gitans – cette légende, en fait – peut éclairer ce qui est arrivé à Ana. En tout cas, elle a de son vivant projeté une grande ombre sur sa vie.

– Comment ça ?

Il s'arrêta sur le chemin de graviers et me regarda enfin dans les yeux.

– Il faut d'abord que je te raconte ce qui s'est passé.

Nous recommençâmes à marcher et il poursuivit son récit :

– Quelques années après ma rencontre avec Ana, on a appris qu'elle avait une petite malformation cardiaque. Ce n'était pas grave, mais on ne pouvait pas l'opérer, c'était trop délicat. De toute façon, elle pouvait très bien vivre ainsi toute sa vie sans avoir besoin de faire particulièrement attention. Parfois, malgré tout, elle devenait pâle comme un linge tant sa circulation était mauvaise. Ses malaises duraient une ou deux minutes, pas plus. Les médecins ne voyaient rien d'inquiétant là-dedans, mais cela a suffi à nous effrayer, Ana et moi. La première alarme vraiment sérieuse a eu lieu il y a un an à peine, quand elle s'est effondrée sur scène et a dû être transportée en ambulance à l'hôpital. Les médecins se sont encore efforcés de nous rassurer, mais ils lui ont interdit de se produire désormais. Le flamenco est une danse violente, tu sais, extrêmement violente. En même temps – et je ne sais pas ce qui a été le plus grand choc –, ils lui ont fait comprendre qu'il valait mieux pour elle renoncer à tout projet de grossesse.

– Comment a-t-elle pris tout cela ?

Il eut un petit *pff* presque méprisant :

– Mal. Le flamenco, c'était toute l'âme d'Ana. Et elle voulait avoir des enfants, parfois même elle achetait des vêtements pour enfants quand ils lui plaisaient trop.

– Et puis vous êtes partis pour les Fidji ?

Il ne répondit pas.

– Et voilà qu'on se rencontre, toi et moi, par hasard à Salamanque, poursuivit-il. Ana et moi vivions alors à Madrid, mais nous étions venus passer quelques jours à Salamanque dans ma famille. Dans le café de la plaza Mayor, on a soudain passé de la musique flamenco, et il se trouve qu'Ana avait travaillé à Séville quelques années plus tôt avec le groupe qui jouait. J'ai vu comme elle avait envie de danser, elle tapait sur la table avec ses mains et claquait dans ses doigts. Je lui ai demandé d'arrêter. A quoi bon remuer le couteau dans la plaie et se faire encore plus mal ? Alors elle s'est levée brusquement en disant qu'elle voulait rentrer à Séville. Je craignais ne plus pouvoir l'empêcher de danser. Nous sommes quand même allés chez les parents d'Ana à Triana. Nous n'étions pas retournés à Séville depuis six mois et nous nous sommes longuement promenés dans le parc María Luisa, sur la plaza de España, dans les jardins de l'Alcázar et dans le vieux quartier juif de Santa Cruz. Mais je n'ai pas réussi à l'emmener sur la place Santa Cruz proprement dite, où ces dernières années elle avait dansé presque tous les soirs et qu'elle avait fini par quitter en ambulance. Nous n'avons pas parlé de cet incident, ni de son défaut cardiaque ni du flamenco, mais chaque fois que nous nous approchions de la place avec sa vieille croix en fer forgé, qui seule atteste la présence, autrefois, d'une église riche en traditions à cet endroit, elle m'entraînait dans une ruelle débouchant ailleurs.

Nous étions arrivés de l'autre côté du Jardin botanique où un talus recouvert de plantations marque la frontière avec Claudio Moyano et la longue enfilade de bouquinistes où tu avais acheté, il y a quelques années, une ancienne traduction de *Victoria* de Knut Hamsun. José s'assit sur le bord de la fontaine de marbre, et je fis comme lui.

265

– Nous aimions tous les deux beaucoup les jardins de l'Alcázar, c'est moi qui les lui avais fait connaître. Elle avait passé toute son enfance à Séville, et pourtant elle n'y avait jamais mis les pieds avant de me rencontrer. C'était devenu son refuge, et il nous arrivait d'y aller plusieurs fois par semaine. Le troisième jour, nous nous sommes promenés dans tous les jardins où nous avions l'habitude d'aller autrefois. Il nous semblait que l'Alcázar et ses remparts étaient un monde à part, clos, dans lequel nous aurions pu tous les deux passer le reste de nos jours, ensemble. Nous n'aurions pas dû dire cela, non, nous n'aurions pas dû.

– Que s'est-il passé ?

– Nous étions assis sur un banc, tout en bas, près du café, quand Ana a soudain aperçu un nain. Elle a commencé par indiquer du doigt la direction de la puerta de Marchena en disant qu'elle venait de voir la tête d'un nain surgir de la galerie des Grotesques. « Il m'a prise en photo ! » s'est-elle écriée comme si c'était un crime. L'instant d'après, nous avons vu tous les deux la petite silhouette qui nous regardait depuis l'une des ouvertures du long mur qui sépare les jardins de l'Alcázar en deux parties, l'ancienne et la nouvelle. De nouveau, il nous a pris en photo avec son appareil de poche. « C'est lui ! s'est exclamée Anna, c'est le nain avec ses clochettes ! »

– De qui parlait-elle ? l'interrompis-je. Qui est ce nain aux clochettes ?

Il reprit son récit sans répondre :

– Ana a quitté précipitamment son banc et s'est lancée à la poursuite du nain qui s'enfuyait sous la puerta de Marchena. Je crois que j'ai essayé de la retenir, mais j'ai fini par la suivre, car depuis que je connaissais Ana, je l'avais souvent entendue parler de ce nain. Elle est d'abord partie vers la gauche, passant par la grille en fer forgé, puis devant le bassin avec la statue de Mercure, avant de descendre les marches qui mènent au jardin de la Danse et, encore plus bas, au jardin des Dames ; de là, elle s'est dirigée vers la fontaine de Neptune, est sortie par le grand portail, a contourné le pavillon de Charles IV, pour entrer dans le Labyrinthe avec ses haies hautes de plusieurs mètres et en ressortir toujours aussi précipitamment. Je les ai vus remonter le long de la galerie des Grotesques avant de tourner à droite en passant par la puerta del Privilegio et d'arriver enfin au jardin des Poètes. Aussi bien le nain qu'Ana couraient plus vite que moi et, à entendre leurs cris, on aurait pu penser que c'était Ana qui avait le culot de pourchasser un malheureux nain, alors que c'était plutôt le contraire et que c'était dans l'espoir d'en finir une bonne fois pour toutes avec lui qu'elle s'était lancée à sa poursuite. Dans le jardin des Poètes, elle est tombée de l'autre côté d'une haie alors qu'elle allait atteindre la fontaine en contrebas, à un jet de pierre de la plaza Santa Cruz. Seul un rempart, désormais, la séparait du *tablao* de flamenco « Los Gallos » où elle avait été si longtemps la grande *bailaora*. Le temps de la rejoindre, une foule nombreuse se pressait déjà autour d'elle. Elle était consciente, mais son visage était devenu presque bleu et elle avait du mal à respirer. Je l'ai prise dans mes bras et l'ai portée dans la grande fontaine de marbre pour rafraîchir quelques minutes son corps fiévreux. J'ai crié qu'elle avait une maladie cardiaque et rapidement une ambulance est venue la chercher. On l'a emmenée sur une civière, je serais bien incapable de dire combien de temps cela a duré en réalité.

José se tut et resta longtemps le regard perdu dans le vague. Il n'y avait pas grand monde dans le Jardin botanique, nous entendions juste le chant des oiseaux qui couvrait presque le bruit de la circulation sur le paseo del Prado. C'était comme si les oiseaux eux aussi rendaient hommage à leur amie disparue.

– Et le nain ? demandai-je.

– Oh ! lui, personne n'y a fait attention. C'était comme si la terre l'avait englouti.

– Mais Ana ?

– A l'hôpital on lui a fait des piqûres, et les premières heures elle avait l'air d'aller mieux, même si elle ne pouvait toujours pas marcher. Les médecins attendaient que son pouls redevienne normal pour l'opérer, mais elle n'a pas eu cette chance. Cela fait maintenant une semaine qu'elle est morte, et vendredi prochain je fais dire une messe pour le salut de son âme, à l'église Santa Ana de Triana.

Il me jeta un regard rapide et ajouta :

– Ce serait bien si tu pouvais y assister.

– Bien sûr, tu peux compter sur moi.

– Tant mieux !

– Mais Ana, est-ce qu'elle a dit quelque chose pendant qu'elle était à l'hôpital ? Elle a été consciente jusqu'au bout ?

– Elle était plus lucide que jamais. Elle m'a raconté beaucoup de choses que j'ignorais encore à propos du nain, de El Planeta, de son arrière-grand-père qui était mort après cette rixe fatale, et, pour finir, elle m'a révélé certains des secrets du flamenco. La dernière chose qu'elle m'ait dite avant que son cœur lâche a été : « Il faut des milliards d'années pour créer un être humain. Et juste quelques secondes pour mourir. » C'étaient mes propres paroles, l'expression de mon sentiment intime sur la vie, mais elle s'était imprégnée de ma façon de concevoir l'existence, comme moi j'étais devenu un *aficionado* du flamenco. Avec ces derniers mots, Ana me faisait à la fois ses adieux et une déclaration d'amour.

J'aurais aimé savoir ce qu'il entendait au juste par là, mais il se leva brusquement et repartit vers l'entrée du Jardin botanique. Je n'avais d'autre choix que de le suivre.

Tandis qu'il me parlait d'Ana, je n'avais pas pu m'empêcher de repenser sans cesse aux deux portraits du Prado. Pouvait-il y avoir un rapport entre ce qu'il m'avait raconté à propos de ce nain qu'Ana avait poursuivi dans les jardins de l'Alcázar, et la troublante ressemblance entre Ana et la *maja* de Goya ?

— La première fois que tu as rencontré Ana, il y a bien des années de cela…, commençai-je.

Il comprit où je voulais en venir et me coupa aussitôt la parole :

— Non, je n'ai pas pensé à Goya. Je crois que j'ai eu la même réaction que toi. J'étais persuadé de l'avoir déjà rencontrée, mais à l'époque je me suis dit que je devais avoir cette impression parce que j'étais très amoureux d'elle.

— Nous avons peut-être, dis-je, une sorte de mécanisme de défense qui nous interdit d'identifier une jeune fille qui croise notre route à une autre personne ayant vécu deux cents ans plus tôt.

Il se contenta de hausser les épaules.

— Et qu'est-ce que tu penses de tout cela aujourd'hui ? demandai-je.

Il me répondit avec une soudaine intensité :

— La ressemblance est tellement incroyable. Avec le temps, elles ont fini par être tout à fait identiques. Dès l'âge de dix ans, Ana a dû vivre avec ce handicap qui, année après année, devenait plus apparent, au point qu'à Séville on la surnommait *La Niña del Prado*.

— Tu as dit « année après année » ?

— Plus elle grandissait, plus elle ressemblait à la *gitana* de Goya.

269

Je fus si surpris que je portai la main à ma bouche. José continua :

— Elle est morte au moment où elle avait atteint le maximum de ressemblance avec le modèle. L'œuvre était désormais accomplie, et elle n'a pas vécu un jour de plus.

— Mais comment expliques-tu cette étrange similitude ?

— Il y a plusieurs explications, mais, pour diverses qu'elles soient, toutes ces explications ont un trait commun : elles sont aussi improbables les unes que les autres.

— Je suis quand même curieux de les entendre.

Il tourna à droite pour rejoindre le Pavillon et dit :

— Il se peut que ce soit l'arrière-arrière-arrière-arrière-grand-mère d'Ana qui ait servi de modèle à Goya...

— Tu crois ?

— Je ne sais pas. Quelle est la probabilité qu'une femme ait une descendante qui lui ressemble à ce point ? Ou le contraire, bien sûr : quelle est la probabilité qu'une femme hérite du visage de son arrière-arrière-arrière-arrière-grand-mère ? C'est toi, le biologiste. Peut-on sérieusement envisager ce genre de choses ?

Je fis un grand signe de dénégation.

— Pas sur sept générations. Si les deux parents d'Ana avaient la même arrière-arrière-arrière-grand-mère – ce qui est peu probable –, alors peut-être y aurait-il un certain air de famille sous la forme de quelques traits bien spécifiques. Mais de là à afficher une parfaite ressemblance ! On aurait plus de chances de gagner sept fois de suite la super-cagnotte au Loto, ce qui n'arrive jamais.

— Alors ce doit être le pur, le grand hasard, qui a fait Ana à l'image de la *gitana* de Goya. Toi et moi en tout cas pouvons témoigner que cette ressemblance est une réalité.

Je n'y comprenais toujours rien.

— Deux personnes tout à fait identiques, cela n'existe pas. Nous avons déjà rejeté l'hypothèse de la descendance. Tu as d'autres théories ?

— Oh, beaucoup d'autres ! J'ai eu le temps de réfléchir à tout ça, crois-moi !

Je ne voyais pas très bien quelles pouvaient être les autres possibilités, mais il poursuivit :

— La plus simple de toutes les hypothèses, c'est qu'Ana elle-même a servi de modèle pour les deux tableaux.

— Mais ils ont été peints il y a deux cents ans !

— C'est ce qu'on dit.

Il hésita un instant avant de continuer :

— Je me suis forcé à envisager toutes les solutions, même les plus improbables. Pourquoi, après tout, Ana n'aurait-elle pas eu l'âge des tableaux au moment où elle est morte ?

Je levai les yeux vers son visage pâle. Si je n'avais pas moi-même rencontré Ana quelques semaines plus tôt, j'aurais vraiment cru que José avait le cerveau sérieusement dérangé ou, du moins, un esprit critique plus que réduit.

— Il ne faut pas plaisanter avec ce genre de choses, dis-je.

— Je ne plaisante pas. Je sais que je m'aventure ici dans des zones dangereuses, et plus encore que tu ne peux l'imaginer. C'est moi, et moi seul, qui étais assis à côté d'Ana sur un banc dans les jardins de l'Alcázar le jour où elle a ressemblé trait pour trait à la *gitana* de Goya. Elle avait exactement la même coiffure, le même maquillage, tu comprends ?

— Je crois.

— Naturellement, nous savons par expérience qu'il est impossible qu'Ana ait été le modèle du peintre, mais

271

d'un point de vue purement logique, c'est une autre affaire.

– Évidemment, si tu acceptes ce genre de prémisses, ce ne sont pas les théories qui doivent te manquer..

– Si la *gitana* de Goya a été peinte à la fin du XIXᵉ siècle, on peut imaginer qu'Ana a été « façonnée » à l'image du modèle.

– « Façonnée », comment ça ?

– Je réfléchis à haute voix, c'est tout. Tu connais, je suppose, l'histoire de Pygmalion ?

– Oui, bien sûr, c'est dans *Les Métamorphoses* d'Ovide. Pygmalion tombe amoureux d'une statue qu'il a lui-même sculptée. Aphrodite le prend alors en pitié et donne vie à la sculpture. D'autres théories ?

Il resta silencieux un instant, le regard perdu dans le lointain.

– Elles se ressemblaient tellement, dit-il, qu'Ana aurait pu passer pour la sœur jumelle du modèle.

– Très certainement, dis-je sans voir du tout où il voulait en venir.

– Tu penses donc, reprit-il, qu'il est impensable que dans deux cents ans vive un homme qui soit mon portrait craché, avec les mêmes empreintes digitales et tout ?

– Non, ce n'est pas impensable. Quelques cellules vivantes, un bon congélateur, et, dans deux petits siècles, on arrivera bien à produire un clone de toi. Je me permettrai juste de te faire remarquer que je ne vois pas bien le plaisir que tu retireras personnellement d'une telle « renaissance ».

Je n'avais pas bien mesuré la portée de mes paroles et je ne m'attendais certainement pas à ce qu'il prenne la balle au bond :

– Il est donc possible qu'un échantillon de tissu ait été prélevé sur le modèle de Goya, et que tout son bagage génétique ait été conservé – d'une façon remarquable, certes – pendant presque deux cents ans avant d'être injecté, il y a trente ans environ, dans une cellule sexuelle femelle.

Je sentis un frisson me parcourir le corps, le même que celui que j'avais éprouvé la première fois que j'avais aperçu Ana et José se promener dans la palmeraie en devisant sur la Création et le manque d'étonnement d'Adam.

– Je comprends ce que tu veux dire, c'est vrai, oui, c'est une éventualité. La microbiologie et la médecine procréative ont fait tellement de progrès ces trente dernières années. Et ces deux derniers siècles donc !

– Mais c'est selon toi fort improbable ?

– Fort improbable, en effet.

– Il vaudrait mieux alors rester sur l'idée qu'il s'agit d'une pure coïncidence, ce qui, en soi, pose déjà problème. Cela suppose en effet qu'il existe dans la nature plusieurs chemins parallèles menant au même résultat exactement, ce que j'aurais pourtant juré être impossible. Sans doute la nature n'est-elle pas ordonnée comme je l'imagine, elle ne procède pas par étapes et ne poursuit aucun but.

– Nous avons déjà discuté de cela.

– De quoi ?

– De la nature et de ses buts. A-t-elle une finalité ? Cherche-t-elle à montrer quelque chose, à se poser en exemple ? Nous nous sommes aussi demandé si quelque chose qui se produisait aujourd'hui pouvait être la cause d'un événement arrivé il y a très longtemps.

Je faisais bien sûr référence à notre « rencontre au sommet sous les tropiques » organisée par l'Anglais à Maravu. Il s'était passé bien des choses depuis… J'eus soudain une idée :

– Peut-être que nous commettons une erreur en partant de l'hypothèse que Goya a eu recours à un modèle vivant pour peindre la tête. Il avait juste besoin d'un visage pour dissimuler l'identité du modèle, il s'agissait simplement d'une opération de camouflage.

José eut un sourire entendu, lui aussi naturellement y avait pensé.

– Et alors ?

– Il se peut très bien que ce soit une simple coïncidence. Le peintre a imaginé un visage pour ses tableaux, et, deux siècles plus tard, une femme est née qui avait exactement les mêmes traits.

Il secoua la tête d'un air las.

– On en revient à Pygmalion. Un jour, Dieu a donné vie à la création de Goya.

– J'ai bien dit que ce devait être une simple coïncidence. Même si elle est assez folle, je l'avoue.

– Cette « coïncidence » est donc une possibilité à retenir. A moins que Goya n'ait été en mesure de connaître le plan divin... Oui, et si Goya avait eu un réel don de voyance ?

Tout en discutant, nous étions arrivés devant le buste de Carl von Linné.

– As-tu encore d'autres théories ? demandai-je. Ou as-tu fait le tour de la question ?

Il eut un signe de tête las et triste.

– Non... Mes malles sont vides.

Il attendit quelques secondes avant d'ajouter :

– Mais il y a aussi une autre explication et c'est celle à laquelle croyaient Ana et sa famille. Il ne faut pas oublier qu'eux sont gitans depuis de nombreuses générations, alors que moi, cela fait juste quelques années.

Il regarda soudain sa montre, et alors que je m'apprêtais à entendre ce que pensait Ana de son incroyable ressemblance avec une femme qui avait vécu deux cents ans plus tôt sur cette même terre, il dit :

– Le problème, c'est qu'il faut que je te laisse. J'ai un rendez-vous important et j'ai déjà un quart d'heure de retard.

Je me sentis lésé. Il dut s'en rendre compte car au moment de partir, il posa une main sur mon épaule en m'expliquant :

– J'ai toutes sortes d'affaires à régler ces jours-ci. Il s'agit de tâches lourdes, mais qui me tiennent à cœur. Te retrouver au Prado était l'une d'elles. Cela m'a demandé beaucoup de temps, et maintenant j'ai d'autres personnes à voir.

Là-dessus, il partit en courant vers la sortie du Jardin botanique. Il n'avait pas tellement éclairé ma lanterne. Je ne savais toujours pas qui était ce nain à Séville, je ne connaissais pas l'explication que donnait Ana de son étrange ressemblance avec le portrait. Je n'avais rien appris de plus sur El Planeta, ni sur l'arrière-grand-père décédé à la suite d'une rixe en 1894, et j'avais toujours besoin qu'on m'expliquât ces curieuses maximes qu'Ana et José se récitaient inlassablement à Taveuni. José et moi n'avions pas convenu d'un autre rendez-vous. Savait-il que j'habitais au Palace ? Le lui avais-je glissé dans la conversation ?

Mon seul point de repère, c'était cette messe pour le repos de l'âme d'Ana, le vendredi suivant à Séville, en l'église Santa Ana. Toutes ces similitudes de noms finissaient par avoir quelque chose d'irritant, pensai-je.

Je me retrouvai donc tout seul et j'eus l'idée de te proposer de partir avec moi à Séville ce week-end-là. Tu me devais bien ça, vu la manière dont tu t'étais moquée de moi quand je t'avais dit avoir reconnu Ana et José sur les rives du Tormes. Tu pouvais quand même me rendre le service de m'accompagner à une messe donnée en la mémoire d'une amie…

Ce que tu as pu rire, Véra ! Mais il n'y a pas loin du rire aux larmes, car le bonheur, oui le bonheur, est aussi fragile que du verre. Nous en avons fait tous deux l'amère expérience, n'est-ce pas ?

Je levai les yeux pour regarder Carl von Linné. Était-ce lui qui avait donné à la pâquerette le nom de *Bellis perennis* ? En tout cas, il avait tenté de mieux comprendre ce monde étrange que chacun d'entre nous ne fait que traverser, le temps d'un passage éclair sur Terre.

Sur le chemin de retour à l'hôtel, je retournai au Prado pour examiner encore une fois la collection Goya. De nouveau, je regardai Ana telle qu'elle était le jour où elle avait couru après le nain dans les jardins de l'Alcázar. *La Niña del Prado* avait beaucoup changé au cours des mois qui avaient suivi son séjour à Taveuni. A Salamanque, je l'avais à peine aperçue quand elle s'était précipitée hors du café. Mais le nain, lui, l'avait prise en photo dans la galerie des Grotesques.

Que voulait-il faire de ce cliché ?

Je grignotai un petit quelque chose au comptoir d'un bar, puis je traînai un peu dans les rues avant de rentrer à l'hôtel. Une fois enfermé dans ma chambre, j'allai à la fenêtre pour jeter un coup d'œil à la fontaine Neptune avec, derrière, le Ritz, puis, plus loin, le musée du Prado de l'autre côté du paseo del Prado. Là se trouvaient deux portraits d'Ana María Maya.

C'est alors que je pris la décision de faire tout ce qui était en mon pouvoir pour t'emmener avec moi avec Séville. Mais pour avoir une chance d'arriver à mes fins, il me fallait d'abord te raconter cette longue histoire. Depuis deux jours, donc, je t'écris, martelant touche après touche ce récit dans la mémoire de mon ordinateur portable.

Je m'assis au bureau, allumai l'ordinateur, remarquai qu'on était le 5 mai 1998 et commençai, paragraphe par paragraphe, à travailler sur ce texte. La première chose que je fis fut de brosser à grands traits ce que j'avais pu observer et vivre en Océanie de novembre 1997 à janvier 1998, de raconter le vol de Nadi à Matei, puis de faire une rapide description de Taveuni, du Maravu Plantation Resort, et enfin de ma première rencontre avec Ana et José. Ainsi j'avais commencé à t'écrire avant de retrouver José au Retiro le matin suivant, avant d'avoir su ce qu'avait vécu El Planeta à Marseille, l'été 1842, et avant de savoir ce qui s'était passé sur un quai de Cadix, un jour d'hiver en 1790.

Aujourd'hui jeudi 7 mai, il est quatre heures de l'après-midi. Dans quelques heures, je prendrai le train pour Séville. Devant moi, j'ai une collection de photographies. L'étonnant, ce n'est pas tant ce qu'elles représentent que ce qu'Ana a écrit au dos de chacune d'entre elles. Je tiens désormais entre mes mains l'explication, monstrueuse, de cette incroyable ressemblance entre Ana et un portrait peint il y a deux siècles.

Depuis ma conversation avec José dans le Jardin botanique, il s'est donc passé deux jours, et dans ce laps de temps il m'est apparu de plus en plus urgent de te faire parvenir cette longue épître. Je ne peux pas courir le risque que tu ne la reçoives pas à temps, car il faut absolument que tu m'accompagnes à Séville demain, il le faut, et j'espère qù'à la lecture de ce récit tu en décideras ainsi. C'est pourquoi je prends la décision, ici et maintenant, de t'appeler. Je vais consigner par écrit ma tentative de te contacter une dernière fois avant de t'envoyer cette lettre. A toi de choisir tes mots avec soin car, dans quelques heures, ils réapparaîtront sur ton écran d'ordinateur.

Assis à mon bureau, je soulève le combiné et compose ton numéro à Barcelone…

Je ne me souviens pas mot pour mot de notre conversation, mais j'indique du moins comment elle s'est déroulée et quelle impression elle m'a laissée.

— Allô ?

— C'est moi.

— Frank ?

— Ana est morte.

— Je sais.

— Quoi ?

— Je sais qu'Ana est morte.

— Mais tu ne la connaissais pas.

— Non, justement, je ne la connaissais pas.

— Et pourtant tu sais qu'elle est morte !

— Qu'est-ce qu'il y a, Frank ?

— Comment peux-tu savoir qu'elle est morte ?

— Je ne comprends pas. Je ne vois vraiment pas pourquoi tu veux remuer tout ça.

— Moi non plus… Je veux dire, je ne vois pas ce que tu entends par « tout ça ».

— Arrête !

— Je suis tout seul dans ma chambre d'hôtel, cela fait presque deux semaines que je suis ici. J'avais besoin de parler à quelqu'un, j'avais besoin de dire à quelqu'un qu'Ana était morte.

— Ce n'est pas toi qui lui as donné mon numéro de téléphone ?

— A qui ?

— Il s'est présenté sous le nom de José.

— Hein ?

— Il y a un type qui m'a téléphoné en me disant qu'il venait de te rencontrer dans le parc du Retiro. Il t'aurait donné un cadeau pour nous.

— Il a dit ça ?

— Oui, et puis il a dit qu'Ana était morte.

— Il t'a raconté ça, à toi ?

— Tu ne savais pas qu'il m'avait appelée ?

– Non !

– Alors, c'est quoi ce « cadeau » ?

– C'est vrai qu'il a vaguement parlé de quelque chose pour nous deux.

– Bon, ça suffit, je vais raccrocher…

– Allô ?

– Écoute, je raccroche si tu ne me dis pas ce que c'est que ce « cadeau ».

– Je ne comprends pas pourquoi tu es si agressive.

– Je ne suis pas agressive.

– Disons, un peu énervée.

– Mais non, je ne suis pas énervée. Alors, ce « cadeau » ?

– Il s'agit de quelques photos. Et d'une sorte de manifeste.

– Une sorte de quoi ?

– De manifeste.

– Si ce n'est que ça, tu peux le garder pour toi, Frank.

– Je ne savais vraiment pas qu'il t'avait appelée.

– En tout cas, c'est toi qui lui as donné mon numéro de téléphone.

– Mais non, pas du tout.

– Tu lui as peut-être dit comment je m'appelais ?

– C'est possible.

– Un « manifeste », tu disais ?

– Mais ce n'est pas pour ça que je t'appelle.

– Alors pourquoi m'appelles-tu ? Je n'ai pas que ça à faire, tu sais…

– Tu te rappelles de ton fou rire ?… Tu ne réponds pas ?

– C'est vrai, j'ai passé une très bonne soirée, Frank. Excuse-moi si je me suis un peu énervée tout à l'heure, j'ai cru que c'était toi qui lui avais dit de m'appeler. Et cette histoire de cadeau à partager tous les deux… Tu comprends ? Et voilà que tu m'appelles une demi-heure après.

– Je ne me doutais absolument pas qu'il allait te téléphoner.

– Oui, je me souviens de mon fou rire. J'étais persuadée que tu avais inventé toute cette histoire. Ça te ressemblait tellement, cette façon de faire.

– Cette façon de faire ?

– Oui, d'inventer d'abord une histoire puis de demander à un complice de m'appeler pour me parler d'un cadeau.

– Je viens de te dire que je n'avais rien à voir là-dedans. Si tu ne me crois pas, c'est *moi* qui vais raccrocher…

– Allô ?

– Ça fait deux jours que je t'écris.

– Sur nous ?

– Sur Ana et José.

– Eh bien, tu n'as qu'à m'envoyer ton texte. Je te promets que je le lirai.

– Non, c'est vraiment urgent, tu sais. Est-ce que tu pourrais brancher ton PC ce soir ? J'en ai encore pour quelques heures.

– Bon, si tu veux.

– Dans ma lettre, je te demande un service. J'aimerais que tu fasses quelque chose pour moi, même si ça devait être la dernière fois.

– De quoi s'agit-il ?

– Si je te le dis maintenant, tu vas refuser.

– Demande toujours.

– J'aimerais que tu viennes avec moi à Séville demain pour assister à une messe à la mémoire d'Ana.

– Tu me l'as déjà demandé.

– Pardon ?

– Ou celui qui a téléphoné, si tu préfères. Ce qui revient au même.

– Il t'a demandé si tu voulais venir à Séville ?

– Ne me dis pas que tu n'étais pas au courant !

– Mais non ! Enfin, Véra, je te jure ! Comment l'aurais-je su ? Il a dû appeler les renseignements pour avoir ton numéro.

– Je lui ai dit que, vendredi, cela tombait plutôt mal. Je ne la connaissais pas, Frank.

– Tu me connais, moi.

– Oui, mais ce n'est pas toi qui es mort, heureusement.

– Tu sais, beaucoup de ceux qui sont venus à l'enterrement de Sonja ne l'avaient jamais vue.

– Ça n'a rien à voir.

– Même si je te dis qu'Ana était une amie proche ?

– Je comprends. Mais nous ne vivons plus ensemble.

– Tu viendrais à l'enterrement de ma mère ?

– Là, tu deviens macabre.

– Nous n'allons quand même pas nous disputer pour savoir qui de nous deux est le plus macabre !

– On ne se dispute pas, tout ça, c'est du passé désormais. On s'est déjà dit au revoir, Frank. Quand vas-tu enfin le comprendre ?

– Tu as un nouvel ami ?

– Tu me l'as demandé sur le pont, avant de te lancer dans tes histoires à dormir debout.

– Alors, est-ce que tu as quelqu'un dans ta vie ?

– Je ne vois pas de quel droit tu me poses cette question.

– Ne sois pas mesquine, je te demande seulement si tu as un petit ami.

– Non.

– C'est vrai ?

– Je n'ai pas l'intention de me remarier.

– Comment peux-tu en être aussi sûre ?

– Mais tu sais, j'ai beaucoup d'amis. Toi aussi, j'espère.

– En Espagne, pas tant que ça. C'est pourquoi il est tellement important pour moi que tu m'accompagnes à Séville. Naturellement, je prendrai en charge tous les frais.

— Je ne sais pas, Frank. Je ne sais vraiment pas.

— Bon, laissons tomber cette question pour l'instant. Mais tu me promets de lire ce que je t'enverrai ce soir ?

— Je te l'ai déjà dit. Je prendrai le temps de le lire, promis.

— Merci, ça te fera peut-être changer d'avis.

— Ce que tu m'as écrit a un rapport avec ce que tu m'as raconté sur le pont ?

— Oui, mais, à ce moment-là, je ne savais pas encore grand-chose.

— Tu éveilles ma curiosité. Tu ne pourrais pas me faire un petit résumé ?

— Non, impossible, il faut que tu découvres tout en bloc, c'est tout ou rien.

— J'attendrai donc jusqu'à ce soir.

— Si tu veux, je peux te proposer une énigme, cela t'aidera à patienter.

— Une énigme ?

— Comment une personne qui vit aujourd'hui peut-elle être le portrait craché d'une autre personne qui vivait, elle, il y a deux cents ans ?

— Euh, je ne sais pas. De toute façon, on ne sait pas à quoi ressemblaient les personnes il y a deux cents ans.

— Il existe beaucoup de portraits.

— Mais il n'y a pas deux personnes tout à fait semblables, Frank. Tu ne m'as pas dit que tu avais étudié la génétique ?

— Je t'ai prévenue que c'était une énigme.

— Tu as bu ?

— Ne recommence pas à t'énerver !

— Je crois que tu ne devrais pas boire autant.

— Tu sais à qui tu me fais penser ?

— Je te demande juste si tu as bu.

— Tu me fais penser à un gecko.

— Je te remercie !

— Mais c'était un gecko très particulier.

— Tu ne serais pas un peu surmené en ce moment ?

— Est-ce que tu crois aux nains ?

— Si je crois aux *nains* ?

— Non, laisse tomber. La messe pour le salut de l'âme d'Ana sera dite à Triana, en l'église Santa Ana, à dix-neuf heures.

— On verra. En tout cas, je lirai ce que tu m'as écrit.

— J'habite au Palace.

— Tu es fou ! Heureusement que nous avons des comptes séparés.

— Tu sais, je ne me serais pas donné la peine de t'écrire ou de te téléphoner si tu ne comptais pas encore un peu pour moi…

— Et moi, je n'aurais pas laissé une conversation téléphonique aussi absurde se prolonger tout ce temps s'il n'y avait pas eu un minimum de réciprocité.

— Au revoir, Véra.

— Au revoir, Frank. Décidément tu es bizarre, tu n'as pas changé.

# Le nain et l'image magique

Le mercredi matin, peu après neuf heures, j'étais au Prado pour l'ouverture des portes. J'espérais y rencontrer à nouveau José car nous n'avions pas convenu d'un autre lieu de rendez-vous. Sinon, bien sûr, il restait l'église Santa Ana à Séville, mais il y aurait sans doute beaucoup de monde.

Je repassai devant *Le Jardin des délices* et je m'attardai un moment dans cette salle où, la veille, José m'avait abordé. Je montai ensuite au premier étage et me retrouvai à nouveau devant les deux *majas*. Je gardai longtemps mon regard plongé dans celui d'Ana. Je finis par ressentir un certain malaise tant j'avais l'impression qu'elle me renvoyait mon regard. Je n'aurais pas été le moins du monde étonné qu'elle me fît un clin d'œil.

Au bout d'une heure, je sortis du musée, remontai la calle de Felipe IV, traversai la calle Alfonso XII envahie par les voitures et entrai dans le parc du Retiro. Toutes les pelouses du parc étaient recouvertes d'un tapis de pâquerettes, ces « fleurs de maya » jaunes, blanches et rouges, les fameuses *Bellis perennis*. Je me baladai un bon moment en regardant les enfants qui jouaient dans leur uniforme d'écolier, les couples d'étudiants, les retraités qui se promenaient, les grands-parents et leurs petits-enfants qui, souvent, avaient un sac à la main pour nourrir les écureuils. Quel contraste entre, d'un côté, la douceur, la féerie de la vie quotidienne et, de l'autre, le sérieux, la gravité qui semblaient émaner de toutes les personnes impliquées dans cette histoire ! Je me rappelai l'un des aphorismes d'Ana et José à Taveuni : « *Les elfes sont dans le conte à présent, mais ils sont ce pour quoi il n'existe pas de mot. Le conte serait-il encore un conte s'il pouvait se voir lui-même ? Le quotidien serait-il un scoop s'il passait son temps à rendre compte de lui-même ?* »

J'avais l'intention de repasser par le Prado, mais décidai de profiter d'abord un peu du parc, et m'assis sur un banc dominant El Parterre avec ses plates-bandes arrangées avec soin et ses buissons sculpturaux. C'est alors que j'aperçus José, à croire que quelqu'un l'avait renseigné sur mes promenades quotidiennes au Retiro.

Il s'assit à côté de moi, sur le banc. Nous allions rester là, ensemble, une bonne partie de la matinée. Il tenait dans ses mains un journal et une grande enveloppe jaune. Il m'annonça qu'il prenait le train de midi pour Séville et je lui confirmai que j'assisterais à la messe vendredi prochain. Je ne lui soufflai mot de mon espoir que tu veuilles bien m'accompagner. Peut-être lui avais-je dit ton prénom pendant notre séjour aux Fidji, en tout cas je l'avais prononcé devant l'Anglais qui était resté à Maravu après mon départ.

José commença par garder le silence quelques minutes. Il affichait une pâleur extrême, on aurait dit un fantôme. Il me fit penser à Orphée revenant du royaume des ténèbres sans avoir réussi à ramener Eurydice.

Je finis par prendre la parole.

– J'imagine que cela ne doit pas être facile pour toi, dis-je.

Il continuait à serrer ce qu'il avait entre les mains.

– Tu sais, j'ai réfléchi à cette étonnante ressemblance

entre Ana et la *maja* de Goya, continuai-je. J'essaie d'accepter l'idée que ce n'est qu'une pure coïncidence.

Il fit un rapide signe de tête. Il semblait chercher ses mots pour me répondre.

– Mais tu m'as bien dit, hier, avant de partir, qu'Ana et sa famille avaient une autre explication, non ? ajoutai-je.

De nouveau il acquiesça.

– Oh, c'est une très vieille histoire, dit-il enfin, presque une histoire à dormir debout, si tu veux mon avis. Tout aurait commencé avec le voyage en France d'El Planeta.

– Raconte !

– Au printemps 1842 donc, El Planeta aurait quitté Cadix pour faire un pèlerinage aux Saintes-Maries-de-la-Mer, dans le delta du Rhône. Le 26 mai de la même année, il serait arrivé à Marseille où il aurait travaillé un temps comme simple docker pour pouvoir payer son voyage de retour. Et quelques semaines plus tard, il lui serait arrivé ce qui s'est transmis de génération en génération, jusqu'à aujourd'hui. Cette histoire, je l'ai entendue la première fois que j'ai rencontré Ana et sa famille, mais je dois te prévenir qu'elle connaît d'innombrables variantes, même au sein de la famille Maya. Il s'agit de tradition orale, vois-tu, et de quasiment tout un corpus de mythes. Même ces dernières années, je n'ai pas pu trouver la moindre documentation sur cette tradition andalouse. Il semblerait toutefois qu'il existe quelque part en Suisse une légende similaire et aussi ancienne. Enfin, je vais essayer d'être bref, je te raconterai simplement les principaux épisodes.

– Je t'écoute !

– Par une fin d'après-midi de juin donc, El Planeta se trouvait sur un quai à Marseille, prêt à décharger un schooner qui venait d'accoster. Le schooner, qui battait pavillon norvégien à ce qu'il paraît, portait les marques des tempêtes qu'il avait essuyées. Mais avant même que l'on ait pu installer la passerelle, un homme de petite taille enjamba le plat-bord et sauta à terre. Il se faufila entre les hangars et disparut.

— Un homme de petite taille ?

— Un nain, si tu préfères, un nain habillé comme un *bufón*, c'est-à-dire un bouffon de cour. Il portait un habit violet et un capuchon vert et rouge avec des oreilles taillées en pointe. Sur son costume et son bonnet étaient accrochés de petits grelots qui tintèrent lorsqu'il se précipita entre les entrepôts pour se cacher. Il s'était comme volatilisé dans la nature. Beaucoup de personnes, sur le quai, avaient eu le temps de le voir, et elles s'empressèrent de demander aux membres de l'équipage qui était ce curieux personnage.

— Qu'est-ce qu'ils ont dit ?

— Le schooner venait du golfe du Mexique et ils avaient récupéré ce nain silencieux, avec un marin allemand, à bord d'une chaloupe au sud des Bermudes. Le marin avait expliqué qu'ils faisaient partie de l'équipage du *Maria*, un trois-mâts qui avait sombré quelques jours plus tôt, et qu'ils étaient sans doute les seuls survivants du naufrage.

— Il n'a rien dit d'autre ?

— L'Allemand n'était pas non plus du genre causant, sans compter qu'il ne connaissait ni le français ni l'espagnol, et que les marins en face ne le comprenaient pas. Au bout d'un moment, le marin se volatilisa, comme l'avait fait le nain avant lui. Une tradition prétend qu'il se serait plus tard installé comme boulanger dans un village de montagne en Suisse.

— Est-ce que quelqu'un les a revus ensuite ?

— Le nain, oui. El Planeta vivait sur les quais entre les entrepôts, en attendant d'avoir assez d'argent pour rentrer à Cadix. Quand le bateau fut déchargé, il alla se coucher et c'est alors qu'il aperçut quelqu'un caché entre des tonneaux vides, quelqu'un qui pleurait toutes les larmes de son corps. El Planeta se dirigea vers lui et il se retrouva face au nain effondré.

– Que lui a-t-il dit ?

– Il ne parlait qu'allemand, comme je te l'ai dit, ce qui pour un gitan de Cadix était une langue aussi exotique que l'espagnol pour ce pauvre nain. En tout cas, il était clair que le petit homme essayait de se dissimuler.

– De se dissimuler ?

– Oui, de se dissimuler, avec son costume de polichinelle. Il avait à peu près autant de chances de réussir qu'un bagnard qui tenterait de s'échapper dans sa tenue de prisonnier ! Lui ne voulait pas être reconnu, ne voulait plus être un bouffon. El Planeta lui aurait alors prêté une veste. A partir de là, plus aucune trace du nain.

– El Planeta ne l'a plus jamais revu ?

– Sur ce point, la tradition est divisée. Certains prétendent qu'El Planeta et le nain auraient vécu ensemble quelques jours dans les entrepôts de Marseille et qu'un soir le nain aurait tenté de raconter son histoire en se servant de gestes et de dessins.

– De dessins ?

– Il aurait dessiné un jeu de cartes, un de ces jeux de cartes comme on en trouve en France avec des cœurs, des carreaux, des trèfles et des piques. Puis il aurait – toujours en allemand – déclamé un vers ou quelque chose de ce genre pour chacune des cinquante-deux cartes. El Planeta aurait réussi à se rappeler quelques-unes de ces phrases, même si elles étaient dans une langue qu'il ne comprenait pas. Sur le seul portrait que l'on possède d'El Planeta, une gravure sur cuivre de D. F. Lameyer, il est d'ailleurs représenté en joker, ou bouffon de cour. Ce qui est sûr, c'est qu'il ramena avec lui à Séville le récit de sa rencontre avec le nain énigmatique et que cette histoire continuait de circuler lorsque, très précisément cinquante-deux ans plus tard, en juin 1894, il arriva à l'arrière-grand-père d'Ana une étrange aventure.

– C'était donc il y a cent quatre ans.

– Oui, cent quatre ans. L'arrière-grand-père d'Ana s'appelait Manuel et était, à l'image de son propre arrière-grand-père, un *cantaor* réputé qui habitait Triana, finalement plus connu sous le nom de quartier gitan. Manuel vivait à l'âge d'or du flamenco avec l'apparition à Séville de *los cafés cantantes*. Lui aussi était un personnage haut en couleur autour duquel circulaient toutes sortes d'histoires. On l'avait surnommé « El Solitario » ou « Manuel el Solitario », à cause sans doute de son côté ermite ou rêveur. Peut-être aussi tout simplement parce qu'il était très seul, comme en témoignent les paroles de plusieurs de ses chansons. On raconte qu'il savait, par ailleurs, fort bien jouer aux cartes et qu'il aimait faire des patiences. En tant qu'artiste, il savait tout faire, même lire l'avenir dans les cartes. C'est peut-être à cause des cartes que…

José s'interrompit brusquement comme s'il avait oublié de me dire quelque chose d'important. Je tentai de lui faire reprendre le fil de son récit.

– A cause des cartes que quoi ? demandai-je.

– Je ferais peut-être mieux de commencer par la fin…

– Peu importe par quel bout tu commences, du moment que les deux bouts finissent par se rencontrer.

Il poursuivit :

– Un soir d'été de l'année 1894, Manuel el Solitario se promenait sur les rives du Guadalquivir, il avait en effet l'habitude de déambuler dans ce quartier de Séville après avoir chanté dans le *café cantante* de Silverio Franconetti. La mère de Silverio avait des ancêtres gitans, mais Silverio lui-même était considéré par les

gitans de Séville comme un non-gitan, un *payo* ; c'était
tout à fait récent que des *payos* aient le droit de chanter
du *cante gitano*...

— Un soir d'été de l'année 1894, Manuel el Solitario se
promenait donc sur les rives du Guadalquivir..., l'en-
courageai-je.

— Oui, et il prétendit avoir aperçu, ce soir-là, un drôle
de bonhomme en bas près du fleuve, plus exactement
du côté de Triana, entre les ponts de Triana et de San
Telmo, à un jet de pierre de l'église Santa Ana. J'aurai
peut-être l'occasion de te montrer l'endroit précis ce
week-end, car Betis reste un lieu agréable de promenade, avec sa belle vue sur le fleuve jusqu'à l'arène, la
Torre del Oro et la Giralda. Eh bien, d'après lui, la silhouette entrevue dans l'ombre était celle d'un nain.

— Encore ?

Cela m'avait échappé.

— N'oublie pas que Manuel connaissait bien cette
légende d'El Planeta et de sa rencontre avec un nain à
Marseille...

— Mais cela ne pouvait évidemment pas être le
même...

José ne dit rien, et se contenta de regarder fixement le
parterre de fleurs. Puis il murmura à voix basse, comme
s'il s'adressait autant à lui-même qu'à moi :

— Non, cela ne pouvait évidemment pas être le même
nain.

— Ou alors il aurait été très âgé, c'est le moins qu'on
puisse dire.

José secoua la tête.

— Ce qui n'était pas le cas. La grand-mère d'Ana
raconte que Manuel l'aurait observé un moment, car il
se rappelait le récit qu'El Planeta avait fait de son
voyage à Marseille. Soudain, avec son index gauche, le
nain lui fit signe de venir : c'était le même geste que

290

celui d'El Planeta sur la gravure de Lameyer. Il s'approcha donc du nain qui était habillé d'un costume tout ce qu'il y a de plus ordinaire pour un *payo* de l'époque. « Tu te promènes ? » lui lança-t-il. Ce fut le début d'une conversation animée entre le nain et Manuel el Solitario.

— Car ce nain-là savait l'espagnol ?

— Oui, mais avec un tel accent qu'il était clair qu'il n'était ni de Séville, ni d'Andalousie, ni d'ailleurs en Espagne.

— Et de quoi ont-ils parlé ?

— Ne t'attends pas à de grandes révélations, n'oublie pas qu'il s'agit d'une conversation qui a eu lieu il y a plus de cent ans ! Sans compter, bien sûr, qu'il existe de nombreuses variantes de cet entretien... Entretien, d'ailleurs, n'est peut-être pas le terme exact, le nain a surtout parlé de ses origines. J'ai souvent entendu les cousins d'Ana, germains ou éloignés, raconter cette histoire, et, jusqu'ici, je n'ai jamais eu droit deux fois à la même version.

— Tu n'as qu'à en choisir une ! Ou alors raconte-les-moi toutes !

— Je te propose une petite synthèse. Pour cette version courte, je reprendrai simplement les éléments qui sont communs à presque toutes les variantes. Nous n'avons pas non plus toute la journée devant nous !

Je voulais en entendre le plus possible, j'avais peur que José ne fût obligé d'interrompre son histoire comme la dernière fois, au Jardin botanique. Cet Espagnol blond au teint pâle et aux yeux bleus était décidément une énigme à lui tout seul, et je ne savais pas trop dans quelle mesure je pouvais lui faire confiance. S'il essayait de me faire marcher, autant l'arrêter avant qu'il ait réussi à me mettre en boîte.

— Alors ? dis-je.

— Le nain affirma que c'était bien à lui qu'El Planeta

avait donné une veste, cinquante-deux ans plus tôt, et qu'il avait su tout de suite qu'il s'adressait à l'arrière-petit-fils du grand *cantaor*. Puis il ouvrit un sac et en sortit une vieille veste élimée qu'il tendit à Manuel en gage de sa bonne foi. Quand il prit la veste, on entendit le son étouffé de petites clochettes qui tintaient sous son costume.

– Et tu dis que ce nain n'était pas très vieux ?

José secoua la tête.

– Il était dans la force de l'âge.

– Je commence à deviner en quoi cette histoire concerne aussi Ana… Mais qu'a raconté le nain ?

– Il a dit que le schooner norvégien les avait bien récupérés, lui et le marin allemand, dans une chaloupe au sud des Bermudes, mais qu'ils ne venaient pas de réchapper d'un quelconque naufrage.

– Mais alors, comment s'étaient-ils retrouvés à bord de cette chaloupe, en pleine mer ?

– Ils venaient d'une île volcanique qui s'était soudain enfoncée dans la mer. Le marin allemand avait passé quelques jours sur cette île, après le naufrage du trois-mâts *Maria*.

– Et le nain ?

– Il était arrivé sur l'île en compagnie d'un autre marin en 1790. Il avait vécu là-bas cinquante-deux ans, puis en était parti en chaloupe car l'île commençait à se fissurer et menaçait de sombrer dans la mer.

J'eus un petit rire sarcastique.

– Je comprends, dis-je. Le nain avait donc débarqué sur une île de l'Océan atlantique cent quatre ans exactement avant de rencontrer Manuel à Séville. Et tu veux me faire croire qu'il était dans la force de l'âge !

José ne sourit même pas, et continua, imperturbable :

– Et de nouveau cinquante-deux ans plus tard, par une nuit de juin 1946, on l'aurait aperçu plaza Virgen de los

Reyes, devant la cathédrale de Séville. C'est le grand-oncle d'Ana, cette fois, qui est prêt à jurer qu'il l'a vu là-bas. La plaza Virgen de los Reyes possède, à cause de la Giralda et des remparts de l'Alcázar, une acoustique tout à fait exceptionnelle, et il affirme avoir clairement entendu un furieux tintement de clochettes lorsque le pauvre fou a traversé la place comme une flèche, en direction de l'Archivo de Indias et de la puerta de Jerez.

Il faisait toujours une mine d'enterrement, mais je ne pouvais m'empêcher de penser qu'il m'avait bien mené en bateau. Qu'il fût cinglé ou non, c'était en tout cas un bluffeur de première ; au fond, peut-être qu'Ana n'était même pas morte ?

– Maintenant, je suppose que tu vas me dire que c'est le même nain qu'Ana a aperçu dans les jardins de l'Alcázar ?

Il mit l'index droit devant ses lèvres en secouant la tête :

– C'est en tout cas ce qu'a cru Ana, elle en était tellement sûre… La première chose qu'elle m'a dite quand je l'ai retrouvée dans le jardin des Poètes, cela a été : « J'ai entendu les clochettes ! » Cette phrase, elle l'a répétée plusieurs fois avant de mourir. Et nous sommes en 1998, c'est-à-dire cinquante-deux ans, précisément, après l'épisode de la plaza Virgen de los Reyes.

Je fis rapidement le calcul : tous les cinquante-deux ans, il arrivait quelque chose mettant en scène un nain.

– Il ne nous reste plus qu'à attendre 2050 pour voir ce qui va se passer, lançai-je gaiement. Ne me dis pas que tu crois à ce genre d'histoires, quand même ?

Il était clair qu'il n'avait pas envie de me répondre directement, car il se contenta de répéter :

– Ana, elle, y croyait dur comme fer. Toute sa vie, elle avait attendu avec impatience ce moment. Elle voulait voir ce qui allait se produire à Séville cette année-là.

– Tu as dit que Manuel était mort à la suite d'une bagarre ?

– Oui, c'est arrivé quelques années après sa rencontre avec le bouffon. Il était en train de jouer aux cartes avec des amis et, comme d'habitude, il n'arrêtait pas de gagner. Il aimait se faire passer pour une sorte de magicien doté de dons très particuliers lui permettant de gagner à tous les coups. Ce soir-là, il racontait pour la énième fois ses histoires de nain et d'île engloutie, de bouffon tintinnabulant sur le quai de Marseille, et sa propre aventure sur les bords du Guadalquivir.

– Leur a-t-il appris des choses que tu ne m'as pas encore dites ?

– Il a dit d'où venait le nain…

– Et alors ?

– C'est à ce moment-là que la bagarre a éclaté. Les registres de la police confirment qu'à cette époque un certain Manuel a été battu à mort à Triana ; c'est donc un fait avéré historiquement, en tout cas en ce qui concerne la rixe.

– Continue !

– J'ai dit que le nain avait échoué sur l'île en 1790 à la suite d'un naufrage. Ce n'est que partiellement exact.

– Impossible, soit on échoue sur une île en 1790 soit on n'y échoue pas. On ne peut pas échouer comme ça *partiellement*, dis-je en riant.

– Du calme, voyons. J'essaie seulement de te rapporter, le plus exactement possible, une vieille histoire, qui est celle que le nain lui-même raconta à Manuel el Solitario. C'est un marin seul qui, à la suite d'un naufrage, échoua sur l'île s'enfonçant dans la mer, un marin qui n'avait dans la poche de sa chemise qu'une seule chose : un jeu de cartes. Il passa cinquante-deux années dans la plus complète solitude avec, pour unique compagnie, ce jeu. Ce dernier était particulièrement raffiné :

chaque carte représentait un homme en pied, mais on aurait dit des êtres imaginaires, car ils étaient tout petits, et ressemblaient plutôt à ces elfes qui peuplent nos contes de fées.

— Ils ressemblaient peut-être aux personnages du *Jardin des délices* ?

— Tu peux répéter ?

Je m'exécutai. Il examina ma suggestion puis répondit :

— Ce n'est pas impossible, mais dans le tableau de Bosch les hommes sont nus. Les elfes du jeu de cartes étaient vêtus des plus beaux atours du siècle des Lumières français. Et le Joker, pour sa part, arborait une tenue violette et un capuchon avec des oreilles d'âne. Sur son costume étaient cousues des clochettes qui trahissaient le moindre de ses mouvements.

— Je ne sais pas si…

— Le naufragé allemand passa ces longues journées à faire des patiences, comme Napoléon lors de son exil à Sainte-Hélène. Au bout d'un moment, il finit par rêver des personnages du jeu de cartes, puisqu'il n'avait pas d'autre compagnie sur l'île. Il rêvait à ces elfes avec une telle intensité qu'il croyait les voir aussi le jour. Comme s'ils flottaient autour de lui, tels des esprits aériens. Il pouvait s'entretenir à loisir avec eux, même si, en réalité, le marin solitaire ne faisait que se parler à lui-même. Et puis voilà qu'un beau jour…

— Oui ?

— Un beau jour, les elfes réussirent à trouver le chemin pour sortir de l'imagination du marin et entrer dans le monde réel, là, sur cette île déserte au large des Caraïbes où le naufragé avait échoué. Ils réussirent à ouvrir la porte de l'aventure, qui permettait de quitter l'espace de la création, dans la conscience du marin, pour entrer dans le monde extérieur. Ils surgirent l'un après l'autre, comme s'ils jaillissaient du front du marin, et quelques mois plus tard tout le jeu était au complet. Le dernier à sortir fut le Joker, lui qu'on appelle parfois le petit dernier. Désormais, le marin n'était plus seul, il vivait dans un village, entouré de cinquante-deux elfes, plus le pauvre Joker.

– Bref, il avait des hallucinations. Après toutes ces années, il avait fini par devenir fou, ce qui est tout à fait normal.

– Lui-même se disait exactement la même chose : « je dois être la proie d'hallucinations », mais voilà qu'en 1842 débarque le jeune marin allemand, après le naufrage de la *Maria* et que les choses se compliquent, car lui aussi voit les cinquante-deux elfes de l'île. Ce dernier remarque, d'ailleurs, que ces petits êtres n'ont pas l'air de savoir qui ils sont ni d'où ils viennent. Ils étaient là, au milieu de nulle part, et cela leur semblait aussi naturel que, pour la plupart des paysans, la terre qu'ils cultivent. La seule exception, c'était le Joker. Il n'était pas tout à fait comme les autres elfes, tu comprends ? Lui pouvait voir à travers le voile de l'illusion et il avait fini par comprendre qui il était et d'où il venait. Il avait compris que, par un fait étrange, il avait surgi dans un univers et qu'il vivait une aventure inconcevable. Pour le Joker, l'existence était un miracle grandeur nature. Ou pour reprendre ses propres termes, toujours selon Manuel el Solitario : « On se retrouvait soudain dans un univers, et l'on voyait un ciel et une terre. » Pour les elfes, il n'y avait rien là que de très naturel. Mais pour le Joker, il en allait autrement, il était le marginal qui voyait ce que les autres ne voyaient pas. Ou comme il le dit lui-même : *« Dans le conte, le Joker rôde parmi les elfes tel un espion. Il se fait ses réflexions, mais il n'a aucune instance à qui les rapporter. Seul le Joker est ce qu'il voit. Seul le Joker voit ce qu'il est. »*

– Et cette île aurait sombré dans la mer ?

Les yeux bleus de José me regardèrent avec une telle franchise que je compris qu'il n'avait pas pu inventer cette histoire de toutes pièces.

– Le vieux marin et les cinquante-deux elfes furent engloutis par les flots. Seuls en réchappèrent le marin allemand et le Joker, qui réussirent à prendre la mer à bord d'une chaloupe. Mais il faut que tu saches une dernière chose pour comprendre ce qui s'est passé depuis.

Je jetai un coup d'œil à ma montre.

– Je t'écoute !

Il attendit quelques secondes avant de poursuivre :

– Sur l'île, ni le Joker ni les elfes n'avaient changé le moins du monde au fil des ans. Tandis que le marin vieillissait chaque jour davantage, les elfes n'avaient pas l'ombre d'une ride sur la peau, aucune tache n'était venue enlaidir leurs costumes chatoyants. Et cela, parce qu'ils étaient de nature spirituelle. Ils n'étaient pas faits de chair et de sang comme nous autres mortels.

– Et pour en revenir à la rixe qui coûta la vie à Manuel ?

– Manuel el Solitario gagnait à tous les jeux de cartes, et quand on lui demandait quel était son secret, il répondait que le nain, ce fameux nain qu'El Planeta avait rencontré à Marseille, lui avait appris certains trucs. Cela suffit ce soir-là pour qu'un des joueurs, l'un de ceux qui perdaient toujours, se ruât sur Manuel et lui assénât quelques bons coups de poing. Il avait sans doute aussi abusé du vin de Manzanilla. Quoi qu'il en soit, El Solitario mourut quelques jours plus tard. Il laissait une femme et deux enfants, un garçon et une fille. Certains pensent que son surnom lui a été donné après son récit sur le marin et son jeu de cartes magique. *Solitario* signifie en effet « solitaire » et « ermite », mais aussi « patience, réussite », comme dans l'expression *hacer un solitario*, « faire une réussite ».

– Je ne sais pas si je dois applaudir ou simplement dire : « … et ils vécurent heureux et eurent beaucoup d'enfants », fis-je.

– Cela n'a aucune importance. Mais je te rappelle que, toi-même, tu as reconnu que cette ressemblance entre Ana et la *maja* de Goya était tout à fait extraordinaire.

J'avais oublié que tout ce qu'il me racontait avait un lien avec Ana et cet incroyable mystère dont j'avais été involontairement le témoin.

– C'est vrai, oui, d'ailleurs tu avais promis de me donner l'explication d'Ana et de sa famille.

– Mais tu devrais, à présent que tu connais l'existence de ce bouffon qui surgit et disparaît mystérieusement, être en mesure de deviner quels liens unissent les deux histoires. Je t'ai dit que le nain a pris une photo d'Ana dans les jardins de l'Alcázar quelques jours avant qu'elle… Excuse-moi, mais il faut que j'y aille si je ne veux pas manquer mon train.

– Attends un peu ! Tu dis que le nain a débarqué à Marseille en 1842, qu'il a rencontré Manuel à Triana en 1894 et qu'il a traversé en courant la plaza Virgen de los Reyes en 1946, et Ana pensait que c'était le même nain qu'elle avait aperçu dans les jardins de l'Alcázar ?

– C'est ainsi que les choses m'ont été rapportées, en effet.

– Soit. Mais le nain ne peut pas avoir rencontré Goya, le peintre était mort longtemps avant l'aventure d'El Planeta à Marseille.

– Goya est mort en 1828.

– Quand bien même le nain aurait connu Goya, il a croisé le chemin d'Ana longtemps après que le peintre a peint ses *majas*.

– Prenons les choses une par une.

– OK, je t'écoute ! Tu as promis de ne rien me cacher et de faire en sorte que les extrémités se rejoignent.

— Le marin qui avait emporté son jeu de cartes magique était parti de Cadix au début de l'année 1790. Son navire était un brick espagnol qui s'appelait *Ana*, ce qui à l'époque était un nom courant pour un bateau. *Ana* avait d'abord fait route vers Veracruz au Mexique, et c'est sur le chemin du retour vers Cadix qu'elle s'abîma en mer avec toute sa cargaison d'argent. Cela concorde, j'ai vérifié dans les anciens registres maritimes.

— Tu as vérifié qu'en 1790 un brick du nom d'*Ana* s'est abîmé en mer avec sa cargaison d'argent alors qu'il faisait route vers Cadix ?

— Oui, c'est ce que j'ai fait, et le bateau a sombré corps et biens. Il n'est fait nulle part mention de quelconques survivants.

— Il n'y en a pas eu, en un sens, puisque cinquante-deux ans plus tard le marin a disparu avec l'île sans avoir pu retourner à la civilisation.

— Félicitations, je vois que tu suis. Le marin avait donc emmené un jeu de cartes avec lui sur le bateau. Et, bien sûr, il existe une tradition qui évoque ce jeu de cartes très particulier, ou plus exactement une tradition qui révèle comment le marin se l'est procuré. Est-ce que tu veux l'entendre ?

— Oui, s'il te plaît, je trouve cela tellement passionnant !

— Avant de quitter Cadix en 1790, le brick est resté à quai quelque temps puisqu'il venait de Sanlúcar de Barrameda, et sur le quai se trouvaient comme d'habitude des gitans qui vendaient tout ce qu'on peut imaginer : oranges, olives, cigares, briquets, jeux de cartes, aux marins en passe de traverser le vaste océan. Ce jeu de cartes très spécial, notre marin l'aurait acheté à un gitan de cinq, six ans du nom d'Antonio, qui, plus tard, deviendra le légendaire *cantaor* El Planeta.

— Il avait vraiment cet âge-là à cette époque ?

– El Planeta est né à Cadix vers 1785. Tu n'as qu'à vérifier dans un dictionnaire.

– C'est vraiment incroyable, m'écriai-je, on ne peut pas dire qu'ils manquent d'imagination, ces gitans !

– Sur le quai se trouvait aussi un nain, ce qui en soi n'a rien d'exceptionnel, mais la tradition prétend qu'il avait sous ses vêtements de ville des clochettes qui tintaient, exactement, précise-t-elle, comme un bouffon ou un fou du roi.

J'examinai avec curiosité le visage blême de mon interlocuteur.

– Je trouve qu'on devrait oublier ce dernier épisode, dis-je.

– Pourquoi cela ?

– Mais parce que le bouffon faisait partie du jeu de cartes ! Il était dans la poche du marin. Comment aurait-il pu se trouver sur le quai et regarder le bateau s'éloigner ? Sans compter que…

C'était comme si j'avais reçu un coup sur la tête. Je m'interrompis.

– Sans compter que ?… répéta José.

– Même si je veux bien admettre que ce nain sorti du jeu de cartes ne vieillit pas comme nous autres mortels parce qu'il est un pur esprit et non un être de chair et de sang…

– Eh bien ?

– Je vois mal comment il pourrait remonter dans le temps. N'est-il pas apparu en Europe en 1842 seulement ?

Je vis une étincelle s'allumer dans ses yeux bleus.

– Pourquoi les purs esprits ne pourraient-ils pas voyager dans le temps ?

– Évidemment, en théorie, ce qui est esprit peut tout à fait avancer ou reculer dans le temps.

José hocha la tête en signe d'assentiment.

– Tu commences à brûler. Mais il reste encore un dernier virage avant la ligne d'arrivée, un « épicycle épique » en quelque sorte. La tradition gitane souligne, en effet, que le nain n'étant que le fruit de l'imagination humaine, il ne vieillit pas comme nous, mais elle précise aussi que s'il peut se déplacer dans le temps, il ne peut pas le faire au-delà de sa propre date de conception. C'est pourquoi, par exemple, il n'y a pas de *Petit Prince* ou d'*Alice au pays des merveilles* avant Saint-Exupéry et Lewis Carroll, alors qu'aujourd'hui il est constamment fait référence à ces histoires, pour le meilleur et pour le pire.

– Je croyais que le nain avait été « conçu » par un marin de l'autre côté de l'océan, après précisément que le bateau *Ana* a pris la mer.

Il s'était attendu à cette objection :

– Le Joker venait d'un jeu de cartes imprimé en France à la fin des années 1780. A cette époque, au moins une personne l'a aperçu sur le vieux continent, on n'a pas pu remonter plus loin dans le temps. Du reste…

– Tu n'as pas le droit de t'arrêter maintenant !

– Là-bas, sur le quai à Cadix, ce jour d'hiver de 1790, des gens l'ont vu, mais toutes les recherches pour le retrouver ont été vaines. Et aucune tradition ne remonte au-delà de ce jour. Avant, il n'y a aucune trace de lui nulle part.

– Et Ana croyait vraiment à ces histoires ?

Cette fois, José secoua la tête :

– Elle connaissait toutes ces légendes à propos d'El Planeta, de Manuel el Solitario et de son grand-oncle, décédé quelques années auparavant. Je n'irais pas jusqu'à dire qu'elle y croyait dur comme fer, elle manifestait même parfois une certaine gêne vis-à-vis des « histoires de gitans » dont elle avait été nourrie, car les gitans véhiculent une image de tricherie et de filouterie. Mais elle était persuadée que c'était bien le nain avec son capuchon qu'elle avait vu dans les jardins de l'Alcázar. « J'ai entendu ses grelots », m'a-t-elle dit pour expliquer sa course effrénée, comme si elle venait de restaurer la crédibilité familiale.

— Et la *maja* de Goya ?

— J'y viens. Lorsque, sur le quai de Cadix, le Joker a regardé s'éloigner le navire *Ana*, il avait quelque chose d'étrange dans la poche, quelque chose qui lui avait souvent sauvé la vie lorsque des marins un peu éméchés le prenaient à partie, simplement parce qu'il était un nain.

— De quoi s'agissait-il ?

— Du portrait d'une jeune femme.

— Ah ?

— Oui, un portrait miniature qui était peint avec une technique inconnue. Ce n'était ni une gravure sur cuivre, ni une peinture à l'huile ; la surface en était si lisse qu'on aurait cru de la soie. Et, surtout, le portrait était si vivant que le nain passait pour un génie artistique aux dons surnaturels : l'image qu'il montrait était le reflet de ce que nous autres hommes pouvons voir à l'œil nu.

De nouveau je me suis revu au Prado devant les deux tableaux représentant une femme qui était assise sur un banc des jardins de l'Alcázar quelques heures à peine avant sa mort. Mais un nain était venu la prendre en photo…

— Je vois de quel portrait tu veux parler. Mais ce portrait a été pris il y a quelques jours à peine.

— Pour nous, oui. Pour les gens sur le quai de Cadix, il est encore plus récent.

— Comment cela ?

— Il appartenait à un lointain avenir. Voilà pourquoi aussi il a été perçu à l'époque comme un objet maléfique. Ce ne pouvait être que l'œuvre du Diable, disait-on.

– Existe-t-il vraiment des témoignages parlant d'un nain qui aurait possédé le portrait aussi parfait d'une belle femme ?

– Il ne s'agit que d'une légende, c'est comme les histoires de brigands. Ou de marins. Ou les affabulations de gitans. Mais avoue que ces histoires ont un éclat particulier, même s'il aura fallu attendre jusqu'à aujourd'hui pour comprendre à quel point la légende du nain et du portrait magique est étrange, car l'histoire elle-même est beaucoup plus ancienne que l'art de la photographie.

– Et Goya ?

– Goya admirait beaucoup Vélasquez, ce peintre du XVIIe siècle qui vécut d'abord à Séville, avant d'obtenir, par la suite, la charge de peintre du roi à la cour de Philippe IV. Vers la fin de sa vie, le maître peignit les nombreux nains et bouffons qui vivaient dans l'entourage du roi, comme c'était l'usage à l'époque.

– Ah bon ?

– Lorsque Goya rencontra le pauvre fou à Sanlúcar de Barrameda, au printemps 1797, il essaya désespérément d'attirer le nain dans son atelier pour faire son portrait.

– Et le nain refusa ?

– Il hurla, cria et se débattit tant qu'il put, mais, rappelle-toi, le grand peintre était sourd comme un pot ! En désespoir de cause, le nain sortit le mystérieux portrait d'Ana María Maya ; le peintre, enfin, lâcha prise, car il n'avait jamais rien vu de semblable. Il avait presque achevé *La Maja nue* quand il décida d'ajouter le visage d'Ana au nu qu'il avait déjà peint, afin de dissimuler l'identité du modèle.

A ce moment-là, un homme d'un certain âge vint s'asseoir à côté de nous, de l'autre côté du banc double sur lequel nous nous étions arrêtés. José fit une pause et, quand il recommença à parler, il murmurait presque :

– Cela n'a jamais été facile pour Ana d'être identifiée

à la femme de ces célèbres portraits, c'était parfois pesant. Mais tu peux sans mal t'imaginer ce que cela aurait été à l'époque de Goya ! En ce temps-là, une gitane qui se serait laissé peindre nue risquait sa vie.

Je méditai ces dernières phrases quelques secondes, puis demandai :

– Existe-t-il réellement une tradition gitane racontant cette rencontre entre Goya et le nain au portrait magique ?

José m'adressa enfin quelque chose qui pouvait faire penser à un sourire. Il secoua légèrement la tête et répondit :

– La tradition dit seulement que le nain aux grelots tintinnabulants se tenait sur le quai de Cadix lorsque le navire *Ana* prit la mer et qu'il montra un portrait de femme si précis et si réaliste que les personnes sur le quai en furent stupéfaites. L'une de ces personnes était Antonio, le futur El Planeta, le futur trisaïeul d'Ana. De la rencontre avec Goya, il n'y a aucune preuve, mais si le portrait d'Ana était en Andalousie depuis 1790, c'est-à-dire des années avant que Goya peigne sa *gitana* ou *maja,* je trouve que ça se tient.

A cet instant, il regarda l'heure et dit qu'il lui fallait vraiment à présent prendre le chemin de la gare. Je proposai de l'accompagner à travers le Retiro.

Nous remontâmes lentement le paseo Paraguay jusqu'à la plaza Honduras située au milieu du parc. José tenait toujours serrés le journal et cette grande enveloppe jaune. Il ne me vint pas à l'esprit que ce pouvait être quelque chose qui me fût destiné. Je marchais en repensant à tout ce qu'il m'avait dit, aux deux naufrages, à El Planeta, Manuel el Solitario et le bouffon qui apparaissait partout.

Cadix, hiver 1790. Un nain assiste au départ d'un brick en partance pour le Mexique. Dans une poche, il a le portrait miniature d'une jeune gitane. Le peintre semble avoir réussi à saisir l'image de cette femme comme s'il l'avait simplement aperçue dans un jardin ou un patio ; les couleurs et les détails sont plus précis que sur la soierie la plus fine. Quelle technique l'artiste a-t-il pu employer dès lors que le support de papier n'a qu'un millimètre d'épaisseur ? Des couleurs à l'eau ? De la peinture à l'huile ? C'est exclu. De la gravure sur cuivre ? N'en parlons même pas. Ce qui frappe le plus dans ce portrait, c'est peut-être la surface entièrement lisse et polie, comme si on avait fixé l'image avec de la cire ou de la résine. Sur le quai, il y a aussi un petit gitan de cinq, six ans, qui sautille d'un pied sur l'autre. C'est lui, l'arrière-arrière-arrière-arrière-grand-père de la femme du portrait, lui qui introduira à Séville la chanson de flamenco. Une bonne cinquantaine d'années plus tard, il rencontrera à nouveau le nain, à Marseille ; il se souviendra alors l'avoir déjà vu avant, il y a bien longtemps, mais peut-être que le nain, lui, ne s'en souviendra pas. Ensuite, les marins hissent les voiles, l'un d'entre eux se retourne et fait un geste de la main au nain et à l'enfant gitan. C'est auprès de cet enfant qu'il a acheté un jeu de cartes, et sur l'une de ces cartes se trouve la reproduction miniature du nain qui se tient là, debout sur le quai. Quand, des semaines plus tard, le marin ouvrira son jeu sur l'île déserte où il vient d'échouer, il découvrira cette image et l'observera encore et encore. Mais comprendra-t-il qu'il s'agit du même nain qui se tenait sur le quai à son départ de Cadix ?

— Depuis qu'Ana était toute petite, dit José, elle a entendu toutes ces légendes sur le nain qui regarde le bateau s'éloigner à Cadix, qui débarque en catastrophe à Marseille, qui va à la rencontre de Manuel el Solitario à Triana, qui traverse la plaza Virgen de los Reyes en faisant tinter les clochettes de son habit dans un bruit d'enfer.

305

– Elle n'avait naturellement jamais rien entendu sur un nain qui apparaîtrait dans les jardins de l'Alcázar ?

Il secoua la tête d'un air pensif.

– Ces dernières années, elle attendait avec impatience de voir ce qui allait se passer en 1998. Parmi tous les récits, il y en avait un qu'Ana préférait : celui du nain qui avait la vie sauve grâce à l'image magique d'une jeune femme. Étant donné la description qu'en faisait la tradition, Ana s'était dit que ce devait être une photo, même si l'épisode sur le quai de Cadix était fort ancien, et datait de bien avant l'invention de la photographie. Il s'agissait donc d'autre chose. De tout autre chose…

– Ah ?

– Depuis qu'Ana avait dix ans, elle entendait dire qu'elle ressemblait à un tableau de Goya. Cela la rendait fière, la petite fille prenait ça comme un compliment, même si elle trouvait un peu gênant d'être comparée à une femme nue. Elle continuait à grandir et ressemblait, chaque jour davantage, à la gitane du tableau, bien qu'elle fît tout pour se maquiller différemment et avoir une autre coiffure. Qu'elle le veuille ou non, elle était devenue *la Niña del Prado*, plus rien ne permettait de les distinguer l'une de l'autre.

– Attends un peu, dis-je. Il me semble que tu oublies quelque chose d'essentiel.

– A quoi penses-tu ?

– A supposer qu'Ana ait cherché à changer d'apparence, en se maquillant ou en changeant de coiffure, elle n'aurait de toute façon jamais réussi à s'éloigner d'un iota du visage peint par Goya.

– Et pourquoi pas ?

– Parce que dans ce cas, le tableau de Goya aurait été différent.

Il réfléchit un court instant, puis dit :

– Tu as raison, naturellement. Le destin n'admet pas

de retouches. Il n'est que l'ombre de ce qui arrive. Je devrais peut-être ajouter que… Enfin, laissons cela.

– Au contraire !

– Le matin où Ana a vu le nain dans les jardins de l'Alcázar – et c'était la première fois depuis que je la connaissais qu'elle faisait cela –, elle avait mis du fard à joues rouge qui traînait à la maison et qu'elle utilisait de temps en temps sur scène.

Je m'arrêtai net :

– Voilà ce qui lui manquait ! Un peu de rouge aux joues.

Il m'adressa un regard presque effrayé. J'ajoutai :

– Si Ana avait été maquillée comme cela, là-bas aux Fidji, j'aurais immédiatement fait le rapprochement avec le tableau de Goya.

– Mais pourquoi a-t-elle mis du rouge ce jour-là ? me demanda-t-il, alors que nous avions recommencé à marcher. Comment expliques-tu cela ? Cela faisait ressortir encore davantage sa ressemblance avec la femme du portrait ; elles devenaient alors parfaitement identiques.

– On dit qu'il y a une heure pour chaque chose, lui fis-je remarquer. Ta question revient en fait à se demander qui de la poule ou de l'œuf est venu le premier au monde.

– On dit aussi qu'on épouse son destin.

– Est-ce qu'Ana établissait une relation entre sa ressemblance avec la *maja* de Goya et les traditions familiales sur le nain de Cadix et son image magique ?

– Avec le temps, oui. C'est l'un de ses oncles qui, le premier, suggéra que l'image parfaite que possédait le nain pouvait être une photo couleurs moderne. Mais cela voulait dire que la personne représentée sur cette photo n'était pas née, loin de là, quand le nain se tenait sur le quai de Cadix avec le portrait mystérieux. Car une photo ne ment pas, il y a toujours à l'origine un modèle vivant.

Et dès lors, le moment où la photo allait être prise devint une partie de l'histoire. La famille savait que le nain ne vieillissait pas comme nous autres mortels. Par contre qu'il puisse remonter dans le temps, ça, c'était tout à fait nouveau. On en vint même à se demander qui, parmi la nombreuse descendance d'El Planeta, allait être la femme du portrait. On émit l'hypothèse que la photo serait peut-être prise un jour de 1998. Et on commença à redoubler de vigilance à l'égard des nains.

– Et lorsqu'Ana grandit en ressemblant tellement au portrait de Goya…

Il hocha la tête d'un air décidé :

– Oui, beaucoup pensèrent alors que le cercle se refermait. De nouvelles histoires commencèrent à circuler, suggérant que le nain aurait vendu l'image si singulière au grand peintre. Dans l'une d'entre elles, on affirme même que la femme ayant servi de modèle à Goya aurait été décapitée par la famille pour s'être laissé peindre nue. On raconte que la tête aurait été mise au bout d'une pique pour être la risée de tous. Toutes ces histoires circulaient un peu en cachette et, en tout cas, jamais en présence d'Ana.

– Mais elle, qu'est-ce qu'elle pensait de tout cela ?

– Elle essayait de prendre ça à la rigolade. Elle parvenait à en rire, même si elle avait forcément réfléchi à tout cela sérieusement. Et puis cette ressemblance avec le célèbre portrait de Goya ne lui facilitait pas la vie. Au contraire. Elle évitait de se montrer, surtout à Madrid, où il arrivait fréquemment que les gens s'arrêtent dans la rue et la montrent longuement du doigt. En la voyant, certaines personnes tombaient quasiment en état de choc. Je ne sais pas, peut-être est-ce pour cette raison qu'elle se plaisait tant au Jardin botanique : elle pouvait s'y cacher. Ana était stigmatisée, comme si elle portait une grande tache de naissance sur le visage.

– Ou une tache de mort…

Son visage pâle tressaillit.

– Et ce n'est pas tout, dit-il. Depuis plus de cinquante ans, on prédisait que la femme de la photo magique mourrait dès qu'elle aurait atteint le même âge que la *maja* de Goya, mais…

Il hésita un instant, je lui fis signe de continuer.

– … cela n'arriverait que si elle se donnait à un homme. Une punition, en quelque sorte, pour s'être laissé peindre nue. Elle s'est déjà donnée à beaucoup d'hommes, disait-on, ce n'est plus une femme honnête, et le destin la punira d'avoir enfreint l'interdit et d'avoir eu une vie amoureuse bien remplie.

Je me tournai vers lui :

– Curieux raisonnement, en vérité. Et tout à fait injuste. Ce n'était pas la femme de la photo qui avait posé en tenue d'Ève ! Goya n'avait-il pas précisément peint sa tête pour compléter le nu qu'il avait fait d'une autre femme ?

Il pencha la tête d'un côté puis de l'autre, comme pour peser mes paroles.

– Le destin n'est ni juste ni injuste, protesta-t-il, il est inexorable. Il est ce qu'il est. C'est pourquoi, aussi, il a toujours raison.

Je repensai au défaut cardiaque d'Ana.

– Tu as dit tout à l'heure qu'Ana était morte parce qu'elle ressemblait trait pour trait à la *maja* de Goya, car tout alors s'accomplissait. On pourrait tout aussi bien dire que la femme du tableau était le portrait craché d'Ana au moment de sa mort tout simplement parce que la photo d'Ana a été prise par hasard, juste quelques heures avant qu'elle disparaisse ?

– Cela revient au même. Nous nous heurtons de nouveau au problème de la poule et l'œuf, l'énigme est insoluble, par quelque bout qu'on la prenne. Mais lorsque le nain a pris la photo qui fut fatale à Ana, l'histoire de l'extraordinaire portrait qu'aurait possédé le nain et l'histoire de la ressemblance d'Ana avec la *maja* de Goya se sont fondues en une seule et même légende. Le cercle s'est refermé. Toutes ces fables autour du nain ont, en quelque sorte, pris naissance dans les jardins de l'Alcázar. Et c'est là aussi qu'elles ont pris fin.

Je voulus en savoir encore plus :

– Je n'ai jamais dit que je croyais à ces histoires, toi non plus d'ailleurs…

Il me fit signe de poursuivre.

– Ana avait un problème au cœur, elle ne pouvait ni danser ni attendre un enfant. Et voilà qu'elle se précipite à la poursuite d'un nain dans les jardins de l'Alcázar ! Pas étonnant qu'elle en soit morte. C'était un trop gros effort physique pour elle, voilà tout : courir après quelqu'un, n'est-ce pas aussi violent que de danser le flamenco ?

– Ce fut en tout cas son chant du cygne. Mais, *pourquoi* s'est-elle lancée à la poursuite du nain ? Parce qu'il l'avait prise en photo. Personne d'autre qu'Ana n'aurait pourchassé un nain à cause d'une simple photo. Mais ce portrait avait, en réalité, poursuivi Ana toute sa vie. Elle avait grandi avec lui.

Depuis que nous avions quitté le banc près d'El Parterre, nous nous arrêtions presque tous les trois pas et, dès que nous croisions d'autres promeneurs, José baissait la voix. Pendant un moment, nous marchâmes en silence, puis je repris le fil de la conversation.

– Tu as dit que le nain, à Marseille, avait dessiné un jeu de cartes pour El Planeta et qu'il avait déclamé un petit couplet pour chacune des cartes.

José pressa le pas.

– El Planeta se serait souvenu de certains de ces vers même s'il ne comprenait pas l'allemand. Il les aurait retranscrits phonétiquement sur un bout de papier, et ce document serait resté dans la famille jusqu'à Manuel.

– Ah ?

– Lorsque le nain rencontra Manuel à Triana, il ne lui aurait pas seulement donné la vieille veste qui avait appartenu autrefois à El Planeta, mais aussi quelques feuilles où était consignée l'intégralité des cinquante-deux versets, en espagnol cette fois. Manuel el Solitario aurait alors constaté que les phrases retranscrites par El Planeta correspondaient exactement à certains des versets espagnols.

– Mais ces deux versions ont disparu aujourd'hui, j'imagine ?

José eut un sourire mystérieux.

– C'est là que tu entres en scène.

Je ne compris pas tout de suite ce qu'il voulait dire. Je repensai à Taveuni. Je me revis, assis sur la terrasse de mon bungalow à Maravu, et je me souvins des voix qui me parvenaient de la palmeraie. Je citai de mémoire :

– *C'est un travail tout à fait remarquable de créer tout un monde ; cela dit, nous éprouverions encore plus de respect si ce monde avait été capable de se créer lui-même. Et vice versa : la simple expérience d'être créé n'est rien, comparée au bouleversement profond que l'on doit ressentir quand on s'est créé tout seul à partir de rien et qu'on tient debout sur ses deux jambes.*

José ouvrit de grands yeux.

– Bravo ! Tu as une mémoire impressionnante. Et ton espagnol décidément n'est pas si mauvais que ça.

Je me mordis la lèvre. Depuis nos retrouvailles à Salamanque, nous avions tout le temps parlé espagnol et c'était seulement maintenant que je m'en rendais compte !

– Vous l'avez su tout de suite ? demandai-je.

– Oui, presque dès le départ, répondit-il en riant. Mais

laisse-moi terminer : les cinquante-deux versets que Manuel reçut du nain à Triana avant que ce dernier disparaisse dans la nuit sont toujours, depuis, restés en possession de la famille d'Ana. Certaines formulations se sont glissées au fil des années dans des chansons de flamenco qui se chantent dans toute l'Espagne. Ana connaissait ces textes depuis sa plus tendre enfance.

– Et ce sont les textes que vous…

Il m'interrompit :

– Chaque vers correspond à une carte du jeu. Ana et moi jouions assez souvent aux cartes avec des amis. Nous faisions toujours équipe ensemble, et comme j'avais aussi appris par cœur ces textes anciens, nous disposions d'un code secret nous renseignant sur la couleur et la valeur de chaque carte.

– Alors vous trichiez en faisant les annonces ?

– Parfois, oui. Parfois aussi nous marmonnions quelques phrases pendant le jeu, et nous savions ainsi parfaitement quelles cartes l'autre avait en main.

– C'est le comble ! Alors l'Italien avait raison ?

– Pas tout à fait. Mario prétendait que nous faisions appel à des forces occultes pour l'emporter. Il pensait que nous étions des voyants.

– Bref, vous trichiez sans vergogne et meniez tout le monde en bateau !

José ne releva pas. Il dit simplement :

– Surtout depuis qu'Ana ne pouvait plus danser, nous avions pris l'habitude de passer de longues soirées à jouer avec nos amis. Ana était heureuse comme une gamine quand elle gagnait, et… bon, puisqu'elle ne pouvait plus se produire sur scène, je trouvais qu'elle méritait ce petit plaisir ; je le lui accordais bien volontiers, d'ailleurs j'y trouvais mon compte. Nous n'avions pas d'enfant, mais nous avions un jeu d'enfants en commun et un langage secret que nous étions seuls, elle et moi, à partager.

– Personne n'a jamais découvert votre système ?

– Il fallait tout le temps se renouveler, nous ne pouvions pas garder les mêmes mots clés trop longtemps. Alors, soit nous brodions autour des versets, soit nous en inventions de tout nouveaux. Mais il y avait autre chose…

– Quoi donc ?

– Quand on a découvert qu'Ana avait une malformation cardiaque, c'est toute notre relation au monde qui s'est trouvée bouleversée. Chaque seconde qu'il nous était accordé de passer ensemble était un cadeau du ciel. Comme Ana ne pouvait plus ni danser ni avoir d'enfant, il a bien fallu que nous redéfinissions le sens de la vie.

– Et est-ce qu'Ana a trouvé un nouveau sens à sa vie ?

– Elle ne s'est pas mise au point de croix, si c'est ce que tu veux dire, ce n'était pas dans son tempérament et du tempérament, crois-moi, elle n'en manquait pas ! Mais nous étions ensemble et jamais la vie ne nous avait paru plus précieuse. Les médecins avaient essayé de nous rassurer, mais annoncer à une célèbre *bailaora* qu'elle ne dansera plus jamais, c'est lui donner un avant-goût de la mort. C'est ce qu'a ressenti Ana María, et moi aussi, mais avec une différence de taille : Ana était persuadée qu'il y avait une autre vie après celle-ci. Pour elle, la mort n'était pas une fin. Cependant, ce que nous avions tous deux en commun, c'était cette certitude que la vie est un pur miracle : cela transfigurait notre existence. Par jeu, nous avons donc voulu mettre des mots et des images sur ce que nous pensions et ressentions. Voilà comment, petit à petit, nous avons transformé les anciennes maximes du jeu de cartes magique. Nous avons gardé certaines des formulations du nain, et nous en avons laissé tomber d'autres. Ainsi, nous avons créé notre propre petit manifeste de vie. Et puis, nous avions envie de créer quelque chose qui peut-être nous survivrait. Ce manifeste était un peu notre testament spirituel.

313

– Vous étiez tout le temps en train d'inventer de nouveaux aphorismes ?

– Tout le temps, oui, tous les jours. Le Manifeste changeait constamment, disons que c'était une sorte de processus éruptif. Inlassablement, nous imaginions de nouvelles maximes pour en remplacer d'autres, plus anciennes.

– C'est presque un peu… fou.

Il secoua la tête :

– Pas du tout. Et c'est plus courant que tu ne le penses. En Andalousie, les gitans ont toujours assemblé des bouts de phrases sur la vie, la mort et l'amour. Tu n'as qu'à penser au flamenco, et à certains chants nés justement à l'époque d'El Planeta.

– *S'il existe un dieu, il n'est pas seulement un cogneur qui laisse des traces derrière lui, il est passé maître dans l'art de se volatiliser. Et le monde n'est pas à même de dire les choses comme elles sont, en tout cas pas celui-ci. Dans l'espace, tout est toujours aussi dense. Ce n'est pas le genre des étoiles de colporter des ragots…*

Là, je m'arrêtai net car je ne me souvenais plus de la suite : ces phrases, j'avais entendu Ana et José les prononcer dans la palmeraie, le premier soir à Maravu. José compléta :

– *Personne n'a oublié le big bang. Depuis ce temps-là, le silence règne sans partage, et les corps célestes se détachent les uns des autres. Il est encore possible de croiser une lune. Ou une comète. Mais ne vous attendez pas à être accueilli par des cris de joie. Dans le ciel, il n'y a pas de cartes de visite.*

J'applaudis pour la forme.

– Cette histoire de big bang, elle n'a quand même pas été dictée à El Planeta en 1842 ?

– Pourquoi pas ?

– Le concept comme la théorie sont beaucoup plus récents que cela.

Il eut un sourire condescendant :

– Je crois que ce petit malin peut faire passer en douce d'un siècle à l'autre, en avant ou en arrière, tout ce qui lui chante. A mes yeux, il représente les efforts de l'homme pour comprendre toujours davantage le monde qui l'entoure. Je trouve qu'il est réconfortant de penser qu'il existe, pour nous représenter, un être tel que lui, qui peut sauter allégrement d'un siècle à l'autre, avancer ou reculer en faisant circuler certains messages.

Je devais avoir l'air tellement ébahi que José eut pitié de moi :

– Cela dit, tu as raison. Dans le Manifeste original légué par le nain, il n'y avait que la première phrase : *S'il existe un dieu, il n'est pas seulement un cogneur qui laisse des traces derrière lui, il est passé maître dans l'art de se volatiliser.*

Après avoir traversé la plaza Honduras, nous suivions à présent le paseo de la Republica de Cuba.

– Il serait peut-être temps de récapituler un peu les choses, dis-je.

– Je t'en prie...

– Le matin de mon arrivée à Taveuni, en janvier dernier, j'étais tranquillement assis sur ma terrasse, quand soudain, dans la palmeraie, j'ai vu apparaître un couple tendrement enlacé. Une fois arrivés sur le sentier, l'homme et la femme se sont arrêtés et se sont mutuellement déclamé en espagnol des textes étranges. J'ai tendu l'oreille. Vous ne saviez quand même pas que j'étais à côté en train de prendre l'air sur la terrasse, si ?

Il m'adressa un large sourire :

– John nous avait déjà dit qu'un Norvégien venait d'arriver sur l'île et qu'il ferait peut-être un bon partenaire de bridge – le Hollandais qui avait fait équipe avec

Mario les soirs précédents avait quitté l'île le jour même. L'Anglais nous avait dit dans quel bungalow tu habitais et il t'avait déjà aperçu sur la terrasse.

– Mais vous ne pouviez pas savoir que je comprenais l'espagnol ?

– Pas encore, non. Encore qu'il ne s'agisse pas d'une langue minoritaire, loin de là ! Je te rappelle que la moitié de la terre parle espagnol.

– Là, tu exagères un peu. D'accord, la moitié de l'art mondial est espagnol, mais il ne faut pas tout mélanger.

Un sourire fugitif, je crois, éclaira son visage à la pâleur cireuse.

– Puis je vous ai rencontrés sur la plage…, poursuivis-je.

– … et tu nous as un peu expliqué ce que tu venais faire dans cette partie du monde. Tu as éveillé notre curiosité, et on s'est dit que, pour notre Manifeste, ça serait bien d'emprunter à un biologiste de l'évolution quelques perspectives sur l'existence. Le fait que tu aies parlé en anglais, alors que, à l'évidence, tu comprenais l'espagnol, rendait l'entreprise encore plus séduisante.

– C'était si évident que ça ?

– C'est difficile pour un acteur de tenir son rôle.

– Et je n'y suis pas arrivé ?

– Sur la plage déjà, tu t'es trahi. Sachant très bien que ni Ana ni moi n'avions de montre, j'ai demandé l'heure à Ana, en espagnol donc, et tu as tout de suite réagi et répondu qu'il était midi et quart.

J'étais stupéfait.

– Bien sûr, cela n'était pas en soi une preuve suffisante, mais nous allions par la suite avoir de nombreuses occasions de prendre ta concentration en défaut. Ne dit-on pas que ment bien celui qui a une bonne mémoire ? N'oublie pas qu'Ana et moi étions des passionnés de cartes et, partant, des experts dans l'art de tromper le monde.

— Pourquoi ne m'avoir rien dit ?

— Ana trouvait que c'était intéressant d'avoir un… comment dire ?

— Un… ?

— Disons, un public. Nous étions fiers du Manifeste que nous avions créé. Je devrais plutôt dire, de ce que nous passions notre temps à raccommoder, à bricoler. On trouvait cela amusant de te mystifier un peu.

— Pour ça, vous avez réussi.

— On avait aussi envie de te faire parler de la théorie de l'évolution. Il fallait bien qu'on attire ton attention, sinon tu n'aurais jamais mordu à l'hameçon…

— La théorie de l'évolution ne m'appartient pas.

— Justement. Ana et moi pensions tous les deux que nous pourrions découvrir par hasard tel ou tel point laissé de côté par les sciences de la nature.

— Je l'avais compris. Et, à ton avis, qu'est-ce que les sciences de la nature laissent de côté ?

— Nous en avons déjà parlé. Tous les liens profonds qui existent dans la nature. Car le monde a un sens, par quelque bout qu'on le prenne. Le big bang n'a pas été accidentel.

— Excuse-moi, mais je ne te suis pas très bien.

— C'est parce que tu ne vois pas que le monde est un mystère.

— Mais si, je le vois. Mais nous parlons là d'une énigme qu'aucun d'entre nous n'est en mesure de résoudre.

— On peut trouver du sens même à ce qu'on ne comprend pas.

— Mais ne cherches-tu pas à introduire une finalité là où il n'y en a pas ?

Une lueur s'alluma au fond de ses yeux :

— Revenons au dévonien. Que vois-tu ?

Je devais encore avoir l'esprit bien troublé après tout ce qu'il m'avait raconté, car je fonçai tête baissée :

— Je vois les premiers amphibiens.

Il fit un signe de tête :

— Ce n'est qu'aujourd'hui que nous voyons le sens profond de ce qui s'est passé alors. Si nous avions été les témoins de la vie sur Terre il y a quatre cents millions d'années, nous n'y aurions vu qu'une monstrueuse mise en scène de l'absurde. Mais le mystère a aussi un axe temporel et, à la lumière de la conscience humaine, la vie au dévonien se révèle truffée de sens. C'était les prémices de ce que nous sommes aujourd'hui — les prémices de la représentation de la vie au dévonien. Sans ces têtards de l'ère primaire, on n'aurait jamais eu conscience de la vie sur Terre. C'est bien de vénérer ses ancêtres, mais il ne faut pas oublier de vénérer aussi ses enfants.

— Alors l'homme est la mesure de toute chose ?

— Je n'ai pas dit ça. Mais c'est notre conscience qui juge ce qui, au regard de notre propre intellect, a un sens ou pas. Sur le moment, la formation du système solaire s'apparentait plutôt à un long état nauséeux. Et pourtant, c'est là que tout a commencé pour nous, ce sont là les vraies prémices.

— Les vraies prémices ?

— Oui, le paradoxe est que nous sommes capables de les reconnaître en tant que telles, même si nous ne sommes apparus sur Terre que bien longtemps après. C'est ainsi que l'histoire du système solaire se mord la queue.

— Comme l'histoire de la *maja* de Goya qui a commencé et s'est achevée dans les jardins de l'Alcázar il y a quelques jours à peine.

— On pourrait dire la même chose de tout l'univers. *Les applaudissements pour le big bang n'ont retenti que quinze milliards d'années après l'explosion.*

Je hochai la tête tout en continuant de marcher.

— C'est une drôle de façon de voir les choses.

– Mais nous deux – qui ne sommes venus au monde que quinze milliards d'années plus tard –, nous nous « souvenons » en fait de ce qui s'est passé lors du big bang. L'univers a enfin accédé à sa propre conscience, avec retard, un peu comme le grondement du tonnerre que l'on entend longtemps après que l'éclair a illuminé le ciel.

J'essayai de rire, mais en vain.

– C'est facile de dire ça après coup, l'intelligence dont tu parles sent un peu trop le réchauffé à mon goût.

Ses yeux plongèrent dans les miens avec un regard quasi transfiguré.

– L'intelligence « réchauffée » est aussi une forme d'intelligence. C'est intelligent de regarder en arrière. Plus que notre futur, nous sommes notre propre passé.

– Je peux comprendre, dis-je, l'idée que quelque chose qui se produit ici et maintenant ne prendra tout son sens qu'à la lumière de ce qui se produira bien long-temps après.

– A supposer qu'il existe ce qu'on appelle un « avant » et un « après ». Ce que nous observons au loin dans l'espace – c'est-à-dire en remontant des milliards d'années dans l'histoire de l'univers –, c'est la cause simultanée de phénomènes actuels. L'univers est à la fois la poule et l'œuf, et les deux en même temps.

– Comme Ana, glissai-je, ou comme la photo que le nain a prise d'elle.

Il ne releva pas, et continua :

– Nous ne savons pas vers quoi nous allons. Nous savons seulement que nous sommes partis pour un long voyage. Ce n'est qu'au terme du voyage – qui prendra des générations et des générations – que nous saurons pourquoi nous nous sommes mis en route. Ainsi nous sommes toujours dans un état fœtal, incapables de voir aujourd'hui la signification de choses dont la finalité ne nous apparaîtra qu'au prochain croisement. Même le phénomène le plus anodin peut se révéler avoir été à un moment donné une condition indispensable. De même, qui aurait pu imaginer que la vente, par un enfant gitan, d'un jeu de cartes à un jeune marin aurait la moindre importance ?

Je m'arrêtai un moment, je trouvais que tout cela avait un air de déjà-vu. Je croyais entendre John : n'était-ce pas lui qui avait qualifié le dévonien « d'état fœtal de la raison » ? José était-il resté en contact avec lui ? Avaient-ils travaillé ensemble aux Fidji et poursuivi leur collaboration ? Je n'arrivais plus à distinguer les pensées de l'un et de l'autre.

Nous étions arrivés en bas de la calle Alfonso XII. Il était midi moins le quart.

Je l'accompagnai jusqu'à la gare.

– A la fin, on ne vous voyait plus, fis-je. Vous vous êtes complètement isolés.

– Oui, quand chacun s'est mis en tête de trouver à qui ressemblait Ana, et quand tous, vous lui avez demandé avec insistance de bien vouloir faire une démonstration de flamenco. Je ne crois pas que tu puisses imaginer à quel point elle aurait voulu danser pour vous.

– Puis elle s'est évanouie sur la table du petit déjeuner et tu l'as giflée !

Il s'éclaircit la voix avant de me répondre :

– J'ai eu tellement peur.

– C'est facile à comprendre.

En arrivant devant le quai, je lui renouvelai ma promesse d'assister à la messe en mémoire d'Ana. A ce moment-là, il me tendit l'enveloppe jaune en disant :

– Ceci est pour toi et Véra.

– Pour Véra ?

– Pour vous deux, oui.

John et lui étaient donc complices, il n'y avait plus de

doute possible, car l'Anglais était la seule personne à qui j'avais longuement parlé de toi.

– Mais qu'y a-t-il dans cette enveloppe qui soit pour Véra ?

– Tu n'as pas encore compris ? me lança-t-il, l'air sincèrement étonné.

Je secouai simplement la tête, et il dit :

– C'est un cadeau, mais c'est aussi un fardeau. C'est quelque chose que deux personnes doivent partager. C'est quelque chose qu'un homme de ton âge ne devrait pas garder pour lui seul.

Il regarda l'heure à nouveau, et courut pour attraper son train.

J'ouvris l'enveloppe sur le chemin de retour vers l'hôtel. Elle contenait une cinquantaine de photographies ; je reconnus celles qu'Ana avait prises à Taveuni. Ce n'est qu'une fois dans ma chambre d'hôtel que je pensai à les retourner. Au dos de chacune d'elles, il y avait quelque chose d'écrit. C'était le Manifeste, Véra. C'était ce que deux personnes doivent partager. C'était le Manifeste qu'un homme de mon âge ne devrait pas garder pour lui seul.

# La logique manque
## singulièrement d'ambivalence

Ainsi se termine la lettre à Véra. Frank l'a envoyée par e-mail tard dans la soirée du jeudi 7 mai 1998 et, un an après, j'en ai enfin une copie dans les mains.

J'ai promis d'ajouter une postface et je tiendrai parole, mais je voudrais d'abord que vous sachiez comment Véra a réagi à cette missive. Si sa réaction nous est connue, c'est parce que Frank a envoyé un deuxième e-mail à Véra et que celle-ci, enfin, lui a téléphoné à l'hôtel.

Je suis chez moi, à Croydon, par une belle nuit d'été, avec cette longue lettre sur mon bureau et je dois préciser, à ce stade, que j'ai revu Frank à l'hôtel Palace en novembre dernier, c'est-à-dire six mois après qu'il a écrit à Véra. Je me suis souvenu qu'il m'avait confié autrefois son impatience de la revoir lors de ce congrès à Salamanque et, quand nous nous sommes croisés par hasard au Palace, je ne savais pas si la rencontre avait eu lieu ou pas, et, dans l'affirmative, comment elle s'était déroulée. Depuis qu'il avait quitté les Fidji, je n'avais eu aucune nouvelle du Norvégien.

Peut-être Frank et Véra s'étaient-ils réconciliés ? Ou peut-être Frank n'était-il à Madrid que pour une courte visite qui n'avait rien à voir avec Véra ?

J'étais sous la coupole de la Rotonde en train de boire mon thé tout en écoutant la harpiste massacrer *Cendrillon* de Tchaïkovski – était-ce le même air qu'écoutait Frank six mois plus tôt ? – quand, de ma table idéalement située juste devant le bar, je vis tout à coup le biologiste norvégien entrer dans le restaurant. Je sentis mon pouls s'arrêter de battre, c'était tellement inattendu de retrouver Frank ici, au Palace, à des milliers de kilomètres des Fidji et de Londres ! Je me serais plutôt attendu à le rencontrer à Oslo, où j'étais passé quelques semaines plus tôt en coup de vent.

J'avais trouvé qu'Oslo était une ville très agréable, j'avais surtout aimé son exceptionnelle situation géographique : en quelques minutes seulement, on passait du cœur de cette grande capitale moderne à la nature la plus sauvage. J'avais fait une longue balade dans la montagne jusqu'à un chalet idyllique nommé Ullevålseter, et de là j'avais continué à marcher jusqu'au Frognerseter sans rencontrer âme qui vive.

Alors tomber sur Frank dans cet hôtel, en Espagne, c'était comme être pris la main dans le sac, et au lieu de me précipiter pour le saluer, je restai cloué sur place. Il semblait chercher quelqu'un des yeux et, quand il m'aperçut, il se dirigea vers moi sans hésiter.

– John, s'écria-t-il, ça alors, quelle surprise !

Il s'assit à ma table, mais la femme qu'il attendait arriva quelques minutes après et il alla la rejoindre. Je ne pouvais pas savoir s'il s'agissait de Véra, mais Frank me confirma plus tard que ce n'était pas elle. Il faut dire que, sans l'avoir jamais vue, je m'étais fait d'elle une image assez précise. Je sais que cela peut paraître étrange, mais je m'expliquerai plus longuement là-dessus dans ma postface.

Frank avait juste eu le temps de me dire qu'il restait quelques jours à l'hôtel et nous avions convenu de prendre une bière ensemble le soir même. « Ça fera du bien de parler de Maravu et de l'île de Taveuni, avait-il dit, il y a des choses qu'on a tendance à oublier un peu trop vite. »

A peine m'avait-il quitté que je réfléchis à son envie de se remémorer notre séjour aux Fidji et, en moins de temps qu'il n'en faut pour le dire, j'échafaudai un plan : il ne me restait plus qu'à passer quelques coups de téléphone indispensables mais un peu délicats. J'espérais que tout allait bien se passer et surtout que Frank allait mordre à l'hameçon. J'étais bien conscient que mon projet risquait de provoquer une jolie pagaille, pas tant dans ma vie à moi que dans celle des autres personnes que j'entraînais, malgré elles, dans cette histoire.

Je ne crois pas que de telles retrouvailles, si miraculeuses soient-elles, soient « voulues » par le destin ou par une quelconque forme de conscience supérieure, mais c'était la première fois que je vivais ce genre d'aventure, et je ne voulais pas laisser passer ma chance. J'étais dans une situation assez embarrassante, mais je ne serais pas assis aujourd'hui avec la lettre de Frank si je n'avais pas su saisir l'occasion qui s'offrait à moi, cet après-midi-là, à Madrid.

Mais je te laisse la parole, Frank. Tu as écrit une dernière lettre à Véra et le dénouement est proche. Cette lettre sera ton dernier message, et comme il faut bien que quelqu'un raconte ce qui s'est passé à Séville, c'est moi qui le ferai dans la postface.


Chère Véra,

Après ma longue lettre, je me permets de t'envoyer encore ces quelques lignes.

Quand je suis revenu de la gare, mercredi dernier en début d'après-midi, et que je suis rentré au Palace avec cette grande enveloppe jaune à la main, j'avais la tête pleine de tout ce que j'avais à te raconter. J'ai donc décidé de ne pas quitter ma chambre tant que je n'aurais pas couché sur le papier ce que j'avais à te dire ; il n'y avait pas de temps à perdre, car la lettre devait te parvenir jeudi soir. Tu pourrais alors, peut-être, changer d'avis et décider de me rejoindre à Séville.

J'ai allumé mon ordinateur, mais, avant de me mettre à écrire, j'ai ouvert l'enveloppe avec toutes les photos des Fidji. Il y en avait treize de Prince Charles Beach, treize de la ligne de changement de date, treize du torrent de Bouma et treize de la palmeraie de Maravu. Ce chiffre treize, qui revenait quatre fois, m'a mis la puce à l'oreille et j'ai retourné l'une des photos au hasard.

Au dos, était écrit « 9 de cœur » et, en dessous : *Depuis les éons, après que le soleil est devenu une géante rouge, on peut encore capter des signaux radio épars dans le brouillard des étoiles. As-tu mis ta chemise, Antonio ? Reviens tout de suite voir Maman ! Il ne reste plus que quatre semaines avant Noël.*

J'ai retourné la photo suivante, c'était le « 3 de trèfle » avec, de nouveau, un texte : *La voix s'articule ici et maintenant chez les descendants des amphibiens. Les toussotements remontent via les neveux des dinosaures terrestres dans la jungle de l'asphalte. La question posée par les descendants des mammifères à fourrure est de savoir s'il existe une raison hors de ce cocon éhonté qui prolifère tous azimuts.*

J'ai senti mon cœur battre plus fort. La troisième carte était le « 5 de pique » : *Le Joker se réveille sur l'oreiller, dans un disque dur organique. Porté par un courant chaud de chimères à moitié digérées, il suffoque un peu avant d'atteindre la terre ferme et le rivage d'une nouvelle journée. Quelle force nucléaire met le feu aux cerveaux des elfes ? Quelles turbines commandent le feu d'artifice de la conscience ? Quelle force atomique fait tenir ensemble les cellules cérébrales de l'âme ?*

J'ai ainsi retourné une à une les cinquante-deux cartes. C'était le Manifeste, Véra, je tenais tout le Manifeste entre mes mains. Il nous était destiné, à toi et à moi. Je me suis immédiatement replongé dans mon travail de scribe. J'ai écrit, écrit sans relâche, je n'arrivais pas à m'arracher de mon bureau, m'arrêtant juste quelques heures pour dormir, prendre une tasse de thé sous la rotonde ou faire un tour au pas de course dans le parc du Retiro, lorsqu'on venait faire ma chambre. Et j'ai réussi à tout envoyer par courrier électronique jeudi soir. J'y ai joint une copie du Manifeste en te précisant que j'avais choisi de classer les textes en quatre colonnes par couleur et dans l'ordre suivant : trèfle, carreau, cœur et pique. Après t'avoir envoyé ce long document, j'ai eu l'idée d'un autre classement que je trouve vraiment meilleur, mais je t'en parlerai quand nous nous reverrons.

Dans la courte lettre d'accompagnement, je te demandais de me téléphoner dès que tu aurais tout lu, pas avant. Tu m'as donc appelé en pleine nuit.

Je n'étais pas couché, j'étais resté cloîtré toute la soirée, même si j'avais été tenté de faire un tour au bar après ces trente-six heures passées quasiment sans interruption dans ma chambre d'hôtel. J'avais fait les cent pas entre la salle de bains et le lit ; autant te dire tout de suite que les deux petites bouteilles de gin du mini-bar étaient vides depuis longtemps quand le téléphone a enfin sonné. Celles de vodka aussi.

La première chose que tu m'as dite a été :

– Tu es un sacré cachottier, Frank, tu sais ?

– Tu as tout lu ?

– Chaque mot, et tu es un sacré cachottier.

– Pourquoi ça ?

– C'est qui, exactement, cette Ana et ce José ?

– Tu ne crois quand même pas que je les ai inventés ?

– Je n'ai pas dit ça. Je crois que vous collaborez.

– Collaborez ? Comment ça ?

– Il y a une chose que je ne t'ai pas dite à Salamanque.

– Je crois qu'il y a beaucoup de choses que nous ne nous sommes pas dites à Salamanque…

– Quoi par exemple ?

– Non, c'est toi qui commences.

– Et pourquoi ?

– C'est toi qui as dit qu'il y avait quelque chose que tu ne m'avais pas raconté à Salamanque.

– C'était parce que je n'étais pas sûre que tu serais d'accord.

– Je ne vois pas de quoi tu parles. Alors pour cette messe, demain, à Séville, est-ce que tu viendras ?

– *Oui*, Frank. Je viendrai. Mais tu n'as pas intérêt à me faire faux bond ! Mon avion part à dix heures et demie demain matin.

– Tu ne peux pas savoir comme je suis content.

– J'ai quand même franchement l'impression d'être au centre d'une sorte de cabale.

– Qu'est-ce que tu veux dire ?

– Il m'a rappelée.

– Qui ?

– Lui, José

– Ça alors ! Et qu'est-ce qu'il t'a dit ?

– La même chose que toi, exactement la même chose que toi. C'est justement ça qui est bizarre. Il m'a demandé, encore une fois, de venir à cette messe. Il m'a dit que toi aussi, tu y serais, que maintenant c'était sûr.

– Il a dit que le Manifeste était pour nous deux. Cela a certainement une signification.

– Une signification ?

– Enfin, je pense, mais je ne sais vraiment pas laquelle…

– Ce n'est pas toi qui lui as demandé de m'appeler ?

– Pourquoi, c'est ce que tu crois ?

– Mais vous étiez bien d'accord, à Salamanque ?

– De quoi me parles-tu, Véra ? Je ne comprends rien.

– Tu n'as pas compris pourquoi j'ai éclaté de rire. Il faudrait peut-être commencer par là.

– Eh bien, je t'écoute.

– D'accord, mais je ne sais vraiment pas si…

– Allez, lance-toi. J'ai sincèrement envie de te revoir, tu sais.

– J'avais déjà rencontré Ana et José… Frank, tu es là ?

– Quoi ? *Tu* les avais rencontrés avant ?

– Tu ne le savais pas ?

– Mais la dernière fois que nous nous sommes parlé au téléphone, tu m'as dit que tu ne viendrais pas à Séville parce que tu ne connaissais pas Ana.

– OK, Frank, je te crois.

– C'est toi qui me crois maintenant ?

– Oui, ils m'avaient demandé de garder le secret. Il ne fallait surtout pas que tu saches que l'on s'était vus.

– Mais quand ça, nom d'un chien ? Et où ?

– A Salamanque. Écoute, ça s'est passé le jour où nous sommes allés au bord du fleuve… Ils sont venus à mon hôtel, en fin d'après-midi, et m'ont demandé si j'étais bien Véra.

– Comment pouvaient-ils le savoir ?

– Tu te rappelles, nous avons déjeuné ce jour-là dans un café de la plaza Mayor, le café où tu les as rencontrés le lendemain. Eh bien, c'est là qu'ils nous ont vus ensemble, et ils sont donc passés à l'hôtel pour savoir si j'étais bien Véra.

– Ils étaient déjà comme cela aux Fidji : ils adoraient les mystères, on aurait presque dit qu'ils complotaient sans arrêt… Quand je pense qu'elle est morte quelques jours après…

– Je sais, j'y pense tout le temps.

– Tu leur as confirmé que tu étais bien Véra ?

– Oui, ils m'ont raconté qu'ils t'avaient rencontré aux Fidji. Puis ils m'ont demandé de leur rendre un service… Tu m'écoutes, dis ?

– J'attends la suite.

– Ils trouvaient que c'était une amusante coïncidence que vous vous retrouviez ici, à Salamanque, et ils avaient envie de te faire une petite farce. Ils m'ont demandé de t'emmener faire une balade le soir près du fleuve ; eux feraient semblant de se promener là par hasard, mais en se débrouillant pour que tu les remarques. Je devais leur promettre de ne pas te dire qu'ils m'avaient contactée. Ils avaient l'air de sous-entendre qu'il pourrait arriver les pires catastrophes si tu l'apprenais. Alors j'ai tenu ma promesse…

– Ça alors, c'est incroyable !

– Tu n'étais vraiment pas au courant ?

– Bien sûr que non.

– Ils étaient adorables, tu sais. Et puis il y avait autre chose : dès que j'ai aperçu Ana à la réception de l'hôtel, j'ai cru voir la *maja* de Goya, tant elle lui ressemblait.

– Mais tu ne m'as rien dit ?

– Non.

– Et tu as gardé le secret pendant tout ce temps ?

– Je leur avais donné ma parole.

– Sur le pont, tu ne m'as absolument pas laissé parler. Je n'ai rien pu te raconter.

– C'était trop drôle, j'ai cru mourir de rire. Et comme j'avais promis de ne rien dire…

– Tu m'as même dit que tu croyais que j'avais inventé toutes ces histoires pour attirer ton attention.

– Si tu avais pu voir ta tête ! Tu avais l'air désespéré. D'ailleurs, c'était peut-être tout aussi bien que je ne t'écoute pas.

– Pourquoi cela ?

– Sinon, tu ne m'aurais pas écrit.

– Et qu'est-ce que tu penses de ma lettre ?

– C'est surprenant… Mais je n'y crois pas, Frank. Je suis tout aussi inébranlable qu'à Salamanque.

– Qu'est-ce que tu ne crois pas ?

– Elle ressemble à *La Maja nue*, c'est vrai, mais je ne crois pas que des nains puissent surgir de nulle part,

comme bon leur semble, dans le passé ou dans le futur.
D'ailleurs toi non plus, tu n'y crois pas.

— Peut-être, mais je crois en tout cas qu'elle est morte
à Séville.

— Ah, vraiment ?

— Pas toi ?

— C'est ce que j'ai l'intention de découvrir demain.

— J'ai vu la crise qu'elle a eue à Taveuni. J'ai vu à
Salamanque comme elle avait les nerfs à fleur de peau.
J'ai vu à quel point José était brisé quand je l'ai rencontré au Prado. Et puis, je ne pense pas qu'on s'amuse à
jouer avec la mort de sa femme…

— Non peut-être pas, en effet…

— Non, certainement pas !

— Ta primate femelle australienne, en tout cas, tu peux
te la garder. Ce n'est pas ce que tu as fait de mieux, Frank.

— Je me sentais si seul. C'est ce que j'ai essayé de te
dire. Je me *sens* si seul.

— Ce n'est pas ce que je voulais dire.

— Que voulais-tu dire, alors ?

— Je ne suis pas en train de te faire une leçon de
morale, je n'ai pas tellement aimé cette Laura, c'est tout.

— Je ne veux pas qu'elle t'empêche de dormir.

— Tu ne l'as pas trouvée affreusement puérile ?

— Si. Mais moi aussi, parfois, je me sens puéril.

— Bref, je ne la porte pas dans mon cœur. Je l'ai trouvée carrément déplaisante.

— Ça va, j'ai compris.

— Je ne vois pas pourquoi tu as éprouvé le besoin de
parler autant d'elle dans ta lettre. Tu essayais de me rendre
jalouse ou quoi ?

— Euh, non. Pas vraiment. Tu me manques.

— Mais j'ai aimé le Manifeste.

— Il est pour nous deux.

— Je l'ai devant moi. Attends un peu… J'aime particulièrement ce passage : *La toile d'araignée des secrets de l'espèce s'est étendue du puzzle de la soupe originelle aux cœlacanthes lucides et aux amphibiens d'avant-garde. Le relais est passé avec soin aux reptiles à sang chaud, aux demi-singes acrobatiques et aux lourdauds singes humains. Y avait-il un pressentiment ultra-latent tapi tout au fond du cerveau des sauriens ? Arriva-t-il qu'un singe humain outrancier eût l'intuition endormie du plan général ?*

— Oui, ce sont des pilleurs de première.

— Oh, ne prends pas ton air offensé ! Écoute un peu celui-ci : *Dans les pupilles de l'œil entrent en collision la vue et la finalité, l'œuvre du Créateur et la réflexion. Les fruits de la vue, telle la face de Janus, sont une porte à tambour magique où l'esprit créateur se rencontre lui-même dans ce qu'il a créé. L'œil qui plonge dans l'univers est l'œil même de l'univers.*

— Je l'avais oublié, celui-là.

— Ce sont vraiment des personnes étranges.

— C'est ce que je me suis dit dès que je les ai vues.

— Mais tu sais bien que je ne crois pas à ce genre d'idées.

— Tu penses à quoi, en particulier ?

— Tu n'as pas oublié, j'espère, Frank, que, de par ta profession, tu as certaines obligations ? Ce que je veux dire, c'est que sur un plan purement scientifique, il n'y a pas grand-chose qui tienne la route…

— Je n'en suis plus si sûr.

— Ne me dis pas que tu crois qu'un événement se produisant aujourd'hui peut avoir une action, quelle qu'elle soit, sur quelque chose qui s'est produit il y a très longtemps ! Ou est-ce que tu t'intéresserais aux sciences occultes, par hasard ?

— Pas le moins du monde. Mais, à la différence d'autrefois, je pense que la vie a un sens.

331

– Voilà qui m'étonne de ta part.

– Si une jeune femme, vivant aujourd'hui, ressemble trait pour trait à une personne qui vivait il y a très longtemps, ça ne peut pas être une simple « coïncidence »

– Tu me surprends, tu sais.

– La seule chose vraiment surprenante, c'est que le monde existe. Nous vivons, Véra ! *Big surprise !*

– Là, impossible de ne pas être d'accord.

– Mais nous avons comme postulat que l'existence même de l'univers est pour ainsi dire un hasard monstrueux. Comment, dans ce cas, parler d'un quelconque « sens » ?

– Je trouve que tu compliques les choses.

– Disons que je crois que l'univers poursuit un but.

– Serais-tu devenu croyant ?

– Si tu veux. Si cela signifie croire que ma propre vie et le monde qui m'entoure ont un sens, alors, oui.

– Ce qui n'est pas rien. Mais tu pourrais peut-être essayer de définir un peu ce qu'est ce « sens » ?

– Je ne plaisante pas, Véra. Nous savons comment la vie s'est développée sur Terre pendant quelques milliards d'années. La science ne veut voir dans cette gigantesque Création qu'une longue suite de processus physiques et biochimiques, aveugles, accidentels et au fond tout à fait absurdes, mais je perçois les choses autrement, aujourd'hui.

– Il ne te reste plus qu'à te reconvertir en prêtre ou en gourou.

– Mais écoute-moi ! L'homme est un processus biochimique complexe qui, dans le meilleur des cas, dure quatre-vingts ou quatre-vingt-dix ans, et qui, au sens large, n'est qu'un terrain d'affrontement pour macromolécules souhaitant se reproduire. La seule finalité que l'on puisse attribuer à la vie humaine est à chercher au niveau cellulaire, c'est la reproduction massive des gènes par eux-mêmes. Un « être humain » n'est pas autre chose que la machine permettant aux gènes de survivre. La finalité étant le gène pris séparément – et non l'organisme. L'existence a pour but la survie des gènes et non pas ce que ces gènes produisent. Pour reprendre une image abondamment utilisée, le but est l'œuf et non la poule, car la poule n'est qu'un produit de l'œuf. Elle n'est rien d'autre que la cellule reproductrice de l'œuf, et c'est pourquoi nous ne pouvons que l'enfermer !

– Tu me parais bien exalté tout d'un coup ! Mais disons que ton résumé me semble, somme toute, recevable.

– Là encore, tu fais erreur. Dans cinquante ans, la plupart des gens trouveront ridicule une telle conception du monde. Nous appartenons à une génération de biologistes qui commet, d'une façon quasi collective, la *reductio ad absurdum*.

– Et quel serait, selon toi, le sens de l'existence ?

– Je ne sais pas, je te l'ai dit. Je dis simplement que l'univers n'est pas absurde. L'évolution de la vie sur la Terre a été un processus tellement extraordinaire que jamais aucun mythe, aussi extravagant soit-il, n'aurait pu le concevoir.

– Tu es vraiment un original.

– Es-tu d'accord pour dire que tu as une âme ?

– Je ne sais pas. Ce n'est pas ce terme-là que j'utiliserais…

– Tu préfères celui de conscience ?

– Admettons. De toute façon, si j'avais dit non, cela aurait été contradictoire.

– Tu as donc une conscience de cet univers…

– … et de moi-même. *Cogito ergo sum.*

– Nous pouvons remonter jusqu'à Descartes, si tu veux, car c'est là que se trouvent les fondements de la raison : il existe une matière et il existe une conscience de la matière. Je veux dire que la conscience est une partie si essentielle à la nature même de l'univers qu'elle ne peut pas être simplement considérée comme un produit annexe et accidentel.

– Mais la matière vient en premier.

– C'est possible.

– Je veux bien qu'une conscience puisse se manifester matériellement, mais jusqu'ici j'ai surtout vu le contraire.

– Une seconde ! Tu aimerais donc voir une conscience se manifester matériellement ?

– Oui.

– Notre monde mis à part, Véra, notre monde mis à part, bien sûr.

– Bien sûr, mais là, ce n'est plus le scientifique qui parle.

– Dans ce cas, il est peut-être nécessaire de parler d'autre chose que de science. Pour moi, la conscience est une partie plus essentielle de la nature de l'univers que toutes les étoiles et les comètes réunies.

– Mais la matière vient avant la conscience. Elle est, en fait, le fondement même d'une discussion comme celle-ci.

– C'est possible, je le reconnais. Mais, pour moi, il est de plus en plus clair que la matière cosmique a toujours porté en elle la conscience. La conscience n'est pas un aspect moindre de la réalité que, par exemple, les réactions nucléaires des étoiles.

– Je ne sais vraiment pas. Tu sembles t'être davantage penché sur la question que moi.

– Et puis, le sang précède l'amour.

– Pardon ?

– Le sang coule d'abord dans nos veines pour que nous soyons capables d'aimer, mais cela ne signifie pas que le sang est plus important que l'amour.

— Ce qui nous ramène à la poule et à l'œuf.

— Comment cela ?

— S'il n'y avait pas de sang, il n'y aurait pas d'amour. Et s'il n'y avait pas d'amour, il n'y aurait pas de sang.

— Oui, c'est ce que je voulais dire.

— Nous pourrions peut-être en reparler demain à Séville. Il est deux heures et demie du matin...

— Je voulais juste te dire que je me suis débarrassé de ce réductionnisme forcené qui a poursuivi tout ce siècle comme un véritable cauchemar. Il est vraiment temps de changer de millénaire.

— Et moi, je te répète que tout cela est beaucoup trop vague. Nous ne disposons que des forces naturelles, et de rien d'autre, pour fonder les sciences de la nature.

— Quoi ? Nous déduisons des théories qui vont bien au-delà de ce que ces forces naturelles pourraient nous laisser supposer.

— Tu as un exemple ?

— Le Soleil n'est pas seulement une étoile, la Terre n'est pas seulement une planète, un homme n'est pas seulement un animal, un animal n'est pas seulement de la terre, la terre n'est pas seulement de la lave, et Ana n'est pas morte.

— Qu'est-ce que tu as dit à la fin ?

— Aucune idée. Ça m'a échappé, je trouvais que ça allait bien dans la phrase.

— Dans le rythme de la phrase, tu veux dire ?

— Oui, c'est ça, dans le rythme.

— Et puis j'aimais bien ce texte : *Le Joker n'est qu'à moitié dans le monde des elfes. Il sait qu'il doit voyager, il a fait le bilan de sa vie. Il sait qu'il doit s'en aller. aussi est-il déjà à moitié parti. Il vient de là où tout a son origine et va vers nulle part. Quand il arrivera, il n'aura pas la moindre envie de revenir en arrière. Il doit aller vers le pays du rien où même le sommeil n'existe pas.*

– Tu es vraiment sûr que ce pays du rien existe vraiment ?

– Malheureusement oui. En un sens, ce « rien » devient quelque chose qui existe.

– Alors c'est encore plus important qu'on se revoie. Notre vie est beaucoup trop courte.

– Je suis assez d'accord là-dessus.

– Pour moi, c'est justement de cela que parle le Manifeste.

– Pour ma part, j'ai l'impression qu'on est embarqués dans quelque chose qui nous dépasse.

– Je viendrai te chercher à l'aéroport de Séville.

– Tu as déjà réservé une chambre d'hôtel ?

– Oui, j'ai pris une chambre au Doña María, qui se trouve sur la plaza Virgen de los Reyes devant la Giralda et la cathédrale.

– Tu en as aussi réservé une pour moi ?

– Oui. Je me disais que tu finirais bien par venir, puisque je te le demandais avec une telle légèreté.

– Une telle légèreté ? ? ?

– J'aurais peut-être dû dire « avec une telle lourdeur ». Tu as imprimé ma lettre ?

– Oui, dès que je l'ai reçue. Je déteste lire sur écran.

– Moi aussi.

– Je comprends maintenant pourquoi tu as dit, la dernière fois, que je te faisais penser à un gecko. J'ai un petit faible pour ce Gordon.

– Ça, je veux bien le croire.

– Tu as toujours eu besoin de quelqu'un qui te fasse un peu la morale.

– Mais ce n'est pas toi qui ressembles à Gordon, c'est lui qui te ressemble. Tu confonds la cause et l'effet, Véra !

– Très drôle… Bon, alors, tu as réservé deux chambres ?

– J'ai réservé les deux.

– Ça veut dire quoi, ça encore ?

– J'ai réservé à la fois une chambre et deux chambres… Allô ?

– Je suis sans voix.

– Pourquoi ça ?

– Tu as vraiment l'esprit tordu, toi. Et tu commences à n'en faire qu'à ta tête avec les principes logiques.

– Ce qui veut dire ?

– Tu ne peux pas à la fois faire *une* réservation pour une chambre et une pour deux chambres. Cela voudrait dire que tu aurais fait *deux* réservations.

– La logique manque singulièrement d'ambivalence. C'est pourquoi elle est assez inapte à résoudre les conflits, ou tout autre problème, d'ailleurs. Elle est d'une raideur cadavérique, Véra.

– C'est comme lorsqu'on dit qu'on débarque partiellement sur une île déserte : cela n'a pas de sens. On arrive, on part d'un endroit, il n'y a pas de demi-mesure. Je trouve que tu devrais te mettre ça dans le crâne, Frank. Et bien te l'enfoncer.

– Je commence à me poser des questions sur toute cette histoire. D'une certaine façon, le nain est arrivé sur l'île avec le marin. Mais d'un autre côté, il n'est apparu que beaucoup plus tard.

– On ne parle pas la même langue. L'île déserte, c'est moi.

– Toi ?

– Laisse tomber, on se voit demain.

– Et on saura vite où on en est, tous les deux.

– Oh, c'est profond ce que tu viens de dire !

– Peut-être y a-t-il un autre ciel au-dessus de celui-ci ?

– De plus en plus profond !

– Aucune idée. Je ne sais plus ce que je dis. C'est comme si quelqu'un parlait à travers moi.

— C'est ce qu'on appelle esquiver ses responsabilités.

— Je repense soudain à quelque chose qu'Ana a dit aux Fidji.

— Quoi donc ?

— Elle a dit quelque chose comme : *Il existe une réalité en dehors de celle-ci.*

— Bon sang, bien sûr… Attends un peu…

— Qu'est-ce que tu fais ?

— Attends un peu, je tourne les pages… *Vous croyez venir à un enterrement, a-t-elle dit, mais en réalité vous assisterez à une renaissance.* Crois-tu qu'elle lisait dans l'avenir ?

— Je t'ai dit que je ne le savais pas. Tout ce que je sais, c'est que je prends le train demain matin à huit heures.

— Mais tu sais, j'ai encore observé le tableau de Goya. Et je t'assure que j'ai sursauté quand j'ai vu Ana à Salamanque.

— Ça t'a fait du bien.

— Quoi donc ?

— De sursauter.

— Bon, eh bien, à demain, alors.

— A demain.

# Postface

## de John Spooke

Cela me fait toujours quelque chose quand je regarde la grande photo en couleurs de Sheila qui trône au-dessus de la commode, ici, dans la pièce où je m'isole pour travailler. Depuis le jour où je l'ai prise devant la mairie de Croydon, elle a toujours été accrochée à cet endroit dans son sévère cadre noir. Sheila regardait l'objectif au moment où j'ai appuyé sur le déclencheur, et j'ai l'impression qu'elle m'observe de là où elle est. Il y a des jours où je me dis qu'elle l'a fait exprès, pour pouvoir me surveiller si jamais elle s'en allait la première.

J'ai toujours trouvé cela particulièrement éprouvant de contempler la photographie d'une personne décédée. Alors, imaginez quand on ne connaît pas le procédé ! Quel choc cela a dû être, pour les paysans andalous de la fin du XVIIIe siècle, de voir le portrait d'une ravissante gitane dans les jardins de l'Alcázar !

Trois ans se sont écoulés et je ne me fais toujours pas à l'idée que je ne reverrai plus jamais Sheila. Qui me dit, d'ailleurs, que nous ne serons pas à nouveau réunis, un jour ? D'accord, c'est peu probable, mais sait-on jamais… Ce monde existe, c'est bien la preuve que l'improbable parfois prend corps. Pourquoi alors n'y aurait-il pas un autre monde après celui-ci ?

Parce que nous sommes des êtres de chair et de sang comme les grenouilles et les chauves-souris, aurait peut-être répondu Frank. Je partage assez son point de vue, car s'il y a une chose que je ne risque pas d'oublier, c'est précisément la circulation sanguine. Je suis un primate vieillissant. Mais je suis aussi un être spirituel.

Je n'ai jamais réussi à accepter cette idée que l'âme humaine se réduise à un phénomène surréaliste à base de protéines, à l'instar du cou de la girafe ou de la trompe de l'éléphant. Ma conscience me permet d'appréhender l'univers tout entier, comment croire que l'âme n'est qu'une sécrétion biochimique ?

Nous savons qu'il existe d'autres galaxies. De nombreux astronomes pensent même qu'il existe d'autres univers. Pourquoi un réel ne pourrait-il pas succéder à un autre réel ? Pourquoi cela serait-il moins probable que dans le temps et dans l'espace ? Autrement dit, pourquoi la succession d'un plan à un métaplan serait-elle proprement impensable ? Il n'est jamais trop tard pour se réveiller d'un rêve.

Nous ne savons pas ce qu'est ce monde et il est facile de se laisser abuser : comment savoir où commence et où s'achève le réel dans lequel nous nous trouvons à l'instant présent ? Et Ana n'était pas morte.

*

Quand je débarquai à Taveuni pour participer à ce programme de télévision sur l'avenir de l'humanité, cela faisait des années que je n'avais pas publié de roman. Tant que Sheila avait été malade et même ensuite, je n'avais pas réussi à commencer quoi que ce soit. Je n'ai jamais été doué pour faire deux choses à la fois. Il est étrange de constater à quel point un homme de mon âge peut être attaché à une femme ; c'est presque effrayant de voir à quel point un homme peut perdre de sa force vitale lorsqu'un être lui manque.

J'avais besoin de voir de nouvelles têtes avant de me remettre à écrire et, à Taveuni, je rencontrai beaucoup de personnes fort différentes de celles que je côtoie habituellement à Croydon. J'éprouvais le besoin de me bronzer au soleil de nouvelles pensées et conceptions. Peut-être est-ce pour cette raison que j'invitai les hôtes de Maravu à une rencontre tropicale au sommet.

Plusieurs fois déjà, par le passé, j'avais puisé dans des scènes de la vie courante l'inspiration pour mes romans. Je n'ai jamais manqué d'imagination, ça non, mais j'ai souvent eu du mal à donner chair à mes personnages.

Avant même l'arrivée de Frank, j'avais choisi les deux Espagnols comme héros de mon prochain roman. Ana était une belle femme qui approchait trente ans ; elle était grande – elle faisait presque une demi-tête de plus que José – avec de longs cheveux foncés, des yeux noirs et la démarche la plus altière que j'aie jamais vue. Son compagnon était plus âgé qu'elle, avait une carnation plutôt claire pour un Espagnol et des yeux bleus. Ils s'étaient présentés comme des journalistes de télévision travaillant pour une chaîne câblée espagnole, mais José avait à un moment glissé dans la conversation qu'Ana était une célèbre danseuse de flamenco. Je leur expliquai que, pour ma part, j'avais été envoyé sur l'île par la BBC pour me tenir sur la ligne de changement de date et dire quelques mots bien sentis sur l'éthique universelle et l'avenir de la planète. Le couple espagnol m'assura qu'ils étaient là pour préparer le même genre de reportage, et nous eûmes donc plusieurs fois l'occasion de nous croiser sur le méridien 180. L'île avait déjà accueilli bon nombre d'équipes de tournage, alors même que les célébrations proprement dites du nouveau millénaire ne devaient pas commencer avant deux ans.

Plusieurs raisons expliquent que je me sois attaché au couple espagnol. Tout d'abord, il leur arrivait souvent, quand ils étaient seuls, ou quand ils faisaient semblant de s'isoler, de se réciter des phrases pour le moins étranges. Ils me faisaient penser à ces personnes qui parlent toutes seules, même si dans le cas présent ils étaient deux, car il ne s'agissait nullement d'une conversation : chacun semblait parfaitement d'accord avec ce qu'énonçait l'autre. Je ne comprenais pas l'espagnol, mais j'avais été frappé, comme Frank plus tard, par leurs marmonnements bizarres. Avec cette différence, essentielle, que Frank, lui, comprenait ce qu'ils disaient. Moi, j'avais réagi sur la forme, pas sur le fond. Pendant le dîner, le soir de l'arrivée de Frank, j'observai le Norvégien en train d'écouter discrètement les deux Espagnols. Lorsqu'il demanda à emprunter mon stylo, je ressentis une grande joie. C'était comme si, à son insu, je l'avais engagé.

Et puis, il y avait autre chose qui excitait ma curiosité : j'avais l'intime conviction d'avoir déjà rencontré Ana. Quand Frank m'avoua que, lui aussi, était sûr d'avoir déjà vu la jeune femme quelque part, je me lançai dans de grandes recherches, et je dois avouer que ce que je finis par découvrir me bouleversa totalement. J'étais sous le choc et, à partir de ce jour-là, j'observai Ana avec un regard neuf.

Je préférais ne rien entreprendre dans la précipitation. Je ne voulais rien dire non plus à Frank, cela n'aurait fait que le perturber davantage. Je lui donnai juste quelques pistes au moment des adieux, il ne me restait plus qu'à attendre. Cette histoire, je voulais rentrer avec.

Je n'ai jamais aimé parler de mon travail en cours, surtout avant d'avoir commencé à rédiger. Je craignais que tout ne s'effondrât comme un château de cartes, là-bas aux Fidji, si jamais le thème venait à être abordé à table.

*

Lorsque Frank arriva à Taveuni, il venait de passer deux mois dans le Pacifique Sud. Tout ce que je sais sur cette partie du globe, c'est lui qui me l'a appris. Plus il me parlait de ses recherches, plus il devenait clair que lui, et lui seul, devait être le narrateur de mon futur roman. Je trouvais que, d'une certaine façon, on faisait la paire, tous les deux, malgré notre différence d'âge. Je tiens d'ailleurs à signaler que le rêve que raconte Frank à Gordon, c'est de moi qu'il le tient. C'est moi, en effet, qui n'arrivais pas à me souvenir si j'avais dix-huit ou vingt-huit ans... Je m'étais réveillé en sursaut, pour découvrir que j'avais, non pas la quarantaine inquiète de Frank, mais – comble de l'effroi ! – soixante-cinq ans bien sonnés. Me levant d'un bond, j'étais allé me regarder dans la glace de la penderie. Dire que c'était bien moi, ce primate vieillissant...

Il n'existe pas au monde deux personnes physiquement identiques et cela vaut aussi, bien sûr, pour les caractères. Cela dit, à mes yeux, les hommes se divisent en deux grandes catégories : la première, de loin la plus nombreuse, est composée de ceux qui sont contents de vivre soixante-dix, quatre-vingts, voire quatre-vingt-dix ans. Ils avancent en général plusieurs explications à leur tranquille acceptation ; certains pensent que ces quatre-vingts ou quatre-vingt-dix ans suffisent à garantir une vie longue et bien remplie à la fin de laquelle on aspire naturellement au repos éternel : ils ont vécu tout leur content. D'autres veulent disparaître relativement tôt, et en bonne santé, pour ne pas devenir une charge pour la société. D'autres encore estiment que cela ne serait pas raisonnable de souhaiter vivre au-delà de quatre-vingts ou quatre-vingt-dix ans : la nature elle-même a veillé à ce que nous ne devenions pas trop vieux, cela n'est sûrement pas un hasard... Sans oublier tous ceux – et ils sont peut-être les plus nombreux – qui trouvent tout bonnement insupportable l'idée qu'il pourrait être dans la nature des choses de durer plusieurs centaines ou milliers d'années. Heureusement que non, répondent-ils, d'ailleurs la nature fait toujours bien les choses.

Mais il existe aussi une deuxième catégorie d'hommes, en fait une poignée d'individus, qui de tout temps ont souhaité vivre éternellement. Ils souffrent d'une étrange anomalie, qui est de ne pas pouvoir imaginer comment il existera encore un monde après leur propre mort. Et Frank faisait partie de cette deuxième catégorie. C'est d'ailleurs cela qui m'a d'emblée intéressé chez lui. Sans cela, je n'en aurais pas fait le narrateur de mon roman, c'était une condition indispensable.

Je ne me suis jamais senti sur la même longueur d'ondes que ces personnes qui reculent à la seule pensée de vivre éternellement sur Terre. Quand j'étais plus jeune, l'une des premières choses que je demandais aux gens que je rencontrais, c'était : « Si tu avais le choix, aimerais-tu vivre éternellement ? Ou bien acceptes-tu l'idée qu'un jour tu n'existeras plus ? » Il fallait que je sache à quoi m'en tenir. J'ai ainsi pu établir mes propres statistiques, assez informelles certes, et je suis arrivé à la conclusion que la plupart des hommes désirent mourir. Tant mieux ! C'est une chance que la nature ait été conçue avec tant de sagesse.

Mais, curieusement, ce ne sont pas ceux qui éprouvent le plus de plaisir à vivre qui aspirent à la vie éternelle. Au contraire, ils admettent en général que tout a une fin, les bonnes choses comme le reste. Cela peut sembler paradoxal, mais, à la réflexion, il y a une certaine logique derrière tout cela : ceux qui rejettent la finitude de la vie humaine se trouvent déjà dans une zone frontière ; ils savent qu'ils vont bientôt partir, ils sont déjà à moitié partis. Peu importe qu'il leur reste cinq ou dix ans à vivre. C'est en cela qu'ils se différencient de ceux qui acceptent le décret arbitraire stipulant qu'ils devront quitter cette Terre – enfin, du moment qu'il n'est pas mis en application sur-le-champ. Ce ne sont pas les prétendants à la vie éternelle qui s'élancent les premiers sur la piste de danse. De leur côté, les rois de la piste sont si pris par la danse de la vie elle-même qu'ils ne se laissent pas distraire par la pensée qu'un jour cette danse prendra fin.

Dans sa lettre à Véra, Frank raconte comment il a vécu le court vol entre Viti Levu et Taveuni, et l'on devine déjà à quelle catégorie d'hommes il appartient. Je mis un peu de temps à comprendre ce qui le préoccupait le matin de son arrivée sur l'île, mais je finis par avoir ma petite idée et, le lendemain, notre conversation me confirma que j'avais vu juste. Frank faisait partie de ceux, peu nombreux, qu'accablaient le manque de spiritualité et le goût pour l'éphémère de notre société.

Frank clôt la description de son vol vers Taveuni avec cette remarque : « Ce voyage a provoqué en moi le sentiment irrévocable que je n'étais qu'un faible vertébré au zénith de sa vie. » Bien vu, me suis-je dit. Je me retrouvais tout à fait dans cette analyse, à la différence, et elle est de taille, que j'avais presque trente ans de plus que lui, c'est-à-dire l'âge du pilote. Ces derniers temps, alors que je me penche sur mon bureau, ici, à Croydon, une sciatique capricieuse se rappelle parfois à mon bon souvenir. Nul besoin d'être un expert en vertébrés pour sentir que j'ai un squelette mal en point. Ajoutez à cela que je me fais soigner pour une angine… Je ne suis que trop conscient que chaque seconde que je passe encore en ce monde est un cadeau du ciel. C'est comme vivre avec un revolver pointé sur la tempe, comme si j'allais passer le restant de mes jours sous la Voie lactée, dans un vieux coucou avec des instruments de mesure hors d'usage. Et dire que je n'ai même pas une amie avec qui étudier la carte de mon ultime voyage.

Cela fait trois ans que Sheila est morte, et bien plus longtemps encore qu'elle ne pouvait plus marcher ni poser une main apaisante sur ma nuque. A sa mort, j'ai réalisé que nous nous connaissions depuis plus de quarante ans. Si je me permets de parler de choses aussi personnelles, c'est pour mieux vous faire comprendre pourquoi j'ai agi comme je l'ai fait quand j'ai rencontré Frank presque un an plus tard.

*

Le matin où j'allai chercher Frank à l'aéroport, je rencontrai les Espagnols qui venaient prendre leur petit déjeuner, et leur annonçai qu'un Norvégien venait d'arriver. La plupart des Scandinaves ont la réputation d'aimer les jeux de cartes, ajoutai-je, sans doute à cause de leurs longs hivers. J'avais aussi compris que si Ana et José avaient passé les soirées précédentes à jouer aux cartes, c'était surtout pour faire plaisir à la jeune femme. C'est elle en tout cas qui s'était donné la peine de trouver des partenaires. Ce matin-là, précisément, l'un des bridgeurs, un Hollandais, avait quitté l'île. Qui allait le remplacer ? Certainement pas moi, car je ne savais pas jouer et n'avais pas la moindre intention d'apprendre.

Les cartes me font irrésistiblement penser à Sheila. Elle pouvait passer des soirées entières à faire des patiences pendant que je travaillais dans mon bureau sous les toits. Elle était tellement heureuse quand, mon travail terminé, je descendais la voir au salon. Je m'asseyais et la regardais terminer son jeu et, si elle était d'humeur joyeuse, elle faisait la fière, et je devais battre les cartes pour elle afin qu'elle puisse faire une dernière patience. Alors seulement elle daignait lever les yeux vers moi.

J'avais vu dans quel bungalow on avait conduit Frank à son arrivée. Profitant d'une courte absence du réceptionniste, je notai son adresse, sa date de naissance et remarquai que son passeport avait été fait à Oslo. Puis j'indiquai au couple espagnol dans quelle *bure* se trouvait le Norvégien et leur dis incidemment que je venais de le voir prendre l'air sur sa terrasse. « Il doit se sentir un peu seul », ajoutai-je. Je pensais bien faire.

Bon, c'est vrai, j'ai un peu forcé le destin. Disons que j'ai joué les entremetteurs, ou les metteurs en scène plus exactement, j'avais l'impression que c'était mon rôle de diriger tout ce petit monde. J'ai simplement donné une petite impulsion pour accélérer un processus social qui, sinon, aurait pris au moins une semaine.

C'est donc sur mon conseil qu'Ana et José proposèrent à Frank de remplacer le Hollandais comme quatrième au bridge. Ce fut mon premier petit coup de pouce au destin et, celui-là, c'était surtout pour faire plaisir à Ana. Le deuxième, ce fut quand je leur indiquai, après le petit déjeuner, quel était le bungalow du Norvégien. Le troisième, enfin, consista à proposer au couple espagnol de « cuisiner » un peu, dans le courant de la soirée, ce biologiste spécialiste de l'évolution pour savoir où en était la science près de cent cinquante ans après le livre de Darwin sur l'origine des espèces. C'était, leur dis-je, une occasion à ne pas manquer. La veille, José et moi-même étions tombés d'accord pour considérer que l'homme moderne manquait décidément trop de ce que, d'un commun accord, nous avions décidé d'appeler « l'imagination de la connaissance ».

Si je décide finalement de confier la lettre à Véra, avec cette postface, à une capsule hermétique à ouvrir seulement dans mille ans, les générations futures me demanderont sûrement des comptes et me cloueront au pilori. Mais d'ici là, j'espère, tous les chefs d'accusation auront été frappés de prescription. Et il y aura prescription aussi pour ce que j'ai fait à Séville moins d'un an plus tard. Car l'histoire d'Ana et José n'est pas encore terminée, pas plus que celle, d'ailleurs, de Frank et Véra.

De toute façon, quoi que nous fassions, tout est très vite oublié, ce qui, au fond, est une consolation. A vous, lecteurs, qui lirez ceci dans mille ans, j'adresse une prière pour que l'histoire d'Ana ne soit pas complètement noyée dans le déferlement d'enthousiasme qui accompagnera sûrement l'entrée dans le quatrième millénaire.

C'est dans le *Daily Telegraph* que j'ai appris récemment qu'il était question d'ériger un « monument du millénaire » à Taveuni. Moyennant cinq cents dollars, n'importe qui pourra dire coucou à ses descendants de l'an 3000 ; il lui suffira de déposer son message dans une capsule de verre. La capsule sera ensuite placée dans une brique creuse qui sera scellée et servira à la construction du monument lui-même. L'entretien du monument sera confié durant le prochain mil· lénaire à une fondation qui est aussi chargée de veiller à ce que les petites capsules individuelles soient bien ouvertes le 1er janvier 3000, et pas avant.

Dans mille ans, on lira l'histoire d'Ana María Maya à haute voix sur la ligne de changement de date, à Taveuni. Chaque fois que j'essaie de m'imaginer à quoi ressembleront les hommes dans dix siècles, je vois un nain assis au sommet du monument du millénaire en train de lire ces lignes.

La lettre à Véra commence par une description détaillée de Taveuni et j'avoue ne pas bien comprendre pourquoi le narrateur s'est donné cette peine. Entendez-moi bien · l'homme est dans sa chambre d'hôtel à Madrid, il n'a que quelques jours devant lui pour écrire à Véra tout ce qu'il sait de l'étrange couple espagnol, et voilà qu'il nous parle des crapauds et des chauves-souris ! Je ne sais pas quelle place il y a dans ces capsules à cinq cents dollars (le journal indiquait simplement qu'on les plaçait ensuite à l'intérieur d'une brique), mais si cette forme moderne de bouteille à la mer n'est pas assez grande pour contenir la lettre de Frank, je serai bien obligé de supprimer certains passages... D'un autre côté, la lettre à Véra est l'occasion pour nos descendants – et c'est bien à eux que je pense en ce moment – de découvrir à quoi ressemblait « l'île-jardin » il y a mille ans. Cela risque de leur faire un sacré choc ! Peut-être vont-ils nous haïr. Cela m'étonnerait beaucoup que, en l'an 3000, ils puissent encore apercevoir le pigeon à la gorge orangée en train de survoler le lac de Tagimaucia au petit matin. Et je doute qu'il reste grand-chose de la luxuriante forêt tropicale. C'est pour cette raison que j'ai finalement choisi de conserver les passages où Frank parle de la faune et de la flore des îles Fidji. Au pire, je peux toujours glisser une disquette dans la brique qui sera scellée au mur. Reste, bien sûr, à savoir si on pourra encore la lire dans mille ans. Pour plus de sécurité, j'y joindrai un tirage papier du Manifeste proprement dit. Il ne prend pas beaucoup de place.

J'ai le dos parcouru de frissons à la pensée de ce qui serait arrivé si Véra avait réellement reçu la lettre de Frank. Quand cette postface sera terminée, je ferai en sorte qu'elle puisse la lire. Cela devrait l'aider à comprendre ce qui s'est passé à Séville. Et si elle insiste pour que d'autres personnes la lisent également, je laisserai tomber mon idée de capsule du millénaire. A quoi bon déposer un texte dans une boîte hermétiquement fermée pendant mille ans si de nombreux contemporains en ont déjà pris connaissance ? Eh bien, nous verrons bien ce que le monde voudra garder pour l'avenir et ce qui tombera dans les oubliettes. Il y a toujours trop de voix qui bourdonnent dans les traces laissées par les hommes, beaucoup trop de voix… Si l'on devait écouter les voix de toutes les générations précédentes, comme une gigantesque toile de fond sonore, ce serait proprement invivable. Si l'on n'arrive pas à garder un secret mille ans, mieux vaut laisser tomber.

*

C'est moi qui, le premier, parlai à Frank des geckos. Je lui expliquai que j'éprouvais à leur égard une aversion sans nom ; la seule idée d'avoir un contact avec l'un d'entre eux, par exemple durant mon sommeil, me révulsait. J'espérais que Frank, en tant que spécialiste de ce genre de créatures, trouverait les mots pour me rassurer et pour promouvoir une coexistence pacifique entre les reptiles et les hommes – il ne devait pas oublier qu'il avait affaire à un gentleman britan-

351

nique, délicat de nature ! –, mais il m'interrompit tout de suite, expliquant que la première chose qu'il avait faite en arrivant dans sa chambre avait été de vérifier s'il y avait des geckos. Il ne m'en dit pas plus. Pourquoi ne pas m'avoir avoué qui lui non plus ne les aimait pas particulièrement ? Il me précisa simplement qu'il n'en avait vu qu'un, et qu'il avait veillé à bien fermer la porte pour ne pas laisser entrer de moustiques, chose à laquelle je n'avais pour ma part même pas songé.

Il avait surnommé ce gecko Gordon, du nom de ce fameux alcool londonien que j'ai beaucoup apprécié pendant des années, ce qui m'attirait invariablement des remarques de la part de Sheila. Quand aujourd'hui je me sers un verre – surtout quand j'entame une nouvelle bouteille –, j'ai parfois l'impression que Sheila est encore là, en train de me surveiller.

Comme je l'ai dit, Frank faisait partie de ces hommes qui se sentent accablés par le manque de spiritualité et le goût pour l'éphémère de notre société. Il était de ceux qui entendent toujours des voix dans leur tête.

Moi aussi, après la mort de Sheila, j'ai commencé à entendre des voix. Aujourd'hui encore, j'ai de longues conversations avec elle, parfois je ne sais même plus si je parle à voix haute ou seulement en esprit. De toute façon, à supposer que je parle à voix haute, Sheila, elle, ne me répond qu'en pensée.

Il a toujours été très facile de bavarder avec Sheila. De son vivant, chaque fois que je disais quelque chose, je savais à l'avance ce qu'elle allait me répondre et non pas comme ça, globalement, mais au mot près. On se connaissait sur le bout des ongles.

Tous les hommes ont, je crois, leur propre langage. Notre individualité se manifeste peut-être plus particulièrement dans les petits mots de tous les jours, dans ces expressions qui rythment notre conversation, comme « tu vois », « pour ainsi dire », « tu comprends ce que je veux dire », « j'ai toujours pensé que », etc. Il m'arrive souvent, quand je suis en compagnie d'autres personnes, de placer quelques-unes des expressions de Sheila pour avoir la sensation qu'elle est encore avec moi.

Parfois, elle me dit quelque chose qui me fait bondir et alors je réponds à voix haute. Je sais que je ne devrais pas m'emporter, mais ça ne rate jamais ! Non, sur ce plan-là, rien n'a changé. Vous allez sans doute trouver cela bizarre pour un homme de mon âge, mais c'est son corps qui me manque. J'ai réussi à garder intactes, oui, intactes, beaucoup de choses – grâce à nos discussions, bien sûr, mais aussi grâce à tous les souvenirs que nous avons en commun. Sheila existe dans chacun de mes souvenirs. Non, ce qui me manque, en fait, c'est qu'elle ne me demande plus de lui battre les cartes.

Sheila avait toujours aimé faire des patiences et, quand je l'avais rencontrée, ce détail n'avait fait qu'ajouter à son charme ; elle était tellement différente des autres, j'en étais tombé fou amoureux. Et dire que, les dernières années, j'en étais venu à la détester à cause de cela précisément. Oh, la voir rester des heures devant la cheminée à faire des réussites ! Je ne supportais plus de la voir ainsi perdre son temps ! Je me souviens lui avoir dit un jour que ses patiences étaient une façon de jouer avec la mort. Ma remarque l'avait terriblement blessée. Et vexée. Je me fâchais aussi quand je la prenais en flagrant délit de tricherie. Mais aujourd'hui qu'elle n'est plus là, ses petites tricheries me manquent terriblement. Le cercle s'est refermé et ce n'est pas un cercle vicieux. Il est plus facile d'aimer quelqu'un qu'on ne peut atteindre que quelqu'un dont on n'arrive pas à se défaire.

Mon voisin prétend que, parfois, il m'arrive de parler tout seul. Il est facile à abuser, celui-là. Je suis bien content qu'il n'entende pas ce que Sheila me raconte. Mais un jour viendra où je ne pourrai plus garder ses paroles pour moi seul. Je commence à me faire vieux, je le sais. C'est peut-être un peu prématuré, mais j'ai l'impression d'être atteint d'un début d'incontinence verbale, si vous me pardonnez l'expression. Et ça pourrait dégénérer.

Tant que les voix restent dans ma tête, je n'ai pas à me sentir honteux. Je n'ai jamais pensé que cela pourrait gêner Sheila que je continue à parler avec elle. Ce serait plutôt à moi d'être gêné, c'est elle qui a laissé derrière elle l'air plein d'échos : « C'est l'heure du thé, John. Tu viens ? », « Tu ne vas quand même pas enfiler ce costume ! Cela fait deux mois que je t'ai dit de le donner à nettoyer ! », « Je pensais que nous pourrions inviter Jeremy et Margaret un de ces soirs. Cela fait si longtemps qu'on ne les a pas vus ! ».

*

Je ne reviendrai pas sur la description que fait Frank de la rencontre au sommet sous les tropiques dont je pris l'initiative un peu légèrement. Le tableau qu'il brosse de cette soirée est assez ressemblant, je me permettrai juste d'apporter une petite précision.

Frank écrit qu'Ana résuma sa conception de la réalité en trois répliques. Elle commença, nous dit-il, avec cette déclaration : « Il existe une réalité en dehors de celle-ci. Quand je mourrai, je ne mourrai pas. Vous me croirez tous morte, mais je ne serai pas morte. Nous nous rencontrerons tous ailleurs, bientôt. » Puis elle ajouta : « Vous croirez venir à un enterrement, mais, en réalité, vous assisterez à une renaissance », avant de conclure : « Nous ne sommes que des esprits voyageurs en transit. »

Je crois qu'il s'agit bien là de ses propres mots, encore qu'il soit toujours difficile, plus d'un an après, de se souvenir des termes exacts d'une conversation. Mais je me sens tenu de préciser, vu les circonstances, que ce cher Frank déforme un peu le sens des propos d'Ana lorsqu'il suggère que la conception dualiste du monde développée par la jeune femme concernait sa propre vie, sa propre mort, son propre enterrement. Elle parlait, en réalité, de manière beaucoup plus générale, exprimant sa foi en un monde au-delà de celui-ci, en une autre vie après celle-ci. Je me souviens que Laura et moi avions effleuré cette idée plusieurs fois au cours de la soirée et Ana avait dû le sentir, car elle ajouta aussitôt : « Peut-être nous retrouverons-nous ailleurs, et tout ceci nous apparaîtra alors comme un rêve. »

Si je n'avais pas rencontré Frank à Madrid quelques mois plus tard, je ne me permettrais pas d'entacher la lettre à Véra de mes petites remarques. Aucun d'entre nous alors ne se doutait de l'importance de ce qui avait été dit ce soir-là. Pourtant, ce n'était pas rien de comparer un enterrement à une renaissance ! José, je le confirme, versa quelques larmes tandis qu'Ana parlait, et vous ne me ferez pas croire que c'était parce qu'il avait une poussière dans l'œil… Par la suite, je me suis demandé si ces larmes pouvaient avoir un rapport quelconque avec le malaise dont fut victime Ana le surlendemain.

Frank a raison quand il affirme que je me retirai peu après le départ du couple espagnol. Je ne sais pas combien de temps lui-même resta à discuter dans la douceur de la nuit tropicale. Mais je croirais volontiers qu'il se laissa séduire par la mystique de la nature prônée par Laura, il suffit d'ailleurs de lire le compte rendu de sa conversation nocturne avec Gordon pour s'en convaincre. J'ai l'impression qu'il menait, à ce moment-là, un combat intérieur pour se défaire d'une conception du monde trop mécanique, et que les douces perspectives offertes par cette jeune femme aux tresses noires et à l'étrange regard tombaient particulièrement à pic.

Dans sa lettre, le Norvégien raconte comment s'est terminée la dernière soirée avant son départ. Je me souviens avoir suivi des yeux Frank et Laura et les avoir vus s'asseoir sur la terrasse. Je tiens à préciser que je n'ai aucune autre information sur ce qui s'est passé cette nuit-là, si ce n'est ce que laisse entendre Frank dans sa lettre à Véra.

Quant à moi, je pris l'avion pour l'Europe un jour après Frank, mais, contrairement à lui, je partis vers l'ouest, Sydney d'abord, puis Singapour, Bangkok et Londres enfin. Je mis à profit ces longues heures de vol pour réfléchir à ce qui s'était passé à Maravu, je commençais tout juste à avoir une vue d'ensemble.

Après le départ du Norvégien, Ana eut un nouveau malaise. Nous étions dans la palmeraie, à côté de la piscine, c'était peu après que Frank m'eut fait ses adieux. Pendant quelques minutes, José fut littéralement pris de panique : il lui pinça le bras, répéta plusieurs fois son nom, lui souleva les jambes et essaya de les appuyer contre un palmier. Sur l'arbre, une pancarte indiquait qu'il fallait faire attention aux chutes de noix de coco.

Je lui avais dit que Frank s'était inquiété de la santé d'Ana et m'avait prié de lui souhaiter un prompt rétablissement. J'en avais profité pour glisser que le Norvégien était un grand amateur d'art espagnol et qu'il considérait le musée du Prado comme l'une des plus grandes collections artistiques au monde. Peut-être même lui avais-je précisé que Goya était son peintre espagnol préféré. Mais je n'avais pas obtenu la réaction escomptée, José s'était mis en colère : « Je comprends mais, s'il te plaît, tu ne pourrais pas nous laisser un peu tranquilles ? »

Ma référence à Goya semblait avoir davantage perturbé José qu'Ana. Encore que ce soit elle qui, un quart d'heure plus tard, se trouva mal à côté de la piscine… Au cours du repas, je me contentai de leur adresser à plusieurs reprises un signe de tête ; d'autres invités étaient arrivés entre-temps.

Frank ne dit pas ce qu'il a fait à Oslo jusqu'à la fin avril. S'il a continué à vivre dans l'appartement de Sognsveien, cela a dû être une épreuve terrible que d'emprunter, tous les soirs, en rentrant de l'université, cette rue à la pente si raide. S'il prenait la voiture, il devait passer plusieurs fois par jour à l'endroit exact de l'accident. A sa place, moi, j'aurais déménagé. A Croydon, je fais parfois de grands détours pour éviter de passer devant l'hôpital où Sheila fut hospitalisée à la fin de sa vie.

Frank et moi avions face à la vie la même attitude un peu résignée, c'est pourquoi je ressentais presque comme une offense personnelle que Véra et lui n'arrivent plus à se parler D'accord, ils avaient perdu un enfant, mais enfin, ils l'avaient aussi fait ensemble, cet enfant ! Sheila et moi avions long-temps essayé d'en avoir un, en vain. Alors elle faisait ses patiences et moi j'écrivais mes romans. Bon, je pense main-tenant avoir assez clairement montré que, dans une large mesure, ce que Frank raconte à propos de son séjour aux Fidji repose sur des faits précis.

Si j'ai un projet littéraire, on pourrait le définir ainsi : je construis mon intrigue à partir de faits précis tant qu'il m'est possible de le faire. Mais la connaissance que l'on a de ces faits se révèle souvent insuffisante, et c'est dans les zones d'ombre que l'imagination de l'écrivain peut se déployer. Quand il s'agit de faits historiques – comme pour les modèles de Goya, les collections artistiques de Manuel Godoy ou les pionniers en matière de chants de flamenco –, on se heurte rapidement aux limites de la connaissance his-torique. Mais il arrive parfois, et je tiens à le dire, qu'un écrivain tombe par hasard sur une source jusqu'alors négli-gée par les historiens. Il peut même avoir accès à des sources plus ou moins hermétiques qui peuvent jeter un nouvel éclairage sur le passé. J'ai eu la chance de réaliser ce genre de trouvailles plusieurs fois, et si je le précise ici, c'est pour insister sur le fait que la plupart des événements qui se sont déroulés aux Fidji et en Espagne sont vrais, vous pouvez me croire.

Je trouvais incroyable la ressemblance d'Ana avec la *maja* de Goya. Dans le guide officiel du musée du Prado, il est écrit, à propos de *La Maja nue*, que « cette image, dont l'énigme n'est pas encore résolue, est un exemple de peinture intimiste ». La phrase dit bien : « n'est pas encore résolue », et non « qui ne sera jamais résolue ». Et il est bien précisé : « intimiste ». Cela fait exactement deux cents ans que le tableau a été peint et cela m'étonnerait fort qu'il n'y ait pas encore quelque part en Espagne, à Sanlúcar de Barrameda par exemple, de vieux tiroirs de commode qui attendent de livrer leurs secrets...

Ce qui a perturbé mon travail, cette fois-ci, a été la rencontre avec Frank à Madrid. J'étais en pleine rédaction de mon roman, et voilà que débarque au Palace mon personnage principal, en « intérieur jour » pour reprendre une expression de cinéma. Quand je pense que je m'étais installé dans cet hôtel de luxe pour mieux m'imaginer Frank en train d'écrire sa longue lettre à Véra !

La semaine précédente, j'avais eu l'inconscience de descendre à Séville. Ce que je n'aurais jamais dû faire. Là aussi il s'était produit quelque chose qui avait contrarié un peu mon projet de roman.

J'ai été obligé de renoncer à la messe des morts proprement dite, ce qui ne faisait pas du tout mon affaire ; au contraire, je me réjouissais à l'avance à l'idée de décrire une flopée de gitans en deuil, pleurant l'une des leurs, Ana, morte après avoir été prise en photo par un nain dans les jardins de l'Alcázar.

Que s'était-il donc passé à Séville ?

Il arrive parfois que nos petites vies, toutes quotidiennes soient-elles, se révèlent plus incroyables que les histoires les plus extraordinaires.

*

Quand je descendis au bar du Palace, je trouvai Frank déjà attablé devant une bière. On était en novembre, près d'un an s'était donc écoulé depuis notre rencontre aux Fidji. Je me rappelais très bien l'impression qu'il m'avait faite à l'époque, celle d'un homme aux tendances dépressives. C'était ce que j'avais pensé dès que je l'avais aperçu à l'aéroport de Taveuni en compagnie des Américains.

Six mois plus tôt, il avait séjourné dans cet hôtel et avait écrit sa longue lettre à Véra. Pardon, je vais être plus clair : c'est moi qui avais imaginé Frank dans sa chambre d'hôtel, occupé à écrire une longue lettre à Véra après avoir revu cette dernière à Salamanque. Il me paraît important de ne pas confondre ces deux histoires. En novembre 1998, mon travail était bien avancé, mais je n'en étais pas encore vraiment satisfait.

Pas une seconde je n'avais envisagé la possibilité de rencontrer Frank dans ce même hôtel. Je savais qu'il habitait Oslo, et même s'il avait été lié à l'Espagne pendant quelques années, la probabilité de tomber sur lui à Madrid était quasi nulle. Ce n'était même pas sur sa recommandation que j'étais descendu au Palace, j'avais suivi les conseils de Chris Batt, le bibliothécaire de Croydon.

Au moment où j'allais m'asseoir, le Norvégien m'adressa un sourire confiant et sortit un feutre Pilot de la poche intérieure de sa veste :

– J'avais oublié de te rendre le feutre que je t'avais emprunté. Tiens !

J'éclatai de rire. Au fond, c'était plutôt à moi de le remercier.

– Je t'avais dit que tu pouvais le garder, lui fis-je remarquer.

J'acceptai cependant de le reprendre, estimant qu'il avait désormais acquis une certaine valeur affective.

– Alors, ton rapport, ça avance ? demandai-je.

– Oh, ça va. Je l'ai presque terminé. Et toi, ton roman ?

– Je pourrais répondre la même chose.

– Tu es en vacances ?

Je m'attendais à cette question.

– Pas exactement, fis-je.

– Tu fais des recherches pour ton livre ?

– On peut dire ça comme ça.

– Tu écris sur un sujet qui a un rapport avec l'Espagne ?

Je posai un doigt sur mes lèvres.

– Je ne parle jamais de ce que j'écris. Et toi ?

– Oh, moi, je peux te parler de mon rapport, si tu veux.

– Non, je veux dire, qu'est-ce que tu fais de beau à Madrid ?

Comme il tardait à répondre, j'ajoutai :

– Tu es venu rendre visite à Véra ?

– Elle habite Barcelone.

– Ah oui, c'est vrai, tu me l'avais dit. Tu l'as revue, finalement, au congrès de Salamanque ?

Il me fit signe que oui.

– Mais vous n'avez pas vraiment repris contact ?

– On verra, se borna-t-il à dire.

– Oui, on verra, répétai-je. Ce n'est pas avec elle que tu as déjeuné aujourd'hui ?

Il secoua la tête d'un air pensif. Il était clair qu'il réfléchissait à ce que nous venions de dire.

– C'est une ancienne copine de fac. J'ai fait un séjour d'études à Madrid il y a très longtemps.

– Et, du coup, tu es venu passer quelques jours de vacances ici ?

Il commençait à gigoter nerveusement sur sa chaise.

– Une idée qui m'est venue, comme ça, pour ce week-end prolongé. J'ai vécu ici quelques années quand j'étais petit, mon père a été pendant quatre ans correspondant pour un journal. Il y a toujours quelque chose qui me pousse à revenir à Madrid.

– Véra, peut-être ? Tu as l'intention de l'appeler ?

C'est là que je voulais en venir, mais je ne réussis pas à le pousser dans ses derniers retranchements. Il me répondit avec un grand sourire :

– Mais ça commence à ressembler à un interrogatoire, ma parole !

Il avait raison, ça commençait à ressembler à un interrogatoire, mais il fallait bien que je découvre où il en était. Et puis je voulais savoir – sans qu'il s'en doute, bien sûr, d'où mes petites ruses – s'il disposait de quelques petits moments de liberté.

– Tu es allé au Prado ou dans d'autres musées ?

Son visage s'éclaira, et pas seulement parce que j'avais changé de sujet de conversation.

– Je pensais justement y faire un tour demain, dit-il. Si tu as le temps, nous pourrions y aller ensemble. Il y a deux ou trois tableaux que j'aimerais bien te montrer.

Tiens, tiens, pensai-je, deux ou trois tableaux…

– De Goya ou de Vélasquez ? demandai-je.

D'un air mystérieux, il regarda le bar où s'élevaient quelques nuages de fumée.

– De Goya, dit-il.

– Et tu penses à quels tableaux en particulier ?

Il me regarda droit dans les yeux et je crus voir ses pupilles tressaillir d'excitation.

– C'est une surprise, fit-il, j'ai envie de voir la tête que tu feras quand tu seras devant, mais je te promets que tu ne seras pas déçu.

Il avait un petit air fiérot, comme s'il s'attribuait un peu de la gloire de ce qu'il allait me montrer. Mais soudain il se reprit :

– A moins que tu ne saches à quoi je fais allusion ?

Je me doutais bien de ce qu'il voulait me montrer au Prado. A Taveuni déjà, j'avais de l'avance sur lui. J'avais emprunté un ordinateur portable et un modem à Jochen Kiess et, au bout de quelques minutes, j'avais vu s'afficher sur l'écran les peintures les plus célèbres de Goya. J'avais eu un tel choc que j'avais failli ouvrir la porte de mon bungalow, oubliant que j'étais en petite tenue, pour crier : « Eurêka ! » Mais je m'étais raisonné, et avais décidé de profiter de l'Internet pour en apprendre plus sur le milieu du flamenco à Séville. J'avais rapidement eu la confirmation qu'Ana était une danseuse de flamenco reconnue et qu'elle s'appelait Ana

María Maya. Les choses s'enchaînèrent alors toutes seules. Quelle étrange coïncidence que Laura se mette à parler du vieux concept indien de *maya* le jour même où je découvrais que c'était précisément le nom de famille d'Ana ! Je ne pus résister à la tentation de poser un doigt sur son front en l'appelant par son nom. J'allai même jusqu'à parler d'elle comme d'une « œuvre d'art », ce qui provoqua la scène que Frank raconte dans sa lettre à Véra. Ana ne supportait plus qu'on lui rappelât en permanence son extraordinaire ressemblance avec la *maja* de Goya A partir de ce moment-là, ils restèrent de plus en plus dans leur coin. Puis Ana fut victime d'un malaise, puis d'un autre après le départ de Frank. J'en étais arrivé à la conclusion qu'elle devait être très malade.

– Il y a beaucoup de tableaux de Goya au Prado, dis-je.

Apparemment, je n'avais pas compris à quoi il faisait allusion. Il poussa un soupir de soulagement.

– Je crois que tu seras stupéfait

Nous continuâmes à discuter encore un moment Nous tournions tous les deux autour du pot, mais ce n'était pas le même pot. Je me décidai soudain à aller droit au but.

– Demain, je vais à Séville, annonçai-je. J'y étais déjà la semaine dernière, mais j'y retourne pour quelques jours avant de rentrer en Angleterre

– Il faudra leur dire bonjour de ma part. Aux orangers, je veux dire.

– Je te le promets.

Je ne savais pas s'il connaissait Séville, s'il y avait déjà été.

– L'Andalousie, cela doit être merveilleux à cette époque de l'année, ajouta-t-il

« Ah ! là, je le tiens… » pensai-je.

– Tu ne veux pas m'accompagner ? dis-je en plongeant mon regard dans ses yeux bruns.

Il eut l'air troublé, comme s'il se demandait ce que cachait mon invitation.

– Il y a quelque chose là-bas que j'aimerais bien te montrer, moi aussi.

Il éclata de rire :

– Et c'est quoi ?

De nouveau, je posai un doigt sur mes lèvres.

– Tu verras bien.

Bref, chacun de nous souhaitant montrer à l'autre quelque chose, nous en étions à un partout. Frank regarda sa montre et recommença à se tortiller sur sa chaise.

– Je ne crois pas que je pourrai. Question de temps, et de budget aussi.

Mais je sentais qu'il avait mordu à l'hameçon.

– Côté budget, je m'en charge, ce n'est pas un problème.

– A vrai dire, j'avais pensé que je pourrais peut-être passer par Barcelone avant de rentrer en Norvège. Mais il faut que je donne un coup de fil avant, tu sais comment c'est… on attend toujours la dernière minute.

– Tu peux très bien faire les deux, l'assurai-je. Tu commences par un jour ou deux à Séville, puis tu prends l'avion pour Oslo, via Barcelone. Tu prendras des couleurs à Séville, un teint un peu hâlé donne toujours bonne mine.

Le Norvégien commanda une autre bière et resta silencieux. Il fallait vraiment qu'il réfléchisse. Alors qu'il était plongé dans ses réflexions, je lançai d'un air désinvolte :

– C'est une surprise, mais je te promets que tu ne seras pas déçu. Crois-moi, tu n'auras pas fait le voyage pour rien.

Il fit une grimace interrogative, étonné de me voir le singer.

– A moins que tu ne saches à quoi je fais allusion ?

Il eut un large sourire, mais secoua la tête.

– C'est vraiment quelque chose d'extraordinaire. C'est si extraordinaire que tu t'en rappelleras sûrement toute ta vie.

Il haussa les épaules, il avait l'air de s'être enfin décidé.

– Quand comptes-tu partir ?

– Demain matin. Il y a un train pour Séville toutes les heures. Nous pourrons déjeuner à bord.

Il prenait son temps pour répondre.

– Pourquoi pas, après tout ? Je ne suis jamais allé à Séville. Mais il est hors de question que tu paies pour moi.

– Mais si voyons. Cela me ferait vraiment plaisir. Et puis ces recherches pourraient s'avérer de la plus haute importance pour moi.

De nouveau j'entendis son rire tonitruant, si caractéristique des Scandinaves.

– J'espère que tu n'entends pas par là que c'est moi qui suis l'objet de tes recherches ?

J'allumai une cigarette.

– Ne dis pas ça, fis-je. Si nous parlions plutôt des reptiles ou bien des espèces en voie de disparition en Océanie ? Quelques révisions ne font jamais de mal.

– Bien sûr. Qu'est-ce que tu veux savoir ?

Nous restâmes au bar une bonne partie de la nuit, et nous défrichâmes un bon bout de terrain dans l'histoire de l'évolution. C'est là également que j'appris ce qui était arrivé à sa petite fille.

Quelques heures plus tard, nous étions dans le train pour Séville. Je savais qu'il y avait beaucoup de choses en jeu et je craignais de me laisser prendre à mes propres filets. Mais il était trop tard pour faire marche arrière.

Alors que le train arrivait à Cordoue, il renversa soudain la tête et se frappa le front comme s'il venait de s'apercevoir qu'il avait oublié quelque chose.

– J'ai oublié de te montrer les photos ! s'écria-t-il.

Mais il refusa de me dire de quelles photos il s'agissait, répétant simplement qu'il fallait que je voie tout cela de mes propres yeux.

*

J'avais réservé trois chambres à l'hôtel Dona Maria. Frank s'étonna de ce nombre, et je lui expliquai que c'était pour un de mes amis qui viendrait plus tard dans la soirée. Mais je n'étais pas sûr d'avoir vraiment besoin de la troisième chambre. « C'est ce soir, lui dis-je, que je vais te montrer quelque chose que tu ne seras pas près d'oublier. D'ici là, ajoutai-je, nous avons largement le temps de nous promener dans la capitale andalouse. »

Je l'emmenai visiter la cathédrale et le Patio des orangers, et, tandis que nous marchions au milieu des arbres, dont les branches, à cette époque de l'année, croulaient sous le poids de fruits mûrs, Frank me raconta que Laura lui avait envoyé une photo du rarissime pigeon à gorge orangée. Je trouvai cela particulièrement amusant, il ne savait pas ce que j'avais écrit sur leur petit flirt aux Fidji.

Nous montâmes au sommet de la Giralda qui, à l'origine, fut construite comme un minaret, avant de subir diverses transformations pour accueillir une horloge. De là-haut, on jouit d'un formidable panorama sur la ville blanche située des deux côtés du Guadalquivir. Nous traversâmes la plaza Virgen de los Reyes, avec sa longue file de calèches, et entrâmes dans les jardins de l'Alcázar, avec ses bassins et ses fontaines qui sont autant de havres de fraîcheur pour les promeneurs. Partout, on avait planté des palmiers, et c'était drôle de penser que Frank et moi nous retrouvions de nouveau dans une palmeraie. On se serait presque cru à Maravu.

Après avoir parcouru en long et en large la partie la plus ancienne des jardins, nous franchîmes la puerta del Privilegio pour admirer, en contrebas, le romantique jardin des Poètes et ses deux bassins entourés de haies de plusieurs mètres de hauteur. Frank s'arrêta d'un seul coup et s'exclama avec un soupir :

– C'est d'une beauté… d'une beauté incroyable.

Voyant qu'il en avait les larmes aux yeux, je posai une main rassurante sur son épaule. Il ne va quand même pas me faire le coup du syndrome de Stendhal, pensai-je. A présent, il se frottait les yeux, et il poursuivit, peut-être pour retrouver ses esprits :

– Je crois que je viens d'avoir une impression de « déjà-vu »

Nous longeâmes le mur rehaussé d'une plate-forme d'observation avant de nous asseoir sur un banc de la place couverte de graviers devant la puerta de Marchena. La chaleur était accablante et j'allai nous acheter quelque chose à boire dans un café.

Une heure plus tard environ, il se produisit un fait étrange et, sous un certain angle, on peut dire que c'est ici que tout commença. Mais qui nous dit que cet angle est le seul exact ? Il est tout aussi juste d'affirmer que tout commença devant un jardin d'enfants à Oslo, dans le modeste aéroport de Taveuni, sur le pont au-dessus du Tormes, dans un entrepôt décrépit du port de Marseille, à Triana sur la rive gauche du rio Guadalquivir, sur le quai à Cadix il y a plus de cent ans de cela ou encore dans la propriété de la duchesse d'Albe, à Sanlúcar de Barrameda… Ou peut-être tout commencera t-il avec ce qui se passera à Séville plus tard dans la soirée. Et, si l'on voulait avoir un angle de vision encore plus large, il faudrait selon moi remonter au dévonien, lorsque les premiers amphibiens gagnèrent la terre ferme grâce à leurs quatre pattes, primitives certes, mais au fond terriblement d'avant-garde. Tiens, pourquoi ne pas remonter jusqu'au big bang il y a quinze milliards d'années, lorsque l'espace et le temps furent créés ? Il fut un temps où toutes les histoires avaient leur commencement dans le noyau compact d'une force créatrice qui n'avait pas encore explosé.

Voici ce qui arriva : un nain passa soudain en trombe sous la puerta de Marchena. Il portait un costume étrange, on aurait dit qu'il sortait tout droit d'une fête de carnaval. Il s'arrêta devant nous en nous jetant un regard résolu. La seconde d'après, il brandissait un appareil photo et prenait quelques clichés de nous, de moi d'abord, puis de Frank.

— Ça alors, tu as vu ? s'exclama Frank.

Le nain s'éloigna en se retournant encore pour nous regarder et, une demi-minute plus tard, nous le vîmes qui nous observait à travers l'une des ouvertures de la plate-forme d'observation. Là encore, il pointa son appareil photo vers nous et appuya une ou deux fois sur le déclencheur.

— Curieux personnage, non ? dit Frank.

— Son comportement est pour le moins curieux, en effet.

Mais le Norvégien ne se contenta pas de cette remarque. Il se leva et marcha d'un pas décidé dans la direction du nain. A travers les ouvertures du mur, je vis Frank s'élancer vers la puerta del Privilegio, mais, quand il revint quelques minutes plus tard, il me fit signe qu'il était bredouille :

— C'est comme si la terre l'avait englouti.

Il était quatre heures et demie, l'Alcázar allait bientôt fermer. Nous ressortîmes sur la plaza Virgen de los Reyes et nous nous enfonçâmes dans les ruelles étroites du vieux quartier juif de Santa Cruz ; notre regard se perdait dans les frais patios et, au-dessus de nos têtes, éclatait une véritable symphonie de balcons et de jardinières en fer forgé. Je m'étais déjà promené dans ce quartier une semaine auparavant, et je pus donc expliquer à Frank que les grilles devant les fenêtres et les patios avaient une double fonction : d'une part, elles permettaient de voir ce qui se passait à l'intérieur comme à l'extérieur, contribuant ainsi à créer une société plus ouverte, et donc à prévenir la criminalité ; d'autre part, comme elles étaient toujours fermées, elles garantissaient une certaine sécurité. Autrefois, les jeunes vierges pouvaient rester tranquillement assises chez elles tandis que leurs soupirants, de l'autre côté de la grille en fer forgé, murmuraient pendant des heures de douces paroles à leur bien-aimée. Si leur désir devenait trop violent, ils n'avaient d'autre choix que de « manger du fer ». Pendant les six mois que dure l'été andalou, le patio est le théâtre privilégié de la vie sévillane, expliquai-je, et si le soleil tape

367

trop fort, on n'hésite pas à couvrir d'une bâche cette cour intérieure.

Nous bûmes une bière sur la plaza de la Alianza et admirâmes un splendide bougainvillier qui grimpait le long d'une des façades. Derrière, on apercevait un imposant palmier et, derrière encore, se découpait la haute silhouette de la Giralda. Comme toutes les places du vieux quartier juif, celle-ci était entourée d'orangers.

Une heure plus tard, nous continuâmes notre promenade vers la plaza Dona Elvira, avec ses élégants bancs en céramique et, de là, j'entraînai Frank dans l'étroite ruelle Susona. Je tenais à lui montrer, lui dis-je, le secret de Santa Cruz. Nous débouchâmes sur une placette qui avait été, à l'origine, un patio, et je lui désignai un carreau de céramique fixé au mur, sous une fenêtre. Il représentait un crâne, sous lequel était écrit « SUSONA ».

– C'est ça, le secret de Santa Cruz ? demanda le Norvégien.

Je fis signe que oui :

– Susona était une jeune fille juive qui vivait au XVe siècle, racontai-je, elle était l'amante, dans le plus grand secret, d'un jeune chrétien. Quand elle apprit que sa propre famille projetait de prendre les armes contre les chrétiens qui gouvernaient la ville et que parmi ceux qui devaient être tués se trouvait son amant, elle alla sur-le-champ prévenir ce dernier de la conjuration qui se préparait. Son père fut condamné à mort et Susona, plus tard, fut abandonnée par son bien-aimé. Quand elle mourut, après une existence misérable, elle laissa un testament où elle demandait que sa tête fût séparée de son corps et suspendue à l'extérieur de la maison où elle vivait, comme symbole de sa honte. C'est ici que l'on accrocha son crâne jusqu'au début du XVIIIe siècle. Plus tard, on mit à la place ce carreau de céramique.

Sur la place poussaient deux orangers. Frank me demanda si je connaissais la méthode pour déterminer, rien qu'en le regardant, si l'arbre portait des oranges sucrées ou amères.

Comme je ne répondais rien, il arracha une feuille et me montra que, sous la feuille principale, poussait une autre feuille, toute petite, accrochée à la tige ; c'était la preuve, me dit-il, que l'arbre portait des fruits amers.

Nous remontâmes vers la plaza de los Venerables où se dressait autrefois un hôpital pour les prêtres à la retraite. Sur la place, il y avait, de nouveau, deux orangers. En chemin, nous avions repéré deux petits restaurants et nous nous assîmes à l'une des tables en terrasse. Nous nous offrîmes un verre de manzanilla en apéritif avant de commander le repas, et reprîmes notre conversation sur l'évolution de la vie sur Terre là où nous l'avions laissée à Madrid. Je crois bien que c'est Frank qui remit le sujet sur le tapis, comme s'il voulait que j'en aie pour mon argent, puisque je lui avais payé le voyage jusqu'à Séville. Au cours de cette conversation, j'appris une foule de choses qui se révélèrent fort utiles par la suite. C'est là, par exemple, que j'entendis parler pour la première fois du touatara de Nouvelle-Zélande.

Jusqu'alors, j'avais cru que ma rencontre avec Frank à Madrid était un coup de chance. Mais maintenant le dénouement approchait, il était bientôt neuf heures. Après avoir réglé l'addition, je le guidai à travers le dédale de ruelles jusqu'à la plaza Santa Cruz. Je lui montrai à quel point nous étions proches du mur d'enceinte qui nous séparait des jardins de l'Alcázar, et plus particulièrement du jardin des Poètes.

— C'est à se demander si tu n'as pas un bandeau sur les yeux, dis-je.

Il ne comprit pas le sens de ma phrase ; je lui dis de bien regarder autour de lui. Il me montra du doigt la grande croix en fer forgé érigée au centre de la place et je lui racontai que les Français avaient brûlé l'ancienne église qui se trouvait là autrefois et avait donné son nom à la place et au quartier. Nous fîmes une fois et demie le tour de la place, tournant autour de cette croix baroque. Puis, enfin, il l'aperçut. Il me regarda, les yeux brillants d'excitation, et se précipita à l'intérieur du *tablao* de flamenco « Los Gallos » :

– Depuis le temps que ces tableaux de Goya me trottent dans la tête…, dit-il portant la main à son front, j'avais fini par oublier qu'elle était l'une des plus grandes danseuses de flamenco de Séville !

Je lui donnai une tape amicale sur l'épaule.

– Ça va être amusant ! s'écria-t-il.

J'aurais aimé en être aussi sûr que lui.

\*

Mis à part un groupe de Japonais, il n'y avait pas foule dans le bar de flamenco et on nous conduisit sans hésiter vers la table que j'avais pris soin de réserver, tout près de la scène. On nous avait apporté à chacun un verre de brandy. Frank ne disait pas un mot, se contentant de lever son verre et de trinquer. Il attendait.

Le spectacle débuta à l'heure. Trois hommes en pantalon noir et en chemise blanche descendirent les marches d'un escalier à l'autre bout de la pièce puis, se faufilant parmi les spectateurs, ils prirent place sur l'estrade. L'un d'eux avait une guitare, les autres avaient pour seuls instruments leur voix éraillée et leurs mains rapides… Le guitariste commença à jouer et les deux autres l'accompagnèrent en frappant dans leurs mains et en claquant des doigts.

C'est alors qu'elle apparut, aussi gracieuse et puissante qu'une déesse. Surgissant d'un escalier en colimaçon, Ana descendit sur la scène sous les applaudissements frénétiques des Japonais ; ils savaient naturellement qui elle était : c'était pour elle qu'ils avaient fait tout le chemin depuis Tokyo, Kyoto ou Osaka. Ana portait une robe rouge, un châle en soie rose et des chaussures rouge vif. Elle avait relevé ses cheveux en une queue-de-cheval à laquelle était fixée une rose.

— Ana ! murmura Frank en la voyant monter sur scène.

Je hochai la tête :

— Ana María Maya.

— C'est son nom ?

Nouvel hochement de tête affirmatif.

— Maya ?

— Chut !

Ana commença à danser au son de la guitare et des frappements de mains. C'était une danse violente, avec une chorégraphie plus élaborée que celle que j'avais vue la semaine précédente. Je fus saisi par le contraste entre son expression fermée et concentrée et les mouvements souples de ses bras. Sans parler de la gestuelle élégante des doigts qui entraînaient mes pensées du côté de la danse indienne traditionnelle que j'avais admirée autrefois en Orissa dans un temple.

Il y eut d'autres numéros, avec d'autres danseurs, mais c'était Ana María Maya qui était la vedette de la soirée. Ana dansait avec ses bras, ses mains, ses pieds, ses doigts, son ventre et ses hanches. Elle était fière, elle était sévère, elle était coquette et elle était humiliée. Mais, au-delà d'Ana, ce que je voulais montrer à Frank à Séville, c'était le festival éblouissant des membres élastiques d'un primate hominidé… Voilà ce qu'aurait dû voir l'amphibien primitif, pensai-je, son arrière-petite-fille dansant le flamenco à Séville, car cette dernière avait besoin de toutes les extrémités d'un tétrapode, de tous ses muscles et vertèbres, et aussi de toutes les synapses coordinatrices de son cerveau. Mais comment les premiers amphibiens auraient-ils pu savoir vers quoi ils étaient en chemin lorsque, dans la pénombre du dévonien, ils slalomaient en silence entre les fougères et les lycopodes pour se rendre à leurs rendez-vous amoureux saisonniers, au bord des petits étangs recouverts par la végétation et des flaques d'eau ?

C'était une danse de la victoire, où le vertébré redressé s'exhibait fièrement. M^me Proto Amfibia et M. Proto Amfibius pouvaient tout à fait légitimement se réjouir à la vue de tous les têtards qui avaient envahi les lieux-dits de « l'eau-aux-fougères » et de « l'étang-aux-prêles ». Ah ça, on ne peut pas dire qu'ils avaient gaspillé leur semence !

Mais au-delà de cette danse de la victoire, nous assistâmes aussi à une danse de la mort, de l'éphémère ; bientôt résonnèrent des chants rauques, profonds, expressifs, parlant d'amour et de mort, d'abandon et de domination.

Puis ce fut l'entracte. Après les applaudissements, Ana se retira, avec les musiciens, sur la galerie à l'étage. Soudain, nous vîmes José qui s'approchait de notre table, avec un nouveau-né dans les bras. Le nourrisson avait tout au plus deux ou trois mois. Frank, stupéfait, ne pouvait détacher son regard de l'enfant. Enfin, il leva les yeux vers José et le salua comme il se doit.

– Est-ce que c'est… le tien ? bégaya-t-il.

José, tout fier, fit oui de la tête et son visage se fendit en un large sourire.

– C'est Manuel, dit-il en s'asseyant à notre table.

Ana ne tarda pas à venir le rejoindre.

– Quel plaisir de te revoir ici, Frank. Pour une surprise !

Le Norvégien était toujours comme pétrifié.

– Quel âge a-t-il ? demanda-t-il comme s'il adressait la question autant à lui-même qu'aux parents remplis de fierté.

– Dix semaines, répondit Ana.

Le biologiste commença à compter sur ses doigts.

– Est-ce que vous le saviez déjà à Taveuni ?

Il ne devait pas obtenir de réponse, car, à ce moment-là, arriva une femme élégante, portant un grand sac en bandoulière. Son ventre rond indiquait que la grossesse touchait bientôt à sa fin.

– Véra ?

Pour la seconde fois de la journée, Frank se prit la tête entre les mains, l'air complètement désemparé. Peut-être venait-il d'avoir une autre impression de « déjà-vu » ? Ce n'était en tout cas pas la première fois qu'il voyait Véra enceinte.

Véra se pencha vers lui et l'embrassa sur la joue, comme on embrasse un ami.

– J'avais gardé son nom dans mon carnet depuis les Fidji, expliquai-je. Après notre rencontre, hier après-midi, je l'ai appelée de Madrid. Je trouvais qu'il fallait qu'on se revoie tous les cinq. Enfin, tous les six, ou plutôt tous les sept. Je l'ai invitée seulement hier soir à venir à Séville.

Je savais que Frank n'avait pas revu Véra depuis la conférence à Salamanque. Son regard revenait toujours sur ce ventre rond et, quand il détourna enfin les yeux, on pouvait y lire une profonde détresse, même s'il s'efforçait d'avoir l'air naturel, enjoué même.

– Toutes mes félicitations, dit-il d'un ton qui se voulait calme.

Quelques secondes plus tard, il se tourna vers moi et me lança un regard plein de reproches. Était-ce d'avoir invité la future maman à Séville ou de ne pas lui en avoir parlé avant ?

Véra eut un sourire gêné, on la sentait un peu mal à l'aise. Cela me fit de la peine, car c'était à cause de moi qu'elle était ici. Elle n'eut pas le temps de répondre à Frank, car déjà redescendaient de la galerie le guitariste et les deux *cantaores*. Ils traversèrent de nouveau la salle et reprirent leur place. Une fois qu'ils furent assis, la reine du flamenco apparut à son tour en haut de l'escalier en colimaçon. A la voir ainsi descendre sur scène, on aurait dit une « diva ex machina ».

Véra s'assit entre Frank et moi, et nous regarda tour à tour avant de murmurer :

– J'ai l'impression de l'avoir déjà rencontrée.

Malgré l'état d'agitation extrême dans lequel il se trouvait, Frank ne put s'empêcher de sourire. Il leva les yeux vers moi et, tous les deux, nous nous revîmes à Maravu, tentant désespérément de mettre un nom sur ce visage, persuadés que nous avions déjà vu Ana quelque part.

Il regarda Véra et lui dit enfin :

– Pense au Prado.

– Au Prado ?

– A Goya, oui.

Les yeux de Véra devinrent ronds comme des billes et elle s'écria d'une voix si forte que je craignis qu'on ne l'entendît jusque sur la scène :

– *La Maja nue* !

Frank et moi acquiesçâmes fièrement, comme si nous étions les artisans de cette prouesse d'avoir redonné vie au modèle de Goya, ce qui prouvait, soit dit en passant, qu'il n'avait pas besoin de m'emmener au Prado.

– Elle lui ressemble comme deux gouttes d'eau ! chuchota Véra tout excitée.

– Chut ! fis-je.

Et la danse reprit.

\*

Lorsque la représentation s'acheva, il était une heure et demie du matin. On dressa une grande table près du bar, sur laquelle on disposa des tapas et du manzanilla. Ana et José s'assirent l'un près de l'autre, tandis que Frank, Véra et moi profitions de l'occasion pour nous isoler un peu : nous avions pas mal de choses à tirer au clair, tous les trois. Je me sentais responsable de tout ce qui arrivait, et dans la conversation qui allait suivre, à mon avis, ils auraient besoin d'un modérateur.

– Surtout ne vous gênez pas pour moi, dis-je. De toute façon, je suis le seul à connaître toute l'histoire. C'est à moi, une tierce personne, que vous avez tous deux confié votre version de ce qui s'est passé : c'est souvent le cas quand deux adultes n'arrivent plus à se parler.

Ils étaient aussi nerveux l'un que l'autre, comme s'ils comparaissaient devant un proviseur sévère pour justifier de leurs actes. J'avoue, pour ma part, avoir éprouvé un certain plaisir à me trouver dans une telle situation.

– Ça, tu peux le dire, remarqua Frank.

De nouveau, il désigna le ventre de Véra d'un signe de la tête.

– Il y a quelques semaines à peine, nous nous sommes parlé au téléphone, ce fut même une conversation fort agréable. Je trouve que tu aurais quand même pu me dire que tu attendais un enfant.

Le visage de Véra devint soudain très grave.

– J'ai été trop lâche, avoua-t-elle, je n'ai pas osé.

Il me jeta un coup d'œil avant de la regarder à nouveau.

– Je suppose que cet enfant a un père.

– Frank…

– Le temps de la séparation est terminé. C'est donc normal, je veux dire. Tu peux te remarier.

Elle me fixa d'un air désemparé, mais je ne voulais pas l'aider. C'était à eux de se débrouiller désormais. Je me contentai donc de hocher sévèrement la tête.

Elle saisit la main de Frank. Il voulut la retirer, mais elle lui jeta un regard suppliant et dit :

– C'est ton enfant, Frank.

L'espace d'un instant, son visage eut la couleur de celui d'Ana juste avant qu'elle s'effondrât sur la table du petit déjeuner à Taveuni. Puis il rougit, et sa respiration devint oppressée, je croyais presque entendre monter sa pression artérielle. Je craignis même un instant qu'il ne la giflât. Puis il déclara d'une voix ferme :

– C'est tout à fait impossible.

Elle secoua la tête.

– Tu ne sais pas compter ? dit-elle.

– Mais… tu plaisantes !

Ils en étaient à peu près là lorsque je fis signe au garçon d'apporter un nouveau verre d'eau-de-vie à Frank. Il en avait besoin.

Véra décida de reprendre les choses en main.

– J'espère que tu n'as pas oublié que nous avons passé la nuit ensemble à Salamanque. Ne me dis pas que tu avais bu trop de vin rouge ce soir-là et que tu ne te rappelles de rien !

Frank se tourna vers moi.

– Tu es sûr que tu as envie d'écouter tout ça ?

– Oui, fis-je seulement.

Elle poursuivit :

– C'est vrai, Frank, je n'ai pas osé te le dire. Nous nous étions solennellement promis de ne pas reprendre la vie commune. Et puis nous sommes restés un bon moment devant la porte de ma chambre d'hôtel à nous demander si tu entrais ou pas. Tu t'en souviens, n'est-ce pas ? Nous avions fini par opter pour ce petit « intermède amoureux », qui, nous étions bien d'accord, ne signifiait aucunement que nous nous remettions ensemble. C'était vraiment fini entre nous.

– Ça l'était, admit Frank.

– Ensuite je t'ai affirmé que ce n'était pas la peine de faire attention, car c'était, pour ainsi dire, la nuit la plus sûre du mois. Quand, contre toute attente, je me suis retrouvée enceinte, j'ai tout de suite pensé à Sonja. Pas un instant je n'ai douté que j'allais garder cet enfant. Cela ne me faisait pas peur d'être mère célibataire, et je t'aurais averti dès la naissance du bébé. Mais il fallait que j'attende, qui sait ce qui pouvait arriver, cette fois ? Enfin tu vois ce que je veux dire… Et puis, je voulais que tu te sentes libre vis-à-vis de cet enfant, libre de t'engager ou non, de prendre contact ou non avec lui – et c'est ce que je continue à penser.

Frank ne cherchait pas à dissimuler ses larmes.

– Continue, je t'en prie…

– Et puis un certain John Spooke m'a téléphoné. Il m'a dit qu'il t'avait rencontré aux Fidji et qu'il venait de te croiser par hasard à Madrid. Tu passerais probablement ce week-end à Séville, m'a-t-il expliqué, et il m'a conviée à assister à ce qu'il a appelé « le spectacle de flamenco du siècle » – c'est le terme exact qu'il a employé et il a dit que la danseuse était tout simplement fantastique. Alors j'ai pensé que ce serait une bonne occasion pour tout t'expliquer. Ça, c'était hier dans l'après-midi. Au milieu de la nuit, il m'a rappelée pour me confirmer que tu étais bien en route pour Séville. Il m'a également annoncé qu'il m'avait réservé un billet d'avion, et que ce dernier m'attendait à l'aéroport de Barcelone. Il a ajouté qu'il pensait que tu continuais à éprouver de l'affection pour moi. Et j'ai eu droit pour finir à un petit sermon sur la manière dont nous nous étions comportés, toi et moi, après ce qui s'était passé à Oslo.

Comme Frank restait silencieux, elle poursuivit :

— Je suis vraiment désolée, Frank. Tu n'as aucune obligation envers moi, dans mon état, je veux dire. Mais est-ce que tu arriveras à me pardonner ?

— Combien de temps restes-tu en ville ? demanda-t-il.

— Je ne sais pas. Je crois que mon avion de retour est à 15 h 30 dimanche, c'est en tout cas ce qu'il y a de marqué sur mon billet. Et toi, tu restes jusqu'à quand ?

— Je ne sais pas. Peut-être jusqu'à lundi.

Ils avaient vraiment besoin d'un médiateur. J'intervins :

— Vous resterez tous les deux à Séville le temps qu'il faudra ! Vous devez décider si, dans un premier temps, vous rentrez à Oslo ou à Barcelone. Sinon, j'exige d'être remboursé pour tous mes frais, ce n'est pas gratuit tout cela, je vous signale !

Nous fûmes interrompus par des cris : il était temps de passer à table et de faire honneur aux tapas et au manzanilla. Je notai que Frank avait posé la paume de sa main droite sur le ventre de Véra et que cette dernière avait recouvert sa main de la sienne.

Il me revint en mémoire l'aphorisme qu'Ana, selon la lettre de Frank, aurait murmuré dans la voiture qui les ramenait de la ligne de changement de date : *Dans l'obscurité des ventres arrondis nagent à tout instant des millions de cocons contenant une conscience du monde radicalement nouvelle. Des elfes en sucre un peu gauches sont les uns après les autres poussés vers l'extérieur quand ils arrivent à maturité et savent respirer. Au début ils ont pour seule nourriture le lait sucré d'elfe qui coule d'une paire de doux tétons d'elfe.*

Une autre chose me frappa également. A Maravu, quand nous avions fait un tour de table en demandant à chacun son opinion, Ana avait dit qu'elle croyait en une réalité en dehors de celle-ci : « Peut-être nous retrouverons-nous ailleurs et tout ceci nous apparaîtra alors comme un rêve », avait-elle ajouté. Mais, après tout, je pouvais me permettre la même liberté littéraire que Frank, qui, dans sa longue lettre à Véra, brode largement autour de cette déclaration. Car nous étions à nouveau réunis et Ana n'était pas morte.

Nous bûmes beaucoup de manzanilla cette nuit-là, et il fut longuement question des journées passées aux Fidji. Nous avions enfin quelqu'un à qui tout raconter et Véra se révéla bon public. Elle rit de bon cœur quand on évoqua le couple infernal Bill et Laura, mais je ne jugeai pas nécessaire de lui raconter comment Frank et Laura avaient, un soir, quitté précipitamment la fête pour aller boire un dernier verre.

Ana et José étaient allés à Taveuni pour préparer un reportage sur la ligne de changement de date et les îles Fidji. Tout était depuis longtemps dans la boîte et José donna à Frank une cassette vidéo de l'émission. Ana ajouta avec fierté que la chaîne avait gardé la petite interview qu'ils avaient faite de Frank où il parlait de la diversité biologique et de la menace pesant sur l'habitat traditionnel en Océanie.

Frank et moi racontâmes comment, la première fois que nous avions rencontré Ana, nous avions eu tous deux la forte impression de l'avoir déjà vue quelque part.

– Oh, s'il vous plaît ! dit Ana en riant.

Elle se cacha le visage entre les mains en disant :

– Si vous saviez le nombre de fois où j'ai entendu ça !

J'expliquai comment j'avais surfé sur le Net et comment, en quelques minutes, j'avais obtenu des images parfaites de la *maja* de Goya. De la même façon, j'avais trouvé quantité de renseignements sur la célèbre *bailaora* Ana María Maya.

– C'est pourquoi tu t'es permis de poser un doigt sur le front d'Ana, en lui faisant comprendre que tu savais qui elle était, rappela José. J'ai bien compris que tu avais dû te renseigner pour trouver une explication à votre sentiment de « déjà-vu », à Frank et à toi ; je savais à quel point Ana détestait qu'on la reconnaisse, que ce soit en tant que *bailaora* de Séville ou en tant que sosie de la *maja* de Goya. Je crois même, si je ne me trompe pas, que tu as commencé à parler d'elle comme d'une « œuvre d'art ». Et dire que nous étions aux Fidji, aux îles Fidji, bon sang ! Oui, Internet peut vraiment conduire à des abus.

– Saviez-vous qu'Ana était enceinte ? demanda Frank à nouveau.

Tous deux secouèrent la tête.

– C'est pour cela, je suppose, qu'elle a été prise d'un malaise le matin de mon départ ?

Cette fois, ce fut José qui répondit :

– Oui, mais nous l'avons compris seulement plus tard. Sur le coup, j'ai été pris de panique. Je croyais qu'Ana avait eu un choc anaphylactique, car elle a toujours eu une allergie aux piqûres d'insectes. Je n'ai pas vraiment réfléchi, j'ai pensé qu'une gifle pourrait peut-être stimuler la production d'adrénaline.

Ainsi conversions-nous tranquillement pendant que les bouteilles vides s'accumulaient sur la table. Frank dut répondre du fait qu'il avait écarté les doigts pour voir Ana se baigner nue dans la cascade de Bouma :

– C'est là que je me suis rendu compte que je reconnaissais seulement ton visage, avoua-t-il. Sinon je ne suis vraiment pas du genre voyeur.

Ana rit :

– Je ne ressemblais certainement plus à la *maja* de Goya quelques semaines plus tard !

Il était quatre heures du matin quand nous nous séparâmes, et je dus guider Frank et Véra à travers les ruelles de Santa Cruz jusqu'à l'hôtel Dona Maria. Le portier de nuit nous informa que personne n'était venu réclamer la troisième chambre que j'avais réservée. Frank et Véra échangèrent un coup d'œil, peut-être se revoyaient-ils sur le seuil d'une chambre d'hôtel à Salamanque trois quarts de grossesse plus tôt ? Tous les deux eurent l'air de trouver cela plutôt comique.

– Côté chambres, on a ce qu'il faut, dis-je. Il ne reste plus qu'à trouver une épouse…

La dernière chose que je déclarai à Frank et Véra avant que tout le monde aille se coucher, c'est que sur mon bureau, à Croydon, j'avais une carte postale en piteux état représentant la Sagrada Familia et que j'essaierais de la leur poster à l'occasion.

*

Le soleil brillait haut dans le ciel au-dessus de la capitale andalouse lorsque nous partîmes pour une longue promenade le lendemain matin. Ana et José étaient venus nous rejoindre à l'hôtel Dona Maria, et nous formions comme une grande famille autour du landau à rayures rouges et noires de Manuel. Nous traversâmes la plaza Virgen de los Reyes, passâmes devant l'Archivo de Indias et la puerta Jerez, avant de prendre le chemin qui descendait vers le paseo de la Delicias, suivant un moment le Guadalquivir pour arriver au parc María Luisa, le plus grand parc de Séville. C'est la princesse María Luisa qui en fit cadeau à la ville en 1893 et il servit, par la suite, de cadre pour la grande exposition ibéro-américaine de 1929. Avec son labyrinthe de sentiers et d'allées, ses tonnelles et ses pavillons, ses grottes et ses montagnes artificielles, ses pelouses ombragées et ses milliers d'arbres, le parc María Luisa est l'un des plus luxuriants d'Europe.

Parmi tous les pavillons, nous remarquâmes plus particulièrement le pavillon mexicain d'inspiration maya. José nous apprit qu'il avait servi de maternité après l'Exposition, ce que la jeune maman et la future maman écoutèrent avec grand intérêt. Frank précisa que *maya* était un terme que l'on retrouvait aussi bien chez les Indiens d'Inde que chez ceux d'Amérique, malgré l'absence de parenté linguistique. José trouva la remarque un peu facile ; le terme espagnol de « flamenco », expliqua-t-il, signifiait aussi flamant rose, sans qu'il y eût le moindre lien étymologique avec la danse du même nom. Ana et José racontèrent qu'une fois ils avaient fait le pèlerinage aux Saintes-Maries-de-la-Mer et qu'Ana avait dansé le flamenco lors d'un grand rassemblement pour tous les gitans d'Europe. Ils avaient pu tout à loisir admirer les flamants roses qui séjournent dans le delta du Rhône.

Sur la plaza de America, nous passâmes devant le musée archéologique. La place était envahie de pigeons blancs et Ana acheta un sac de graines. L'instant d'après, elle disparaissait sous les coups d'ailes frénétiques de ces descendants des dinosaures. Frank parla encore une fois de la photo que Laura avait prise du pigeon à la gorge orangée.

A partir de la plaza de America, nous entrâmes dans le parc lui-même. Ana et José poussaient le landau à tour de rôle tandis que Frank et Véra, sans même sans apercevoir, s'observaient mutuellement : Frank lançait de petits regards furtifs dans la direction de Véra dès que celle-ci tournait la tête de l'autre côté, et Véra faisait de même dès que Frank se penchait sur le landau ou bavardait avec Ana et José. Mais, toujours, ils évitaient de croiser le regard de l'autre.

C'est moi qui insistai pour qu'Ana et José nous expliquent un peu des racines du flamenco en Andalousie. Ils nous parlèrent d'El Planeta et du non moins célèbre *aficionado*

Serafin Estébanez Calderon que l'on avait surnommé El Solitario, « Le Solitaire ». Au milieu du XIXe siècle, Calderon rédigea un ouvrage, *Récits andalous*, dans lequel il décrit, brillamment, le milieu du flamenco à Séville, en particulier dans la nouvelle intitulée *Une fête à Triana*. On peut dire qu'El Solitario fut le premier flamencologue digne de ce nom.

– El Planeta ou El Solitario ? l'interrompit Frank.

Ana sourit d'un air complice. Frank était visiblement le roi des associations d'idées, car il ajouta aussitôt :

– Je repensais à Laura, qui était toujours plongée dans son Lonely Planet.

– Impressionnant, admit José qui abandonna la partie.

Nous restâmes un moment à lire le panneau explicatif décrivant les différentes espèces d'oiseaux vivant dans le parc, et je crois que c'est le moment que choisit Frank pour mentionner que nous avions vu un drôle de nain dans les jardins de l'Alcázar.

Ana eut un large sourire.

– C'est là qu'il habite, dit-elle.

– A l'Alcázar ?

– C'est du moins ce qu'on raconte. Il court à travers les jardins pour prendre des photos Polaroïd des touristes, puis il essaye de les leur vendre à un prix exorbitant. Il paraît qu'il habite la galerie des Grotesques. Il a toujours fait ça, d'aussi loin que je m'en souvienne. Personne ne sait en fait quel âge il a.

Tout en discutant, nous étions arrivés sur la plaza de España, construite à l'occasion de l'Exposition ibéro-américaine : cet immense hémicycle est entouré de canaux que franchissent des ponts d'inspiration vénitienne. Le palais, lui aussi en forme de demi-cercle, servit de lieu d'exposition pour l'industrie et l'artisanat espagnols en 1929. Le majestueux bâtiment, baigné de lumière, qui s'élève face au Guadalquivir, est flanqué de quatre piliers, chacun formé de treize doubles colonnes.

Nous empruntâmes l'un des ponts, et Ana et José nous conduisirent devant le pilier de gauche : sous la balustrade, des bancs en azulejos représentaient les provinces espagnoles, illustrées chacune par un épisode historique important, une carte et un blason. L'Espagne, expliqua José, était composée de cinquante provinces, plus les villes autogérées de Ceuta et de Melilla au Maroc.

– Cela fait cinquante-deux, dit Frank. C'est-à-dire exactement le nombre de circonscriptions électorales pour la chambre des représentants des Fidji.

C'était devenu un jeu entre Frank et José de chercher toutes les associations possibles, et José répliqua :

– Cinquante-deux, c'est aussi le nombre de cartes dans un jeu. Avouez d'ailleurs qu'on vous a bien fait marcher avec ça.

J'avais mes raisons pour trouver cette conversation follement intéressante : on avait d'abord évoqué le terme *maya* et voilà maintenant que l'on parlait du chiffre cinquante-deux. Bien entendu, je les coiffai tous les deux au poteau en disant :

– Cela correspond aussi à l'ancien calendrier maya. A l'année astronomique classique de trois cent soixante-cinq jours, les Mayas ajoutaient une année rituelle de deux cent soixante jours. Pour que tout cela soit cohérent, le calendrier astronomique avait donc un cycle de cinquante-deux ans.

Ana leva les yeux vers moi et, encore une fois, je crus avoir capté l'attention de la *maja* de Goya.

– Tu ne crois pas que tu exagères un peu ? fit-elle.

Mais je secouai la tête :

– Tu peux faire le calcul. Cinquante-deux années astronomiques, cela fait 18 980 jours, et si tu divises ce nombre par les deux cent soixante jours du calendrier rituel, tu obtiens soixante-treize années rituelles. Cela tombe juste. De plus, ces deux cent soixante jours étaient répartis sur treize mois.

Puisqu'il était question de la mesure du temps, et que c'était à mon tour de parler, je poursuivis :

– Vous vous souvenez sûrement qu'ils avaient commencé à préparer le changement de millénaire aux Fidji ?

– C'est même pour ça que nous y sommes allés, répondit José. Si l'on excepte l'Antarctique et un petit bout de la Sibérie, l'archipel des Fidji est le seul territoire traversé par le méridien 180. « C'est le seul endroit au monde où vous pouvez passer d'aujourd'hui à demain sans après-skis. »

Je hochai patiemment la tête.

– Mais vous ne savez pas la dernière ?

José secoua la tête et j'enchaînai :

– Il y a eu une vraie bataille entre plusieurs îles du Pacifique pour savoir laquelle d'entre elles entrerait la première dans le troisième millénaire. Plein de choses entraient en compte, l'endroit exact où passait la ligne de changement de date, les heures d'été et d'hiver, ou encore les heures de lever et de coucher du soleil… Mais seules Taveuni et quelques autres îles des Fidji sont traversées par ce fameux méridien 180, et pour être tout à fait sûres de devancer les îles Tonga et la minuscule Little Pitt Island, les îles Fidji ont introduit cette année l'heure d'été. Il y a quelques semaines à peine, les Fidjiens ont dû pour la première fois avancer leur montre d'une heure. Mais ce n'est pas tout…

– Ne me dis pas qu'ils ont construit un hôtel de luxe sur la ligne de changement de date ! lança Frank.

– Pas vraiment, non, dis-je. En fait, près de la plage où Ana et José interrogeaient Frank il y a quelques mois sur les espèces en voie de disparition en Océanie, ils ont décidé de construire un « Monument du millénaire ». Moyennant cinq cents dollars, n'importe qui pourra déposer un message dans une petite capsule à ouvrir seulement dans mille ans. On glisse ensuite cette capsule dans un trou à l'intérieur d'une brique, qui sera elle-même scellée dans un mur faisant partie intégrante du monument. Une fondation s'est engagée à prendre soin du mur pendant les dix siècles à venir. L'ouverture des capsules donnera lieu à une cérémonie, tout ce qu'il y a de plus solennel, le 1er janvier de l'an 3000.

– Si jamais j'ai quelque chose sur le cœur…, dit José. D'ici là… Et toi ?

– Je me suis demandé si je n'allais pas y mettre une sorte de manifeste du XX<sup>e</sup> siècle, dis-je.

– Un manifeste ? Un manifeste politique ?

Je secouai la tête.

– J'ai rédigé une sorte de compte rendu de la rencontre au sommet qui s'est tenue au Maravu Plantation Resort. Vous ne trouvez pas qu'il est de notre devoir vis-à-vis des Fidji de laisser une petite trace de notre passage là-bas ?

Ils rirent tous de bon cœur.

Ana raconta que les provinces espagnoles se présentaient par ordre alphabétique, de Alava à Zaragoza, et quand nous nous approchâmes de la balustrade, elle désigna les bancs et commença à énumérer :

– Alava, Albacete, Alicante, Almería, Avila…

Elle fut interrompue par Véra.

– J'ai été conçue dans la province d'Almería, s'écria-t-elle, dans la petite ville de Véra. C'est pour cela que mes parents m'ont donné ce nom.

Sur ce, elle se précipita vers la carte d'Almería et indiqua effectivement la ville qui s'appelait Véra.

Comme nous étions devant la représentation d'Alava, Ana leva les yeux vers José et dit :

– Puis-je dévoiler un secret ?

Jusqu'ici, José l'avait toujours empêchée de répondre à la moindre de nos questions. Surtout à Taveuni. Mais à présent, il se contenta de hausser les épaules, signifiant par là même qu'elle était libre de dire tout ce qu'elle voulait.

– Nous venons nous promener ici presque chaque dimanche, reprit-elle. Aussi, au fil des ans, avons-nous imaginé une petite histoire pour chaque province espagnole. Quand nous sommes à l'étranger, nous essayons de nous souvenir de toutes les histoires dans le bon ordre. Ou nous en inventons de nouvelles.

Frank et moi nous jetâmes un regard complice. Nous tenions enfin l'explication de ce perpétuel marmonnement qui nous avait tant étonnés ! Je ne comprenais pas ce qu'ils disaient, c'est pourquoi, entre autres, j'avais eu besoin de Frank comme interprète et médiateur, fonction qu'il continuait à remplir à merveille, sans s'en rendre compte heureusement.

Nous marchâmes lentement, passant en revue toutes les provinces espagnoles. Chaque fois, Ana et José montraient du doigt les mosaïques et racontaient une petite histoire, une légende ou une anecdote.

Frank et Véra demandèrent s'ils pouvaient pousser, chacun à leur tour, le landau de Manuel. Si une météorite n'avait pas heurté la Terre il y a soixante-cinq millions d'années, pensai-je, ce n'est peut-être pas un bébé joufflu qu'il serait en train de promener, mais un bel œuf bien lisse. Car qui sait si les dinosaures n'auraient pas fini, eux aussi, par inventer la roue ?

En arrivant à Zaragoza, de l'autre côté de la place, Frank et Véra poussaient ensemble le landau, mais, pour qu'ils osent le faire, il avait fallu attendre Zamora. José parla alors de la ravissante cathédrale Nuestra Señora del Pilar, avec ses fresques peintes par Goya. Frank et Véra confièrent de nouveau le landau à Ana, se prirent par la main et ne se lâchèrent plus des yeux. Le demi-cercle était enfin complet.

L'autre demi-cercle, c'était la lettre de Frank à Véra. Ces deux demi-cercles n'avaient jamais été conçus pour former un seul et unique cercle. Je ne m'attendais certainement pas à tomber sur Frank à l'hôtel Palace. Mais maintenant que les choses en étaient arrivées là, j'avais un affreux mal de crâne, même si cela me permettait d'élargir mon champ d'investigation en tant que romancier.

Un peu plus tard, José me demanda où en était le livre sur lequel j'avais commencé à travailler quand nous nous étions rencontrés aux Fidji. De nouveau je posai un doigt sur mes lèvres et déclarai que je ne parlais jamais de mon travail tant qu'il n'était pas achevé.

– J'aurais aimé savoir comment cela avançait, répéta José.

Ils me regardaient tous. Je compris que ma position était difficilement défendable : ils avaient tous parlé à cœur ouvert, je ne pouvais pas me dérober. Cela dit, qu'avais-je à ajouter depuis notre dernière rencontre ? Rien. Et dire que, eux, pendant ce temps-là, avaient réussi à fabriquer deux nouveaux citoyens du monde !

– C'est à la fois une histoire vécue et une histoire inventée. J'avoue ne pas savoir laquelle est la plus extraordinaire. Sans doute parce que, d'une certaine manière, elles s'imbriquent l'une dans l'autre. Comme l'œuf et la poule. Sans l'histoire vécue, l'histoire inventée n'aurait pas été possible, et sans l'histoire inventée, l'histoire vécue aurait été impensable. Il est d'ailleurs impossible de déterminer où commence et où finit chacune de ces histoires, puisque seul le début peut définir la fin, et vice versa. Nous en avons déjà parlé. Les applaudissements pour le big bang n'ont retenti que quinze milliards d'années après l'explosion.

– Mais de quoi parlent ces deux histoires ? voulut savoir Véra.

Je réfléchis un moment avant de répondre :

– Elles parlent des vertébrés.

Frank écarquilla les yeux.

– Des vertébrés ?

Je fis oui de la tête.

– Elles parlent des synapsides et plus particulièrement des dernières ramifications du tronc, c'est-à-dire des hominidés. Moi-même, je suis l'une de ces étranges créatures, qui a réussi à atteindre le grand âge de soixante-cinq ans. Cela me fait un drôle d'effet de penser que je suis issu d'une petite musaraigne qui vivait, elle, il y a soixante-cinq millions d'années ou, si l'on veut remonter encore plus haut, d'un amphibien qui vivait il y a trois cent soixante-cinq millions d'années. Mais bon ! Qui sait si, nous-mêmes, nous ne sommes pas encore à l'état de chrysalide ?

Je me penchai d'abord au-dessus du landau où gigotait Manuel, puis regardai le ventre de Véra.

– Car cette gigantesque arborescence de l'espèce est loin d'être terminée, continuai-je. Elle va se développer, loin, très loin de nous, mes amis. Jusqu'où ce long voyage la mènera, personne n'en sait trop rien aujourd'hui.

Ana approuva en silence et j'eus le sentiment qu'elle ne se précipiterait pas sur le roman à sa parution. Au fond, cela valait peut-être mieux.

Accompagnant la lettre de Frank à Véra, il y avait quatre fois treize photographies prises à Taveuni et, au dos de chaque photo, Ana avait écrit le Manifeste qu'ils n'avaient cessé de se réciter. Tandis que nous refaisions encore le tour de la plaza de España, d'Alava à Zaragoza, j'essayais de me souvenir de ce que j'avais lu du Manifeste, appliquant une maxime à chacune des provinces espagnoles. Il ne faut pas que José oublie de préciser que le Manifeste a été écrit pour être partagé, pensai-je, car les perspectives qu'il offre sont quasiment insupportables pour qui n'a personne à tenir par la main.

Frank n'avait plus cet air abattu qui m'avait tant frappé quand nous discutions dans la palmeraie du Maravu Plantation Resort. Il était évident qu'il supportait un peu mieux le fardeau de ne pas se savoir éternel. En tout cas, il n'était plus seul à aller à la rencontre de la nuit cosmique, il avait désormais quelqu'un avec qui entreprendre ce périlleux voyage. Il restait un ange en détresse, mais la détresse aide parfois les anges privés d'ailes à aimer.

Nous prîmes congé les uns des autres ici, sur la plaza de España. Ana et José devaient rentrer avec Manuel, Frank et Véra avouèrent qu'ils avaient besoin de rester un peu tous les deux pendant quelques jours.

Je me retrouvai donc seul. Et pourtant, je me sentais lié à chacun d'entre eux d'une manière plus forte qu'aucun de mes nouveaux amis ne pourrait jamais le supposer.

\*

Avant de reprendre le train pour Madrid, et, de là, un avion pour Gatwick, je décidai de faire quelques pas le long du Guadalquivir. Je traversai le fleuve par le pont San Telmo et me retrouvai tout d'un coup à Triana, devant l'église Santa Ana. La porte du bâtiment était grande ouverte et, cette fois, c'est moi qui fus touché de plein fouet par une impression de « déjà-vu ».

Alors que j'étais sur la place, une foule de personnes vêtues de noir se rassembla petit à petit devant l'église parois-siale d'un beau jaune ocre. Je compris qu'allait avoir lieu une messe des morts et, quand la foule entra dans l'église, je la suivis. Je ne compris pas grand-chose, mais, apparemment, le défunt que l'on célébrait était une jeune femme ; je distinguai nettement ses parents et son époux.

Pendant le prêche, je me demandai qui pouvait bien avoir été arraché à la vie et pourquoi – et si j'en étais, d'une certaine façon, responsable.

Au moment de sortir, j'aperçus le nain de l'Alcázar. Quand je passai sous le porche de l'église, il leva les yeux vers moi et me fit un clin d'œil. Je pensai un instant qu'il m'avait reconnu – après tout, notre rencontre datait de la veille seulement –, mais je ne me souviens pas si je lui ren-dis son clin d'œil. Toujours est-il qu'avec l'index de la main gauche, il me fit signe d'approcher. J'obéis et m'éloignai un peu de la foule. Il fourra une main dans la poche intérieure de sa veste, en sortit un paquet de photographies en couleurs qu'il feuilleta rapidement avant de m'en tendre une. C'était un portrait de moi pris devant la puerta de Marchena, dans les jardins de l'Alcázar. Je fouillai fébrilement dans mes poches pour trouver un peu de monnaie à lui donner, mais le nain refusa d'un geste catégorique en disant seulement : « De nada, de nada ! » Je le remerciai chaleureusement, mais avant que j'aie eu le temps d'examiner d'un peu plus près cet étrange individu, lui et toutes les autres personnes s'étaient volatilisés.

Je m'attardai un moment sur la place devant l'église Santa Ana, examinant le cliché que le nain venait de me remettre. Je vis ce que je savais déjà, ce que j'avais toujours su : j'étais un primate qui avait du chagrin, et je ne trouvai nulle consolation dans le regard désespéré que me renvoyait l'homme sur la photo. Je compris enfin que le roman sur lequel je travaillais ne parlait pas vraiment de Frank et Véra ou d'Ana et José, mais qu'il parlait de Sheila et de son jeu de cartes. Et il parlait de moi-même.

Presque instinctivement, je retournai la photo, le nain avait écrit au dos ces phrases : *L'homme est peut-être le seul être vivant de tout l'univers à avoir une conscience universelle. Il n'a pas uniquement une responsabilité globale vis-à-vis de l'avenir écologique de cette planète, il a une responsabilité cosmique. Un jour, les ténèbres s'abattront peut-être à nouveau sur la Terre. Et l'esprit de Dieu ne flottera plus sur les eaux.*

*Le Manifeste*

# As de ♣

Il existe un monde. Du point de vue de la vraisemblance, cela confine à l'impossible. Cela aurait été beaucoup plus simple si on avait pu faire en sorte qu'il n'existât rien du tout. Personne alors ne se serait posé la question de savoir pourquoi il n'y avait rien.

# Le 2 de ♣

Pour un regard impartial, le monde n'apparaît pas seulement comme un événement unique invraisemblable, mais comme un fardeau permanent pour la raison. Enfin, s'il existe bel et bien une raison, une raison neutre. Ainsi parle la voix qui vient de l'intérieur. Ainsi parle la voix du Joker.

# Le 3 de ♣

La voix s'articule ici et maintenant chez les descendants des amphibiens. Les toussotements remontent via les neveux des dinosaures terrestres dans la jungle de l'asphalte. La question posée par les descendants des mammifères à fourrure est de savoir s'il existe une raison hors de ce cocon éhonté qui prolifère tous azimuts.

# Le 4 de ♣

Question : Quelle est la probabilité pour que quelque chose naisse de rien ? Ou l'inverse, bien sûr : quelle est la probabilité que quelque chose puisse avoir toujours existé ? Ou plus précisément : peut-on calculer la part du hasard dans ce soudain réveil de la matière cosmique qui, un matin, se frotte les yeux et prend conscience d'elle-même ?

# Le 5 de ♣

S'il existe un dieu, il n'est pas seulement un cogneur qui laisse des traces derrière lui, il est passé maître dans l'art de se volatiliser. Et le monde n'est pas à même de dire les choses comme elles sont, en tout cas pas celui-ci. Dans l'espace, tout est toujours aussi dense. Ce n'est pas le genre des étoiles de colporter des ragots…

Personne n'a oublié le big bang. Depuis ce temps-là, le silence règne sans partage, et les corps célestes se détachent les uns des autres. Il est encore possible de croiser une lune. Ou une comète. Mais ne vous attendez pas à être accueilli par des cris de joie. Dans le ciel, il n'y a pas de cartes de visite.

# Le 6 de ♣

Au début était le big bang ; ça fait un bail.

« Par ici, approchez ! Ce soir, numéro exceptionnel : dépêchez-vous, il ne reste que quelques billets ! En ouverture du spectacle, rien de moins que la création du public ! »

Pour un tel événement, il aurait été pour le moins incongru de se passer de claque et de ne pas en faire un spectacle.

« Il reste encore quelques places dans les premiers rangs ! »

# Le 7 de ♣

Qui pouvait se réjouir du feu d'artifice cosmique tant que les bancs de l'univers n'étaient occupés que par la glace et le feu ? Qui pouvait deviner que le premier amphibien assez téméraire pour sortir des basses eaux ne faisait pas un petit pas en rampant mais un pas de géant sur le long chemin qui mène jusqu'au fier regard en arrière du primate sur le point de départ de ce même chemin ? Les applaudissements pour le big bang ont retenti quinze milliards d'années après la déflagration.

# Le 8 de ♣

C'est un travail tout à fait remarquable de créer tout un monde ; cela dit, nous éprouverions encore plus de respect si ce monde avait été capable de se créer lui-même. Et vice versa : la simple expérience d'être créé n'est rien, comparée au bouleversement profond que l'on doit ressentir quand on s'est créé tout seul à partir de rien et qu'on tient debout sur ses deux jambes.

# Le 9 de

Le Joker se sent grandir, il le sent dans ses bras et ses jambes, il sent qu'il n'est pas seulement le fruit de son imagination. Il sent l'émail et l'ivoire pousser dans sa mâchoire anthropomorphe. Il sent le poids léger des côtes du primate sous sa robe de chambre, les battements réguliers du pouls qui sans arrêt pompe le liquide chaud pour l'envoyer dans son corps.

# Le 10 de ♣

Ce qui est étonnant, ce n'est pas que le Créateur, comme chacun sait, a fait deux ou trois pas en arrière immédiatement après avoir modelé l'homme avec la glaise du sol et insufflé dans ses narines une haleine de vie ; dans cet événement, le plus surprenant, c'est le manque d'étonnement d'Adam.

# Le valet de ♣

Le Joker se meut parmi les elfes en sucre sous l'apparence d'un primate. Il baisse les yeux sur des mains étrangères, caresse une joue qu'il ne connaît pas, porte les mains à son front et sait qu'à l'intérieur se joue l'énigme du *je*, le plasma de l'âme, la gelée de la connaissance. Il n'arrive pas à se rapprocher plus près du noyau des choses. Il a l'impression d'être un cerveau transplanté. Il n'est donc plus lui-même.

# La dame de ♣

Une nostalgie erre de par le monde. Plus elle est forte et puissante, plus est profond le désir d'une délivrance. Mais qui écoute les aspirations du grain de sable ? Qui prête l'oreille au désir du pou ? S'il n'y avait rien, personne ne ressentirait la moindre nostalgie pour quoi que ce soit.

# Le roi de ♣

Nous portons une âme que nous ne connaissons pas et sommes portés par elle. Quand l'énigme se tient sur deux jambes sans être résolue, c'est à notre tour. Quand les images du rêve se pincent elles-mêmes le bras sans se réveiller, c'est nous. Car nous sommes l'énigme que nul ne devine. Nous sommes l'aventure enfermée dans sa propre image. Nous sommes ce qui marche sans jamais arriver à la clarté.

# L'As de

Il y a quelque chose qui tend l'oreille et écarquille les yeux : jaillissant des langues de flammes, jaillissant de la lourde soupe originelle, jaillissant des cavernes, et jaillissant, toujours jaillissant loin là-bas, à l'horizon de la steppe.

# Le 2 de ♦

Le chemin mystérieux ne va pas vers l'intérieur, mais vers l'extérieur ; il ne va pas dans les labyrinthes, mais sort des labyrinthes. Il s'est élevé des nuages froids d'hydrogène, des bras tournants hélicoïdaux et des supernovae explosantes. La dernière étape a été un tissu de macromolécules autoconstruites.

# Le 3 de

La toile d'araignée des secrets de l'espèce s'est étendue du puzzle de la soupe originelle aux cœlacanthes
lucides et aux amphibiens d'avant-garde.

Le relais est passé avec soin aux reptiles à sang chaud,
aux demi-singes acrobatiques et aux lourdauds singes
humains. Y avait-il un pressentiment ultralatent tapi tout
au fond du cerveau des sauriens ? Arriva-t-il qu'un singe
humain outrancier eût l'intuition endormie du plan
général ?

# Le 4 de ♦

Telle une brume ensorcelée, la vue d'ensemble se lève, à travers la brume, traverse le brouillard, émerge du brouillard. Le demi-frère choyé du Néandertalien porte la main à son front et sait que derrière l'os frontal du primate nage la masse cérébrale molle, le pilote automatique du voyage de l'évolution, l'oreiller de collision du festival de protéines entre la chose et la pensée.

# Le 5 de

Le grand bouleversement a lieu dans le manège du cirque cérébral du tétrapode. C'est ici que remonteraient les triomphes les plus anciens de l'espèce. Dans les cellules nerveuses des vertébrés explosent les premiers bouchons de champagne. Les primates postmodernes finissent par accéder à la grande vue d'ensemble. Et soyez sans crainte : l'univers se voit lui-même en grand angle.

# Le 6 de ◆

Le vertébré se retourne brusquement, aperçoit derrière lui la mystérieuse queue de l'espèce dans le miroir rétrospectif de la nuit des années-lumière. A cet instant seulement, le chemin mystérieux a atteint son but et ce but était précisément la conscience du long chemin pour atteindre le but. On ne peut qu'applaudir des deux mains, ces extrémités qui entrent dans le portfolio héréditaire de l'espèce.

# Le 7 de

L'éléphant est embarrassé, naturellement, de constater que ses ancêtres se sont fourvoyés dans une impasse sans fin. Un plus grand honneur échut au demi-singe. Il avait peut-être l'air un peu idiot, mais il possédait le sens de la direction. Tous les chemins ne mènent pas au Joker

# Le 8 de ◆

Des poissons, des vertébrés et des petites musaraignes au goût sucré, le primate chic a hérité des yeux seyants avec vue en profondeur. Les lointains descendants du cœlacanthe étudient la fuite des galaxies dans l'espace et savent qu'il a fallu des milliards d'années pour ajuster le regard. Les lentilles sont polies par des macromolécules Le regard se focalise grâce à des protéines et des acides aminés hyperintégrés.

# Le 9 de

Dans les pupilles de l'œil entrent en collision la vue et la finalité, l'œuvre du Créateur et la réflexion. Les fruits de la vue, telle la face de Janus, sont une porte à tambour magique où l'esprit créateur se rencontre lui-même dans ce qu'il a créé. L'œil qui plonge dans l'univers est l'œil même de l'univers.

# Le 10 de ♦

Les elfes ne sont pas virtuels, ce sont des vertébrés. Ce sont des œufs de poissons, des œufs de crapauds, des bébés reptiles qui ont muté. Les elfes sont des vertébrés pentadactyles, ils sont les descendants légitimes des premières musaraignes, ils sont les primates sans queue qui dégringolent d'un arbre, répercussions ineptes après le très ancien coup de timbales originel.

# Le valet de ♦

Les elfes ne viennent pas de l'extérieur mais de l'intérieur. Ils sont les toiles micro-inspirées des araignées de l'ADN en chaleur. Les elfes ne sont pas des ombres sur le mur de la caverne, mais des colonies cellulaires hyperdifférenciées. Ils ne sont pas un produit de l'imagination, mais les héros de l'aventure, l'aventure au concret.

# La dame de ◆

La planète vivante est actuellement régie par quelques milliards d'animaux dominants hyperindividuels. L'ensemble de ces spécimens provient du même bassin dans l'océan et du même cœlacanthe. Jamais deux d'entre eux n'ont été pareils. Et jamais deux de ces elfes ne se sont jusqu'ici retrouvés exactement sur le même globe.

# Le roi de ♦

Le Joker se tient au bord du chemin énigmatique, là où il s'arrête. Il sait qu'il porte un vieux bagage, pas dans un sac en plastique ou en cuir, mais dans chaque cellule de son corps. Il voit le globe continuer à gonfler ses sculptures d'ADN élaborées poursuivant une finalité intérieure micro-inspirée. Qui sera l'éléphant de l'année ? Qui sera l'autruche de l'année ? Qui est pour l'instant le primate le plus célèbre du monde ?

# L'As de

Les elfes sont dans le conte à présent, mais ils sont ce pour quoi il n'existe pas de mot. Le conte serait-il encore un conte s'il pouvait se voir lui-même ? Le quotidien serait-il un scoop s'il passait son temps à rendre compte de lui-même ?

# Le 2 de ♥

Les elfes ont de tout temps été plus intuitifs que raisonneurs, plus merveilleux que dignes de confiance, plus mystérieux que capables de comprendre quoi que ce soit avec leur cervelle d'oiseau. Tels des bourdons ivres par un bel après-midi somnolent d'août, ils vont d'une fleur à l'autre, ils agglutinent les elfes en sucre de la saison dans leurs cités de l'espace. Seul le Joker a réussi à se libérer.

# Le 3 de

Les elfes dirigent leur radiotélescope vers de lointaines brumes à la périphérie introvertie du conte. Mais le fantastique ne se laisse pas saisir de l'intérieur et les elfes ne sont pas des êtres de l'intérieur. Les elfes vivent dans leur propre monde. Ils sont enfermés dans le champ de gravité ontologique de cette énigme. Ils sont ce qui existe, et il n'y a aucune compréhension de cela, juste une étendue.

# Le 4 de ♥

A quarante mille pieds de hauteur, les cousins germains, pourtant très éloignés, des poissons sont confortablement assis le dos en arrière pour jeter un regard en
contrebas vers toutes ces lumières émanant des maisons
de Hansel et Gretel. Même si le courant marchait, ce
lutin se serait promené dans la pénombre. Même si
toutes les ampoules étaient éteintes, il y aurait une
auréole de lumière sur le sol.

# Le 5 de

C'est tôt le matin au pays des elfes et le jour ne s'est pas encore levé, bien que des centaines de milliers de lumières intérieures brûlent faiblement avant que les ampoules électriques ne soient allumées. Les elfes de sucre ont commencé à se tordre pour sortir de leurs rêves flegmatiques, mais leurs cellules cérébrales continuent de se faire leur cinéma. Le film se donne en salle et se voit lui-même à l'écran.

# Le 6 de ♥

Les elfes essaient d'avoir des pensées si difficiles à concevoir qu'ils n'arrivent pas à les penser. Ils n'y arrivent pas. Les images sur l'écran ne bondissent pas dans les salles de cinéma mais se ruent sur le projectionniste. Seul le Joker trouve le chemin qui mène aux premiers rangs.

# Le 7 de

Les elfes jouent leur rôle tout en improvisation dans le théâtre magique de la civilisation. Chacun d'entre eux entre tellement dans la peau de son personnage que la représentation n'a jamais de public. Il n'y a personne qui connaisse la pièce, personne pour prendre ses distances et jeter un regard critique. Seul le Joker fait un pas en arrière.

# Le 8 de ♥

Devant son miroir, la mère des elfes examine sa chevelure blonde qui couvre ses frêles épaules. Elle se trouve la plus ravissante des primates femelles qui existent. Par terre, les enfants elfes marchent à quatre pattes, les mains pleines de petits cubes en plastique de couleurs. Le père des elfes est allongé sur le divan, la tête dissimulée sous un journal rose. Il croit que la vie quotidienne, c'est du béton.

## Le 9 de

Depuis les éons, après que le soleil est devenu une géante rouge, on peut encore capter des signaux radio épars dans le brouillard des étoiles. As-tu mis ta chemise, Antonio ? Reviens tout de suite voir Maman ! Il ne reste plus que quatre semaines avant Noël.

# Le 10 de ♥

Dans l'obscurité des ventres arrondis nagent à tout instant des millions de cocons contenant une conscience du monde radicalement nouvelle. Des elfes en sucre un peu gauches sont les uns après les autres poussés vers l'extérieur quand ils arrivent à maturité et savent respirer. Au début ils ont pour seule nourriture le lait sucré d'elfe qui coule d'une paire de doux tétons d'elfe.

# Le valet de ♥

Le bambin en sucre d'orge dans sa salopette bleue est à croquer. La maman elfe le regarde se balancer d'avant en arrière sur un bout de planche fixé par quelques cordes épaisses à l'une des branches du grand poirier. Ainsi fait-elle les comptes des étincelles de l'après-midi en provenance du grand feu miraculeux. Elle sait parfaitement tout ce qui se trouve dans ce modeste jardin, mais elle ne voit pas la lumière aveuglante du feu de Bengale qui relie tous les jardins entre eux.

# La dame de ♥

La Dame de cœur est sa propre fleur. Quand elle doit décorer son salon ou rencontrer son bien-aimé, elle se cueille elle-même. Jolie performance, vous en conviendrez. Elle sait qu'elle est unique en son genre. Les tulipes crèvent d'envie de faire la même chose ; les marguerites la regardent d'un air jaloux ; les lys lui font respectueusement une révérence.

# Le roi de

Quand nous mourons – comme lorsque les scènes sont fixées sur la pellicule et que l'on peut arracher et brûler les décors –, nous devenons des fantômes qui hantent les souvenirs de nos descendants. Oui, très cher, nous devenons des fantômes, des mythes. Mais nous vivons encore l'un auprès de l'autre, nous vivons encore ensemble dans le passé, nous sommes un passé lointain. Sous l'horloge d'un passé mythique, j'entends encore ta voix.

# L'As de ♠

Dans le conte, le Joker rôde parmi les elfes tel un espion. Il se fait ses réflexions, mais il n'a aucune instance à qui les rapporter. Seul le Joker est ce qu'il voit. Seul le Joker voit ce qu'il est.

# Le 2 de ♠

Que pensent les elfes quand ils sont délivrés du mystère de leur sommeil et renaissent à une vie nouvelle ? Qu'en disent les statistiques ? C'est le Joker qui pose la question. Lui-même sursaute chaque fois que ce petit miracle se produit. Il se surprend comme dans un tour de prestidigitation qu'il aurait lui-même présenté. Ainsi fête-t-il le matin de la Création. Ainsi salue-t-il la création du matin.

# Le 3 de

Au sortir de rêves brumeux, le Joker se réveille en chair et en os. Il se hâte de cueillir les baies de la nuit avant que le jour les gâte. C'est maintenant ou jamais. C'est maintenant, et jamais plus. Le Joker comprend qu'il ne peut pas se lever deux fois du même lit.

# Le 4 de ♠

Le Joker est une marionnette mécanique qui, chaque nuit, se brise en morceaux. A son réveil, il récupère bras et jambes et les rassemble pour redevenir la marionnette qu'il était la veille. Combien de bras y avait-il ? Combien de jambes ? Et, bien sûr, une tête avec deux yeux et deux oreilles pour pouvoir se lever.

# Le 5 de ♠

Le Joker se réveille sur l'oreiller, dans un disque dur organique. Porté par un courant chaud de chimères à moitié digérées, il suffoque un peu avant d'atteindre la terre ferme et le rivage d'une nouvelle journée. Quelle force nucléaire met le feu au cerveau des elfes ? Quelles turbines commandent le feu d'artifice de la conscience ? Quelle force atomique fait tenir ensemble les cellules cérébrales de l'âme ?

# Le 6 de ♠

Il sent qu'il flotte dans l'espace vide. Ça ne peut pas continuer. N'a-t-il pas mérité de faire un pas en avant ? Le Joker esquisse quelques mouvements désordonnés devant le miroir de sa penderie, tente d'obtenir de l'être double de son âme un coup d'œil d'intelligence. Mais rien n'a changé. Il serre les dents et, devant ce miracle, se pince lui-même le bras.

# Le 7 de

Soudain il se retrouve sur une selle dans une course de condamné à mort qui va d'alpha à oméga. Il ne se souvient pas s'être mis en selle, mais il sent le poulain de l'existence galoper à présent sous lui et il est emporté par des forces mystiques vers la culbute finale, la tête la première.

# Le 8 de ♠

Le Joker a tant d'atouts en main que dans un unique moment d'ivresse il se sent incroyablement robuste. Combien y a-t-il eu de générations depuis la première division cellulaire ? Combien de naissances peut-il dénombrer depuis le premier mammifère ? C'est l'heure des grands chiffres. N'était-il pas en pleins préparatifs pour cette réflexion de la matinée lorsque le premier dipneuste a brisé le miroir de l'eau ? Alors le pauvre fou a été pris tout d'un coup, de façon incurable, de vertige. Oui, des atouts, il en a, mais il n'a aucun avenir. Il a certes un passé, mais après, il n'est rien.

# Le 9 de ♠

Le Joker est un ange en détresse. Cela est dû à un affreux malentendu. Il devait revêtir un corps de chair et d'os et partager le destin des primates pendant quelques secondes cosmiques, mais il a retiré l'échelle céleste derrière lui. Si personne ne vient le chercher, l'horloge biologique va se mettre à tourner de plus en plus vite et il sera trop tard pour retourner dans le royaume des cieux.

# Le 10 de ♠

La porte de l'aventure est grande ouverte. Certains auraient bien sûr dû nous le dire, mais il n'y a aucune autorité à qui rapporter un tel fait. Le Joker mène une lutte impitoyable contre le courant d'air froid qui provient de tout ce qui est à l'extérieur. Il sèche une larme, non, il pleure vraiment à présent. C'est ainsi que le frêle polichinelle prend tristement congé. Il sait qu'il n'a pas de marge, il sait que le monde ne reviendra jamais en arrière.

# Le valet de ♠

Le Joker n'est qu'à moitié dans le monde des elfes. Il sait qu'il doit voyager, il a fait le bilan de sa vie. Il sait qu'il doit s'en aller, aussi est-il déjà à moitié parti. Il vient de là où tout a son origine et va vers nulle part. Quand il arrivera, il n'aura pas la moindre envie de revenir en arrière. Il doit aller vers le pays du rien où même le sommeil n'existe pas.

# La dame de ♠

Plus le Joker se rapproche de l'extinction éternelle, plus il voit clairement l'animal qui le rencontre dans le miroir, quand il se réveille pour entamer une nouvelle journée. Il ne trouve aucun réconfort dans le regard désolé d'un primate qui a du chagrin. Il voit un poisson ensorcelé, un crapaud métamorphosé, un lézard malformé. « Ceci est la fin du monde, pense-t-il. Ici, le long voyage de l'évolution se termine abruptement. »

# Le roi de

Il faut des milliards d'années pour créer un être humain. Et juste quelques secondes pour mourir.

GROUPE CPI

*Achevé d'imprimer en janvier 2003 par*
**BUSSIÈRE CAMEDAN IMPRIMERIES**
*à Saint-Amand-Montrond (Cher)*
N° d'édition : 51060-2. - N° d'impression : 030323/1.
Dépôt légal : septembre 2001.
*Imprimé en France*
CURSIVES À PARIS